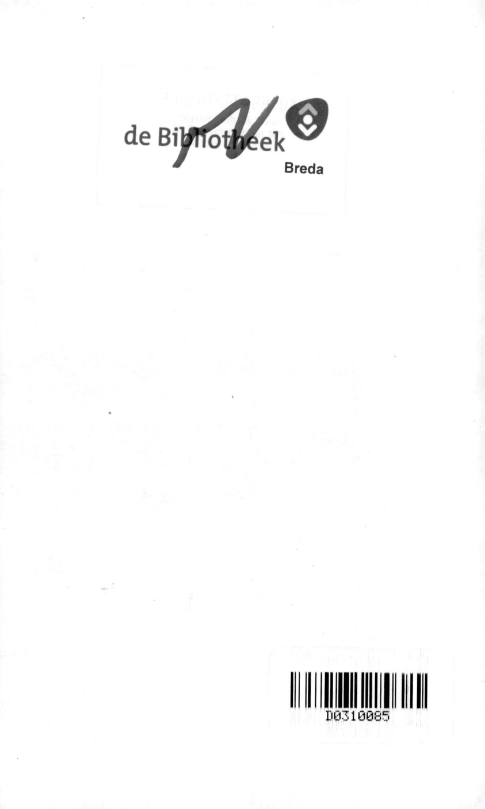

De meermin

Betsy Carter

De meermin

Vertaald door Mieke Vastbinder

ARENA

Oorspronkelijke titel: *Swim to Me*
© Oorspronkelijke uitgave: 2007 by Betsy Carter
Published by arrangement with Algonquin Books of Chapel Hill,
a division of Workman Publishing Company, Inc., New York
© Nederlandse uitgave: Arena Amsterdam, 2007
© Vertaling uit het Engels: Mieke Vastbinder
Omslagontwerp: Roald Triebels, Amsterdam
Foto voorzijde omslag: Getty Images
Foto achterzijde omslag: Marion Ettlinger
Typografie en zetwerk: CeevanWee, Amsterdam
ISBN 978-90-6974-934-1
NUR 302

PROLOOG

Twee jaar oud was ze toen haar moeder haar in het ondiepe gedeelte van een meer liet vallen. Haar moeder was er vast van overtuigd dat het instinct het zou winnen, dat ze niet naar de bodem zou zinken maar net als een hond die kopje-onder gaat op z'n hondjes zou gaan zwemmen. Delores Walker beweerde altijd dat ze zich deze gebeurtenis nog levendig voor de geest kon halen. Ze herinnerde zich hoe koud het was, dat ze haar adem inhield, met haar handen bewoog en haar benen wegschopte. Haar bewegingen werden rustiger toen ze besefte dat het water haar droeg. Ze was niet bang meer. Haar lichaam bewoog mee op de golven, alsof het de natuurlijkste zaak van de wereld was. Vanaf dat moment voelde Delores zich altijd het meeste thuis in het water.

Twaalf jaar later, tijdens de kerstvakantie van 1970, reed Delores met haar ouders van hun appartement aan de Grand Concourse in de Bronx naar Winter Haven in Florida. Ze gingen de beroemde waterskishow in Cypress Gardens bekijken. Met open mond keek Delores naar de skiërs met grote verenpluimen op hun hoofd die op elkaars schouders klommen en piramides bouwden, pirouettes in de lucht maakten en op één been dansten. En dat allemaal terwijl ze als vliegen over het water schoten. Die nacht, toen ze in de kamer die ze deelde met haar ouders in het Slipaway Motel wakker lag, vulde haar geest zich met beelden van alles wat ze had gezien. Om één uur 's nachts lag ze nog steeds te woelen op haar canvas veldbed. Haar moeder kwam overeind. 'Kun je niet slapen, schat?' Haar krulspelden schitterden in de maanverlichte kamer.

'Die skiërs waren het mooiste dat ik ooit heb gezien,' zei Delores. 'Stel je eens voor dat je die kostuums iedere dag droeg. Ik weet zeker dat ik dat mijn leven lang zou kunnen doen.'

Haar moeder knipte het leeslampje aan en stak een sigaret op. Naast haar lag Roy Walker te slapen. Hij maakte het geluid van een diertje waar net iemand op is gaan staan. 'Het was erg mooi. Maar zoals ze in de film zeggen...' Haar moeder sprak nu via de zijkant van haar mond en imiteerde een gangsteraccent: '*You ain't seen nothin' yet.* Morgen gaan we naar Weeki Wachee.'

De volgende ochtend stapten ze in de oude Pontiac en reden ze over een bochtige weg honderddertig kilometer in noordwestelijke richting naar het stadje Weeki Wachee Springs. Ze reden over asfaltwegen die zacht waren geworden door de zon. Aan weerszijden van de weg lagen moerassen. Af en toe tilde een alligator zijn kop op – niet om in de aanval te gaan, maar gewoon om te kijken wat voor weer het was. Een warme vislucht vulde de auto. Roy had het type zonnebril op dat Elvis altijd ophad en hij droeg een hawaïshirt dat hij speciaal voor deze reis had aangeschaft. Hij hield het stuur met één hand vast en deed zijn Yankees-honkbalpet af om het zweet van zijn voorhoofd te vegen. 'Wat een stank,' zei hij. Delores en haar moeder negeerden hem. Ze hadden het te druk met het verdelen van een Bonomo's Turkse toffeereep met vanillesmaak en beten om beurten grote happen van het snoepgoed af. 'Die daar,' zei Gail Walker terwijl ze naar een gapende alligator wees en het snoeppapiertje uit het raam liet wapperen. 'Kijk eens naar die bruine huid van hem. Daar zou ik wel een mooie handtas en een paar schoenen van kunnen gebruiken.' Ze liet het snoeppapiertje wegvliegen.

Ze stopten bij een benzinestation. Naast de blikken autowas en Texaco-motorolie stond een kooi waarin een grote oude beer zat opgesloten. Achter het benzinestation hing een handgeschilderd bord met de tekst: LIVE ALLIGATORWORSTELEN. Voor drie dollar keken ze naar een worstelwedstrijd tussen een Seminole-indiaan en een uitgeputte alligator. Toen de alligator op zijn rug rolde, wreef de worstelaar over een plekje op zijn schilferige buik en viel de alligator als een blok in slaap. Het zag er simpel uit, maar de man die hun geld incasseerde zei dat alleen de Seminole-indianen precies wisten waar dat slaapverwekkende plekje zat. Net voor ze Weeki Wachee Springs bereikten, reden ze langs een sinaasappelboomgaard. Het was er broeierig en het rook er zo zoet dat het wel leek alsof het honing had geregend.

Voor Delores was het de eerste keer dat ze buiten New York kwam. Ze had nog nooit een dier in het wild gezien, de duiven niet meegerekend. De witte zilverreigers met hun lange ballerinanekken vervulden haar met verbazing. De buigzame palmbomen, de knoestige mangrovemoerassen, zelfs de manier waarop de hitte aanvoelde, waren nieuw voor haar. En dan was er natuurlijk het water nog: de blauwe Golf van Mexico, bruine moerassen, groene meren. En de oceaan. Delores zwom in het turkooizen zwembad van het Slipaway Motel, een armoedig klein rechthoekig bad met een bodem die glibberig was van de algen. Maar toch, het was water en ze had het hele zwembad voor zichzelf.

Ze reden naar het overvolle parkeerterrein in Weeki Wachee Springs en liepen achter de andere gezinnen aan naar de ingang van het park. Voor de hekken stond midden in een fontein een obelisk. Boven op de obelisk stond een beeld van twee zeemerminnen die eruitzagen alsof ze onder water kunstjes deden. De ene zeemermin hield de andere boven haar hoofd. Ze ondersteunde de bovenste zeemermin met één hand onder haar gebogen rug en hield met de andere de hiel vast. Voor de obelisk stond een stoel in de vorm van een oesterschelp en de mensen,

7

vooral vrouwen, stonden in de rij om erop te gaan zitten. De vrouwen wiebelden heen en weer in de oesterschelpzetel en namen verleidelijke pin-upposes aan terwijl hun man foto's van hen maakten. Roy greep Delores bij haar arm en duwde haar naar de rij. 'We zullen ze eens laten zien hoe een echte zeemeermin eruitziet, hè?' Roy Walker was een stevig gebouwde, kleine man, één meter zestig lang en tachtig kilo. Hij werkte bij een groothandel in levensmiddelen. Zijn armen waren dik en gespierd van het sjouwen met dozen bonen in blik, het uitladen van vrachtwagens en het op de schappen plaatsen van levensmiddelen. 'Let op,' zei hij en hij tilde Delores boven zijn hoofd, met één hand onder haar rug en met de andere haar hiel vasthoudend, net als bij het standbeeld.

'Pap, niet doen,' riep ze. 'Zet me neer.' Haar vader riep terug: 'Hou vol, Delores, laat ze maar eens zien hoe een echte zeemeermin eruitziet.' Instinctief boog ze haar hoofd achterover, trok haar rug hol en spreidde haar armen. Het was bijna alsof ze het water om zich heen voelde toen ze haar verlegenheid liet varen en in de lucht boven haar vaders hoofd zweefde. Steeds meer mensen keken naar hen. Zelfs degenen bij het loket draaiden zich om om de man te zien die zijn dochter voor eventjes in een zeemeermin had veranderd. Haar moeder staarde naar hen, met open mond van verbazing. Ze leek de enige in het publiek die geen fototoestel bij zich had. 'Dat zijn mijn dochter en mijn gekke echtgenoot,' begon ze de mensen om haar heen te vertellen. Naast haar stond een bejaard echtpaar. De man bleef zijn vrouw maar aanstoten met zijn elleboog en zei: 'Hier neem ik er een heleboel van', terwijl hij de ene foto na de andere nam. De vrouw richtte zich tot de moeder van Delores: 'Hebt u zelf geen fototoestel?'

'Nee,' zei ze. 'Er is nooit zoveel geweest dat de moeite van het fotograferen waard was, behalve nu dan.' De vrouw vroeg waar ze woonde en haalde een pen en een envelop uit haar tas. Gail vertelde haar dat ze uit de Bronx kwamen.

'Wij komen uit Baltimore. Dat is niet zo ver van New York City vandaan. Als u uw naam en adres opschrijft, stuur ik u een foto. Wat een enig gezin,' zei ze glimlachend naar Roy, wiens armen inmiddels begonnen te trillen.

Uiteindelijk liet hij Delores zakken en zette hij haar weer op de grond. 'Zo, wat vond je daarvan?' vroeg hij haar.

'Pap, ik weet één ding, ik zal dit nooit vergeten,' antwoordde ze schor.

Zelfs toen ze naar het onderwateramfitheater liepen, wezen kleine kinderen naar hen en glimlachten volwassenen hen toe. Een man met een wilde baard knipoogde naar Delores en zei: 'Je zag er precies zo uit als dat beeld daar.' Tegen de tijd dat ze op de tribunes gingen zitten, roffelde Delores' hart in haar borstkas. Toen gingen de lichten uit en begon de muziek te spelen. Het was Moon River, het suikerzoete thema uit de film *Breakfast at Tiffany's*. Terwijl de muziek het amfitheater insijpelde, ging het zwarte fluwelen gordijn langzaam open. Het publiek slaakte collectief een diepe zucht toen een van de zeemerminnen die al in het kristalheldere blauwe water lagen, naar de rand van het onderwaterbassin zwom. Ze had lang blond haar dat als een aura om haar heen dreef, en ze had een roze haltertop aan en een roze staartvin van lycra die op het ritme van de stroming heen en weer bewoog. Ze droeg een bord met het opschrift: ZEEMERMINNEN GAAN NAAR DE MAAN.

Een jaar daarvoor waren de eerste mensen met de Apollo 11 op de maan geland. Tijdens de landing speelden Neil Armstrong en zijn bemanning Frank Sinatra's levendige vertolking van 'Fly Me to the Moon'. Als hommage aan deze historische gebeurtenis begon de show in Weeki Wachee met een raket die de ruimte in geschoten werd. Een zeemermin met lang rood haar en een zilverlamé staart hield zich aan een van de raketvleugels vast terwijl de bandrecorder een krassende vertolking van een lancering sputterde. Daarna hoorden ze Sinatra met zijn jazzy loflied. De dame in zilverlamé playbackte mee zonder dat ze ook maar een druppel water binnen leek te krijgen. Achter haar zorgde een andere zeemeermin, ook in het zilver, voor de begeleiding door met haar vingers te knippen en haar schouders op de maat van de muziek mee te bewegen. Twee zeemeerminnen met kobaltblauwe staarten en witte helmen op maakten salto's en pirouettes rond een paar sterren en planeten van polyester. Er zwom een schildpad voorbij.

Delores kon voelen hoe het zou zijn om bij hen onder water te zijn: haar armen waren gewichtsloos geworden, haar lichaam leek te drijven. Het rustige, deinende ritme wiegde haar. De tijd leek te vertragen, als op het moment tussen dromen en ontwaken. Iedere seconde veranderde alles van kleur, afhankelijk van uit welke hoek de zon op het water scheen. Er gebeurde van alles: een zeemeermin dronk een flesje cola, een andere blies natte bubbelzoenen naar het publiek. Toen een van de zeemeerminnen een banaan pelde en opat, fluisterde haar vader iets tegen haar moeder, die erom moest giechelen. Haar vader kon soms zo grappig uit de hoek komen. Haar moeder rolde met haar ogen en fluisterde: 'Roy, ouwe viezerik die je bent, denk nou eens een keertje niet aan smerige dingen.' Maar ze kneep hem ook in zijn arm en bleef hem vasthouden, misschien omdat de woorden van de vrouw uit Baltimore – 'enig gezin' – haar nog vers in het geheugen lagen.

De beelden versmolten met de harmonie van kleuren; de zeemeerminnen en het water werden één. Delores zag dat de zeemeerminnen af en toe een hap lucht namen uit de luchtslangen die achter het decor waren verstopt. Maar desondanks verbijsterde de show haar compleet omdat het allemaal zo echt leek.

Voor hun grote finale verzamelden de zeemeerminnen zich rond een brok maansteen. Een van hen haalde een Amerikaanse vlag vanonder haar staartvin tevoorschijn en plantte die in de grond. Toen de zeemerminnen op hun staarten stonden en naar de vlag salueerden, klonk er in het amfitheater een blikkerige versie op van 'God Bless America'.

Delores hoopte dat niemand de tranen die over haar wangen gleden, zou zien. Ze bleef stokstijf in haar stoel zitten, bang als ze was dat ze in huilen zou uitbarsten als ze zou opstaan. Wat ze voelde was niet te beschrijven, maar één ding wist ze zeker: wat ze ook moest doen, waar ze ook naartoe moest, ooit zou Delores Walker een van deze zeemerminnen zijn.

Na de show checkten ze in bij het Best Western Motel aan de overkant van de weg. Haar vader leek die avond zo sterk en robuust en ze had haar moeder nog nooit zo aanhalig meegemaakt. Ze besloten dat Delores een aparte kamer naast die van hen zou krijgen, omdat het hun laatste nacht in Florida was. De kamers waren met elkaar verbonden door een afsluitbare tussendeur. 'Klop gewoon op de deur als je bang wordt, schat,' had haar moeder gezegd. Maar afgaande op de manier waarop haar vader zijn wenkbrauwen optrok en haar moeder met een grijns op haar gezicht wegkeek, begreep Delores dat ze zo ver mogelijk van die deur weg moest blijven, tenzij iemand haar kamer binnensloop en een touw om haar nek knoopte.

Dat was een fijne tijd.

Later bleek dat ook haar ouders die betoverende dag nooit zouden vergeten. Negen maanden na hun uitstapje naar Weeki Wachee werd Delores' broertje West geboren. Hij was vernoemd naar het motel waarin hij was verwekt. West Walker was stevig en gezet, net als zijn vader. Hij sliep in de kamer van Delores en 's nachts zong ze voor hem of praatte ze tegen hem alsof hij alles wat ze zei begreep. Hij klaagde nooit, zelfs niet als ze hem oude poppenkleren aantrok en hem rondreed in een poppenwagen die ze van vroeger had bewaard. Ze begon hem Westie te noemen.

Een tijd lang leken de Walkers in niets te verschillen van andere gelukkige gezinnetjes. Hun vader gooide West soms in de lucht en zei dan dingen als 'Hoe is het met mijn maatje?' Hij hield hem soms als een rugbybal onder zijn arm vast, rende met hem door de kamer en riep: 'Hier is de geweldige halfback van Grand Concourse, West Walker.' Zo snel als hij kon, probeerde West zich los te wurmen, net zo lang tot Delores' vader het opgaf en hem aan haar moeder gaf. Uiteindelijk hield haar vader ermee op hem als een rugbybal te behandelen. 'Het is een echt moederskindje,' zei hij tegen Delores. 'Jammer dat het niet andersom is. Jij had een jongen moeten zijn en hij een meisje.'

Op wintermiddagen, met name op zondagen, kreeg Delores een leeg gevoel vanbinnen. Een knagende pijn, alsof ze hol was. Ze was zich er het meest van bewust als het er niet was, de keren dat ze zich niet het eenzaamste wezen ter wereld voelde.

Aan het eind van een zondagmiddag, iets meer dan twee jaar na het reisje naar Weeki Wachee, hadden Delores, Westie en hun ouders zich teruggetrokken in hun appartement in de Bronx. De laaghangende maartse wolken buiten hadden de kleur van vuile lakens. Binnen drong de geur van lever als nieuwe verf tot elk plekje van het huis door. Nadat ze in *Teen Girl* had gelezen dat een rechte pony 'elke gezichtsvorm iets extra's gaf' sloot Delores zich op in de badkamer en pakte ze een schaar. Ze kon wel wat extra's gebruiken.

Ze maakte haar steile bruine haar nat en kamde het naar voren. De schaar maakte een knippend geluid en donkerbruine lokken vulden de wastafel. Op de achtergrond hoorde ze haar vader op norse toon iets zeggen. Haar moeder schreeuwde terug: 'Lever, wat had je dan gedacht?' West speelde op de vloer van hun kamer. Delores kon niet verstaan wat haar vader zei, maar hoorde wel dat een deur hard werd dichtgegooid. Als haar ouders ruzie hadden, liet Delores meestal het bad vollopen en ging ze erin liggen, met haar hoofd onder water zodat ze hen niet hoorde schreeuwen. Dat kon deze keer niet, want er werd op de deur gebonsd.

'Delores,' riep haar moeder. 'Jij, ik en West kunnen net zo goed nu aan tafel gaan. Je vader heeft zojuist besloten om zich uitgerekend nu in de slaapkamer op te sluiten. Ik zweer het je, die man is nog stommer dan het achtereind van een varken.'

'Getsie, alweer lever?' vroeg Delores aan haar moeder.

'Lever is een delicatesse, mevrouw Snotneus,' reageerde haar moeder geïrriteerd. 'Niet iedereen kan het zo lekker klaarmaken.'

De lever bleef als een kluit modder in Delores' keel hangen. Ze wist zeker dat haar moeder alleen maar lever klaarmaakte om haar te pesten. Delores en haar vader keken altijd met afgrijzen toe als haar moeder haar portie lever in piepkleine stukjes sneed en dan tegen hen verkondigde: 'Lever is een Franse specialiteit. Gezien het feit dat ik er zo'n natuurlijke voorkeur voor heb, zou het me niks verbazen als ik Franse voorouders heb.' Vervolgens prikte ze dan een stukje vlees aan haar vork, stak het in haar mond en kauwde erop, waarbij ze luide, smakkende geluiden maakte.

Het had geen zin om erover te gaan ruziën. Als Delores of haar vader weigerde lever te eten, begon haar moeder te huilen; ze rende naar de badkamer en huilde daar met gierende, lange uithalen. Delores begreep precies wat haar vader bedoelde als hij zei dat hij zich 'net een gevangen straathond' voelde. Soms leek het wel of haar leven altijd in hetzelfde kringetje zou blijven ronddraaien; of ze hier nooit weg zou komen.

Toen haar vader uiteindelijk weer uit de slaapkamer kwam, hield hij zijn gebalde vuisten stijf langs zijn lichaam, en het was alsof hij elk moment naar een geweer kon grijpen. Hij liep naar de keuken en hield zijn blik gefixeerd op het stuk lever dat op zijn bord lag. Hij boog over de tafel heen en in één beweging pakte hij het stuk lever van zijn bord en smeet het tegen de keukenmuur.

De geschiedenis van het huwelijk van het echtpaar Walker was geschreven in etensvlekken. 'Kakkerlakken eten nog beter dan wij,' schreeuwde hij. 'Ik ga buiten ergens normaal eten halen.' Westie begon te blèren. Haar vader pakte zijn autosleutels en zijn Yankees-pet, en liep naar de deur. Haar moeder rende naar de badkamer en Delores bleef alleen met West aan tafel achter. Half en half zou ze willen dat ze met haar vader meekon. Wests wimpers glinsterden van de tranen; er zaten klontjes gepureerde wortel op zijn slabbetje. Hij zag er gekooid en ellendig uit in zijn hoge kinderstoel. Arm kind, achttien maanden oud en nu al zat hij nog erger gevangen dan zij. Ze wees naar de pruimkleurige vlek die de lever op de muur had achtergelaten. 'Kijk, Westie, is dat niet mooi?' Daarna hurkte ze naast de plek waar de lever op de vloer was beland. Hij lag daar als een omgekrulde handschoen.

Ze tilde Westie uit zijn hoge stoel en liet hem het verschrompelde stuk lever zien. 'Wat vind je daarvan?' zei ze, ze liet hem op haar knie zitten en veegde het snot van zijn neus. 'Lever kan stuiteren.'

'Ui-te,' zei Westie. Hij sprak het woord pruttelend uit.

Op dat moment kwam haar moeder de keuken weer binnen. Er drupte water van haar kin.

'Ik doe zo mijn best. En dit is wat ik als dank terugkrijg,' zei ze, wijzend op de levervlek. 'Dit verdien ik niet.' Ze begon te huilen.

'Mam,' zei Delores, die nog steeds met Westie op de vloer zat. 'Wist je dat lever kan stuiteren?'

'Ui-te,' riep West. 'Ui-te,' zei hij nog een keer en schopte met zijn beentjes.

Haar moeder begon harder te huilen. 'Dit verdien ik toch zeker niet?'

'Nee, mam,' zei Delores en ze staarde naar de vleeskleurige muren en het kaalgesleten lappenkleedje. 'Niemand verdient dat.' Delores haatte haar moeder zoals alleen een tienermeisje haar moeder kan haten. Ze haatte haar omdat ze zo jengelde en vol zelfmedelijden zat. Ze haatte zichzelf omdat ze niet wat aardiger deed. En ze voelde zich schuldig omdat ze jaloers was op haar vader die wel gewoon kon opstappen.

'Waarom ga je niet naar Glen Campbell kijken?' vroeg Delores. 'Ik zal Westie wel voeren en opruimen.'

Haar moeder snoot haar neus en ging toen naar de woonkamer om haar favoriete tv-programma te kijken. Delores zette Westie terug in zijn hoge stoel en terwijl ze de tafel afruimde, zong ze het 'kikkerlied' voor hem. West vond het kwakgedeelte altijd prachtig: '...de kikkertjes, ze kwaken bovendien, OE-WAK KWAK KWAK, OE-WAK KWAK KWAK, OE-WAK KWAK KWAK KWAK KWAK, geen oortjes, geen oortjes, geen oortjes hebben zij, wel oogjes, wel oogjes, wel oogjes hebben zij, OE-WAK KWAK KWAK, OE-WAK KWAK KWAK, OE-WAK KWAK KWAK KWAK KWAK...' Hij begon dan altijd een beetje te spugen in de overtuiging dat hij ook aan het kwaken was en lachte alsof er op de hele wereld niets grappigers was.

West en Delores gingen bij hun moeder op de bank zitten en ze waren al halverwege *Bonanza* toen hun vader thuiskwam. Hij had een vettig doosje van de afhaalchinees bij zich. Omdat hij bier had gedronken, kwamen zijn woorden er als geprakte banaan uit. 'Dit is pas echt eten. Proef maar,' zei hij en hij hield een lepel bami goreng voor hun neus. Haar moeder sloeg zijn hand weg en de bami vloog op de armleuning van de afgesleten limoengroene sofa. West jammerde toen ze een paar waterkastanjes van hem probeerde af te pakken.

'Jullie zijn allebei niet goed wijs,' zei Delores.

'Geloof me,' zei haar moeder, 'als ik me een advocaat kon veroorloven, zou ik er vanavond nog eentje bellen.'

Haar vader gooide een kwartje voor haar voeten. 'Waar wacht je nog op? Bel maar.'

Haar moeder gooide het kwartje met een boogje naar zijn hoofd. 'Ik ga geen kostbaar geld aan jou verspillen.' Westie was inmiddels aan het krijsen en zelfs Delores begon te huilen. Voor de tweede keer pakte haar vader zijn Yankees-pet en stopte hij de autosleutels in zijn broekzak. 'Ik moet hier weg uit dit gekkenhuis,' zei hij terwijl hij over de plas sojasaus heen stapte die zich over het beige tapijt verspreidde.

Delores lag op haar bed, naast het ledikantje van Westie. Ze probeerde hem te kalmeren door het 'kikkerlied' te zingen. Hij hikte tussen zijn snikken door. Ze zong 'Duimelijntje', en gebruikte haar duim om de woorden uit te beelden. Ze haalde Otto, een kleine witte poppenkastpop die ze al jaren had, uit een schoenendoos tevoorschijn en hield die voor zijn gezicht. 'Hoi,' zei Otto met een grappig hoog stemmetje. 'Niet meer huilen, alsjeblieft. Delores en ik zullen voor je zorgen.' Na een tijdje werd het hikken minder. Hij probeerde zijn oogjes open te houden, maar al snel viel hij tegen wil en dank in slaap. Zijn gebalde vuistjes lagen tegen zijn wangetjes aan en zijn blonde krulhaar was helemaal warrig van alle tranen. Hij zag er engelachtig en vredig uit. Delores streek voorzichtig een natte krul van zijn voorhoofd. Ze sloot haar ogen en deed wat ze altijd deed als ze wenste dat ze ergens anders was: ze lag zo stil mogelijk en verbeeldde zich dat ze onder water was. Na een tijdje voelde ze het water om zich heen golven, ze voelde haar voet tegen een pluk zeegras strijken en ze voelde de trillingen in het water die veroorzaakt werden door voorbijschietende vissen. Zelfs het kabbelende geluid ervan kon ze horen. Ze stelde zich voor dat ze zwom zonder dat ze adem hoefde te halen. Deze nacht zwom Westie naast haar, zijn mollige beentjes bewogen net zo traag als die van een zeeschildpad. 'Zwemmen Westie,' riep ze. 'Zwem weg.'

Ze praatte in haar slaap en die inspanning schudde haar wakker. Ze keek naar Westie die met gespreide armen en benen op zijn buik lag. Achter de deur hoorde ze de televisie. Volgens haar wekker was het al na elven. Ze ging naar de woonkamer. Haar moeder zat op de bank een sigaret te roken. Ze keek naar de vloer, blies rook uit en zei: 'Je kunt net zo goed gaan slapen, Delores. Hij komt vannacht niet meer thuis.'

Daar had ze gelijk in. Haar vader kwam niet thuis, die nacht niet en alle daaropvolgende nachten ook niet.

DEEL I

I

Het rook in de bus naar de binnenkant van een koffer: muf en gebruikt. Delores nam vroeg de bus om zeker te zijn van een plaatsje bij het raam. Door de donkere ramen zag ze haar moeder zwaaien. Ze zwaaide niet terug. Toen de bus wegreed van het station, bleef ze voor zich uit kijken tot ze de Lincolntunnel uit waren. In haar eentje in de bus opende ze haar koffer en pakte er Otto uit, die ze voorzichtig in een van haar pyjama's had verpakt. Otto was een pop met een hoofd van wit keramiek. Haar vader had hem voor haar gekocht toen ze een keer naar het Barnum & Bailey Circus in Madison Square Garden waren geweest. Een van de weinige keren dat zij en haar vader ooit ergens samen heen waren gegaan.

Tijdens de pauze had hij gezegd dat ze in het circus mocht kopen wat ze wilde, zolang het maar niet meer dan vijf dollar kostte. Delores koos de pop met het kale witte hoofd omdat er, ook al zat er een klodder rode verf op zijn neus, onder elk oog een nepdiamant zat en hij de trieste uitstraling had van iemand die 'haal me hier alsjeblieft weg' smeekte. Delores zag in hem een verwante ziel en ze koos hem omdat ze geloofde dat ze elkaar ooit zouden kunnen helpen.

Op dagen dat ze zich heel erg eenzaam voelde, haalde ze Otto uit de schoenendoos waarin hij woonde en stopte ze haar vingers in zijn slappe poppenlijf. Ze vertelde Otto dingen over school of over haar ouders – dingen die ze aan niemand anders durfde te vertellen. Dan verdraaide ze haar stem en luisterde ze naar het hoge stemmetje van Otto die haar vertelde hoe mooi ze was. 'Ooit, Delores,' zei hij dan, 'zullen jij en ik aan zee wonen. Je zwemt dan de hele dag. Je bent bruin van de zon, heel knap en het populairste meisje dat mensen ooit gekend hebben.'

Ze zou het fijn gevonden hebben als ze Otto op haar schoot kon houden, als ze zich kon vastklampen aan iets wat echt van haar was, maar het was al vreemd genoeg om alleen in de bus te zitten. Met een kale pop met tranen van nepdiamanten zou ze alleen maar de aandacht trekken. Dus pakte ze Otto weer in, deze keer tussen haar suède jasje met franjes en het groene satijnen minirokje dat ze van haar moeder had gekregen. In Otto's holle hoofd had Delores haar retourticket en de uitnodigingsbrief van Weeki Wachee gepropt. Zijn trieste ogen keken haar aan. 'Het komt allemaal in orde,' wilde ze hem toeroepen. 'Dit is waar we altijd naar verlangd hebben. Wacht maar af.' Ze probeerde haar gedachten in toom te houden in de wetenschap dat ze zou gaan huilen als ze aan Westie zou denken. Ze kon maar beter recht voor zich uit staren en zich vastklampen aan de bruine papieren tas waarin haar moeder broodjes en andere etenswaren had verpakt die volgens haar ook morgen nog goed te eten zouden zijn.

De wereld gleed voorbij, de voorjaarsknoppen maakten plaats voor de troostrijke aanblik van de groene dennenbomen van Virginia en Carolina. Ze at een van de broodjes, een appel en wat chocoladekoekjes uit de tas. Van het stapeltje broodjes, verpakt in vetvrij papier, en de losse pakjes met koekjes, vier per pakje, kreeg ze heimwee. Ze voelde een vervelende pijn in haar hart. Ze moest zichzelf eraan blijven herinneren dat ze Westie niet hetzelfde aandeed als wat haar vader hen had aangedaan. Ze verliet hem niet. Hij zou altijd weten waar ze was. Ze zou hem elke week bellen. En op een dag zou ook hij wegzwemmen.

De tas was zwaar op haar schoot. Het zou een hele tijd duren voordat iemand anders wist wat haar lievelingseten was. Naarmate de bus de afstand tussen hen vergrootte, dacht Delores anders over haar moeder. Ze dacht aan haar innige omhelzing bij de bushalte. 'Eerlijk gezegd, schat,' had ze gezegd, 'had ik niet gedacht dat je het lef zou hebben om dit door te zetten.' Ze had naar sigaretten en Mum-deodorant geroken. Delores dacht aan hoe haar moeder toen ze klein was haar haar waste, het borstelde en het nog natte haar rond haar vingers draaide om het te laten krullen. Nu ze er niet was, werd haar moeder een echtere moeder dan ze thuis ooit was geweest. Als Delores nu zou huilen, zou ze zichzelf bekennen dat ze een angstig zestienjarig meisje was in plaats van de zeemeermin die ze op het punt stond te worden. Ze drukte de droevige gedachten weg.

Delores geloofde dat ze door nu al het ouderlijk huis te verlaten, nooit zou worden zoals haar moeder, die nog nooit van huis was weg geweest of iets nieuws had geprobeerd. Haar moeder was maar een paar jaar ouder geweest dan Delores nu was toen zij geboren werd. Ze vertelde nooit veel over haar jeugd, en als ze het deed, ging het over haar moeder, Audra. 'Audra,' zei ze altijd, 'had Olympisch zwemster kunnen worden.' Audra was vierendertig toen ze te horen kreeg dat ze aan een ongeneeslijke bloedziekte leed. Ze verliet haar twee jaar oude dochtertje en haar man om de tijd die haar nog restte door te brengen met de man met wie ze een jaar eerder een verhouding was begonnen. Het was een rijke man en ze verhuisden naar een huis in Westchester.

Audra was een schoonheid, te oordelen naar de enige overgebleven foto van haar. 'Heb ik je weleens een foto van je oma laten zien?' Delores ging dan naast haar op het bed zitten en keek toe hoe haar moeder een vergeelde envelop ergens achter uit haar ladekast haalde. Ze maakte hem altijd heel voorzichtig open, alsof hij de grondwet bevatte. Vervolgens trok ze er een vervaagde foto met kartelrandjes uit en hield die met twee handen omhoog. 'Dat is haar,' zei ze dan, luider dan normaal. Delores zag dan een foto van een vrouw met een dik pagekopje en hoge jukbeenderen. Haar hoofd hield ze een beetje schuin en er speelde een klein glimlachje rond haar lippen, alsof degene die de foto had genomen even daarvoor iets lichtelijk choquerends had gefluisterd. Iedere keer bestudeerde Delores de grote amandelvormige ogen in de hoop dat ze deze keer iets van haar geheimen zou prijsgeven. Maar ze waren half neergeslagen en wat ze ook probeerden te verbergen, het zou voor altijd verborgen blijven.

Delores dacht aan hoe het voor haar moeder en opa, de verworpenen, geweest moest zijn. Aan hoe ze samen hun wonden likten nadat de mooie Audra met de donkere ogen uit hun leven was weggezwommen. Als je op tweejarige leeftijd door je moeder in de steek wordt gelaten, blijft er een deel van jezelf achter dat nooit afgemaakt zal worden. Een moederloos meisje moet leren haar eigen moeder te zijn. Delores werd er verdrietig van als ze zo aan haar dacht.

Weggaan was iets waar de familie Walker patent op had.

Ruim twee jaar na hun trip naar Weeki Wachee had Delores' vader het gezin verlaten. En nu ging zij ook weg.

Haar moeder bleef zonder man en zonder dochter achter.

Westie zou altijd een vaderloos kind blijven.

Nee, dat hoefde niet zo te zijn.

Ook al was ze ver weg, Delores zou proberen om een vader voor hem te zijn. Ze zou hem helpen en alle dingen voor hem doen die een vader behoort te doen. Ze zou een goede dochter zijn en zorgen dat haar moeder trots op haar kon zijn.

Nu ze alleen in de bus zat, besefte Delores dat niemand getuige van haar belofte was, alleen zijzelf. Maar deze belofte kwam voort uit liefde en verdriet, betere getuigen kon je je niet wensen.

Aan de andere kant van het gangpad zat een jong stelletje te zoenen. Ze waren allebei lang en slank en hun lichamen bewogen gelijktijdig heen en weer als korenhalmen in de wind. Zij had grote blauwe poppenogen en steil blond haar dat tot haar middel reikte. Haar rood-oranje-groen gestreepte broek met wijde pijpen hing laag op haar heupen en zat zo strak om haar dijen dat haar moeder gezegd zou hebben dat het leek alsof hij op haar geschilderd was. Hij had lang, vettig zwart haar en bakkebaarden die op hakbijlen leken. Af en toe leunde hij voorover en kuste haar vederlicht op haar voorhoofd. Ze fluisterden. Delores kon niet verstaan wat ze zeiden, maar hoorde alleen dat ze elkaar 'schatje' noemden. Soms gaf ze hem een klapje tegen zijn arm en zei ze: 'Je bent me er een.' Af en toe zongen ze. Haar stem klonk als gesponnen suiker, zoet en luchtig. Zijn stem klonk wat nasaler. Ze zongen het ene liedje na het andere. Delores deed haar ogen dicht en voelde zich getroost door hun vredige klanken. Ze deed alsof het haar ouders waren die een slaapliedje voor haar zongen. Ze dacht aan hoe anders haar leven eruit zou zien met zulke ouders. Misschien werkten ze in de showbusiness. Misschien zou zij ook in de showbusiness terechtkomen. Ze zou populair zijn. Ze zouden de hele wereld afreizen als een rijk, beroemd en gelukkig gezin.

Delores wist dat de Walkers niet echt een gelukkig gezin vormden. Gelukkige gezinnen herkende ze op een kilometer afstand. Ze liepen elkaar altijd aan te stoten, als puppy's in een doos. Ze vertelden verhalen over elkaar die weinig om het lijf hadden, maar die iedereen er constant aan herinnerden dat ze allemaal de taal van het gezin spraken. De vaders liepen er niet met afgezakte schouders bij en snauwden niet 'Wat nou weer?' als de moeders hen riepen. De moeders rolden niet met hun ogen en zeiden niet 'Ha ha, dat was zo grappig dat ik vergat om te lachen' als de vaders een grapje maakten. Gelukkige moeders hielden hun dochters niet zo stevig bij de arm en zeiden niet 'Als jouw tijd komt, trouw dan met een rijke vent. Een man die niet eens één keer per week een biefstuk voor je kan betalen, daar is niks sexy's aan.' Gelukkige vaders zeiden niet dat ze zich voelden als 'een gevangen straathond'.

Westie's gezin zou ooit gelukkig worden, zij zou er voor zorgen dat dat gebeurde, dat stond vast.

Het laatste waar Delores aan dacht voor ze in slaap viel, was de vraag of Westie het leuk zou vinden als ze gitaar leerde spelen. Toen ze wakker werd, hing er een lavendelkleurige nevel in de lucht die hoort bij het opkomen van de zon. In plaats van dennenbomen waren er palmbomen, van die forse grote, die er altijd uitzagen alsof ze hun handen op hun heupen en dikke, ronde buiken hadden. Toen de ochtendzon overging in het felle middaglicht, drong haar situatie tot Delores door. Ik sta er nu alléén voor, dacht ze. Of ik nu eet, of ik slaap, of in leven blijf – ik kan het nu allemaal zélf bepalen. De waarheid in die gedachten kwam haar vreemd genoeg bekend voor. Het weerspiegelde hoe ze zich voelde als ze onder water was: alleen, zichzelf voortstuwend, absoluut niet bang.

Toen ze drieëntwintig uur geleden op het busstation Port Authority stond in het centrum van New York, stonden er tientallen bussen in rijen opgesteld, als paarden in de stal. Nu reed haar bus een klein geel gebouw binnen waar slechts één andere bus stond. De jongeman aan de andere kant van het gangpad trok zijn gitaarkist uit het bagagerek boven zijn hoofd. Toen wees hij op de koffer van Delores. 'Is die van jou?' Ze knikte ja en hij tilde hem over zijn hoofd heen en zette hem bij haar voeten neer. 'Helemaal voor jou, jongedame.' Hij glimlachte. Het meisje met de gestreepte broek lachte ook en zei: 'Maak er een leuke tijd van; doen hè?'

'Bedankt,' zei Delores. Haar lippen plakten aan elkaar doordat ze bijna een dag lang niet gesproken had. Ze bekeek de man en de vrouw nog eens goed. Wat stom om net te doen alsof ze haar ouders waren, ze waren maar een jaar of twee ouder dan zij.

Delores wachtte tot iedereen het busstation verlaten had. Ze liep het damestoilet binnen en opende haar koffer. Ze haalde haar suède jasje eruit en pakte Otto uit, en met haar vingers voelde ze aan zijn hoofd. Geen scheurtjes. Wat een opluchting. Hij zou een hele tijd bij haar blijven. Ze stak haar vingers in zijn schedel en trok de brief eruit met de uitnodiging voor een auditie in Weeki Wachee. Ze haalde een muntstuk uit de badmuts waarin ze haar kostbare zilveren dollars had verborgen en deed de koffer weer dicht. De man achter het loket leek verbaasd toen ze geld wilde wisselen, maar hij gaf haar tien dubbeltjes, lachte en zei: 'Kan ik je nog ergens anders mee helpen?'

Ze was het niet gewend dat mensen zo vriendelijk waren: de man die haar koffer uit het rek tilde, het meisje dat haar een leuke tijd toewenste en nu deze man die wilde weten of hij nog iets voor haar kon doen.

'Dank u wel, het is prima zo,' zei ze.

'Pas goed op hem,' zei hij met een knipoogje naar Otto.

Delores vond een telefooncel. Ze deed de deur dicht en draaide het nummer dat in het briefhoofd stond.

'Weeki Wachee, waarmee kan ik u helpen?' De telefoon was nog geen twee keer overgegaan.

Delores vroeg naar de manager, Thelma Foote, de vrouw die de brief had ondertekend.

'Hallo, u spreekt met Delores Walker. U hebt me een brief gestuurd waarin stond dat ik mocht proberen zeemermin te worden als ik hierheen kwam,' zei Delores. 'Nou, ik ben hier.'

'Delores, lieve kind,' zei Thelma Foote. 'Waar is "hier"?'

Delores las van het bord voor haar. 'Busstation Tampa.'

'Ben je alleen?'

'Ja.'

'Blijf even hangen, oké?'

Toen zei ze: 'Blijf waar je bent. Een van mijn meisjes komt je

27

ophalen. Het duurt ongeveer een uurtje. Hoe kunnen we je herkennen?'

'Ik ben lang en heb lang, bruin haar en ik heb een suède jasje met franjes aan.'

Delores zat op de betonnen bank voor het busstation en las nog een keer haar tijdschrift *Teen Girl*. Ze kreeg hoofdpijn van de zon. Ze liep het stoffige gebouw binnen en ging op een houten bank zonder leuning zitten. Ze was te nerveus om te kunnen lezen. Ze zette haar koffer en de bruine papieren tas naast zich neer. Otto liet ze op haar schoot ploffen. Ze pakte haar laatste broodje uit. Hij was belegd met plakjes koude lever en ketchup. Daar zat Delores dan, achttienhonderd kilometer van huis lever te eten en ze miste het nu al. Een vleugje Frankrijk in Tampa. Ze at vlug haar broodje op en besloot om er geen drankje bij te kopen. Ze kon maar beter zuinig met haar geld omgaan. Wie wist waar ze vannacht zou moeten slapen?

Toen ze er zeker van was dat niemand keek, stopte ze haar hand in het slappe lichaam van Otto. 'Hé, meisje,' zei hij met zijn hoge stemmetje. Hij richtte zijn hoofd op en keek schichtig rond, net als duiven doen. 'We zijn er. We hebben het gehaald.'

'Otto,' fluisterde ze, terwijl ze naar het retourticket in haar andere hand keek. 'Wat moet ik doen als ze me niet als zeemeermin willen?'

Otto leunde met zijn koele gezicht tegen het hare aan. Toen schoot hij weer naar achter en keek haar recht aan. 'Met jouw uiterlijk en talent? Je hebt de buit al binnen, meisje. Zouden ze zomaar voor iedereen een uur heen en een uur terug rijden? Ik denk het niet.' Met Otto nog steeds levend aan haar rechterhand krulde Delores zich op de bank op en viel ze in slaap. Ze werd wakker van het geluid van een toeterende auto. Ze waren er. Ze gaf Otto een vluchtig kusje op zijn wang, wikkelde haar pyjama rond zijn hoofd en stopte hem in de koffer. Ze haalde haar handen door haar haar, deed haar ogen een paar keer wijdopen en dicht en liep toen naar buiten. Er stond een witte pick-uptruck met in blauwe letters WEEKI WACHEE erop en een schildering van twee zeemeerminnen voor de venusschelp.

'Ben jij het meisje uit New York?' vroeg de jonge vrouw achter het stuur.

'Ja, klopt,' zei Delores.

'Kom op dan, we gaan.'

Het meisje achter het stuur heette Molly Pouncey. Ze was zeventien, net elf maanden ouder dan Delores. Ze had lang blond haar, blauwgroene ogen waarin je nauwelijks oogwit zag en er zat een klein knikje in haar dunne, lange neus. Molly Pouncey was pas zes maanden geleden uit Philadelphia naar hier gekomen. Ze slikte haar l'en in, zodat 'alsjeblieft' klonk als 'asjebieft' en 'heerlijk' als 'heerjijk'. Toen ze tegen Delores zei: 'Je zult de meisjes en de Springs geweldig vinden. Het water is zo ongelooflijk blauw en helder dat je helemaal geen duikbrilletje nodig hebt,' klonk het alsof ze onder water sprak.

Ze reden langs de moerassen die ruim twee jaar geleden zoveel indruk op Delores hadden gemaakt. Ze passeerden een kerk met een aankondigingsbord ervoor. SMART IN HET HART BREEKT DE GEEST stond er in hoge, dikke letters op. Was er iets veranderd of had ze destijds de fastfoodrestaurants en Jezus-billboards langs de weg niet opgemerkt?

'Het eten is fantastisch,' ging Molly verder. 'Geweldige pizza's, worstenbroodjes. We mogen eten wat we willen.'

Molly praatte alsof Delores er al helemaal bij hoorde. In *Teen Girl* had Delores gelezen dat uitstraling een kwestie van zelfbewustzijn was. 'Voel je je onzeker, tover dan een glimlach op je gezicht, zorg dat je stem levendig klinkt en niemand heeft iets in de gaten', stond er. 'En na een tijdje begin je zelf ook te geloven dat de dag er rooskleuriger uitziet.' *Teen Girl* had haar nog nooit teleurgesteld en dat zou nu zeker niet gebeuren.

Met haar beste vriendin, Ellen Frailey, zat Delores vaak uren

Teen Girl te lezen. Ze hadden een keer twee uur met stukjes vetvrij papier op hun armen in de zon gezeten nadat ze gelezen hadden: 'Gun jezelf een zonnetattoo. Knip een klein ruitje of een bloem uit en plak die op je schouder als je ligt te zonnebaden. Kleine schoonheidsvlekjes zijn het best. Vermijd grote vormen of ingewikkelde ontwerpen – je wilt er niet als een zeeman uitzien.' Van *Teen Girl* had Delores geleerd dat 'populaire mensen enthousiast zijn'. Uit haar score op de 'Ben je extravert of introvert'-quiz bleek dat zij ergens in het midden zat, met een lichte neiging tot 'in jezelf terugtrekken en anderen uit de weg gaan'. *Teen Girl* was inmiddels Delores persoonlijke wegwijzer in het leven geworden. Ze raadpleegde het altijd als ze tips wilde over hoe ze eruit moest zien en hoe ze zich net als andere meisjes van haar leeftijd moest gedragen.

Omdat haar tanden naar voren staken ('Beugels zijn luxeartikelen, niet voor mensen als wij,' had haar moeder gezegd), hield Delores haar lippen meestal op elkaar en als ze lachte had haar mond de vorm van een kano. Maar omdat Molly maar doorratelde over de nummers en de warmtekamer waar de meisjes na het zwemmen naartoe gingen om weer op te warmen, toverde Delores zo goed als ze kon haar sprankelendste glimlach met tanden en al tevoorschijn. 'Jeetje, dat klinkt zo opwindend allemaal,' zei ze. 'Ik verheug me er ontzettend op.' Molly keek haar zijdelings aan: 'Je lijkt op die actrice uit *Gigi* waar mijn moeder het altijd over heeft,' zei ze. 'Je weet wel, die Franse.'

'Nou, ik heb een beetje Frans bloed,' zei Delores. 'Van mijn moeders kant.' Het was niet echt een leugen. Tenslotte was ze opgegroeid met lever.

Delores bekeek het profiel van Molly: langs haar nek liep een dun, wit litteken. Ze wilde Molly vragen of ze neergestoken was en ook hoe ze aan het geld gekomen was om vanuit Philadelphia naar hier te komen, maar ze dacht niet dat het gepast was om al zo snel na de eerste kennismaking dat soort vragen te stellen. Molly zat daar niet mee, bleek. 'Hoe komt een meisje uit New York in dit gedeelte van Florida terecht?' vroeg ze met haar accent. 'Ben je van huis weggelopen?'

'O, nee,' antwoordde Delores. 'Mijn ouders – ze zitten in het entertainmentvak – hebben me altijd aangemoedigd om te doen wat ik zelf graag wilde.'

'Zijn ze beroemd?'

'Is wie beroemd?'

'Nou, je ouders. Zijn zij beroemd?'

'Nou ja, ze reizen veel,' zei Delores, verbaasd over hoe gemakkelijk de woorden over haar lippen kwamen. 'Ze spelen gitaar en ze zingen. Je hebt ze waarschijnlijk weleens gezien.'

Molly viel stil toen ze besefte dat ze zich waarschijnlijk in de buurt van bekende figuren bevond, of althans in de buurt van iemand die daar familie van was. Ze bestudeerde Delores' outfit – een Schots geruit minirokje, een zwart gebreid truitje met korte mouwen en witte vinyllaarzen. Op en top mode in 1972. Doordat Delores had laten doorschemeren dat ze misschien wel beroemde ouders had en de glamourwereld kende, waren de rollen plotseling omgekeerd. Nu was Molly degene die bij Delores in de smaak moest zien te vallen. Delores liet de stilte even voortduren, voor ze zelf een vraag stelde.

'Komt dat litteken van een steekwond?'

Molly legde haar vingers op haar nek. 'O, dat.' Ze lachte een beetje gemaakt. 'De helft van de tijd vergeet ik dat het er zit.' Daarna veranderde ze snel van onderwerp en zei: 'Wat is jouw teken?'

Delores dacht koortsachtig na. 'Wat voor teken bedoel je?'

'Je geboorteteken, weet je wel, je sterrenbeeld.'

Het leek alsof Molly een onbegrijpelijke vreemde taal sprak.

'Ik weet niet of ik er eentje heb.'

'Natuurlijk heb je er een – iedereen heeft het. Wanneer ben je jarig?'

31

'Op 4 mei.'

'Stier. Je sterrenbeeld is Stier. Mensen die geboren zijn onder het teken Stier zijn vastbesloten en koppig. Ze kunnen ook lui en hebberig zijn.' Ze trok een verdrietig clownsgezicht. 'Ben jij koppig en lui?' Ze keek weer vrolijker. 'Ik ben in juni jarig, dus ik ben Tweelingen. Wij zijn erg sociaal en praten gemakkelijk. Mensen houden van Tweelingen om zich heen.' Nu trok ze een blij gezicht.

Delores had altijd consequent de horoscooppagina van *Teen Girl* vermeden. Vanwege de vreemde plaatjes van dieren en planeten had ze altijd gedacht dat het een of andere column over religieuze zaken was. Dus legde Molly gedurende de rest van de reis aan Delores van alles uit over astrologie. Tegen de tijd dat ze in Weeki Wachee aankwamen, zat Delores' hoofd vol met afbeeldingen van stieren en tweelingen, wassende en afnemende manen en getijden. Ze kwam erachter dat Westie Boogschutter was (vrolijk, maar rusteloos). Haar vader had Otto in het circus gekocht, half september herinnerde ze zich. Otto was dus Maagd (verlegen en pietluttig).

Molly leidde Delores naar de slaapzaal waar de zeemeerminnen 's nachts sliepen. De ruimte was schaars gemeubileerd en bloedheet. Er zaten acht meisjes met precies dezelfde witte badjassen aan en witte handdoeken als een tulband rond hun hoofd voor de open haard, op een bank die uit losse elementen bestond.

'Allemaal opletten,' riep Molly en klapte in haar handen. 'Hier is iemand met wie jullie kennis moeten maken. Ze komt uit New York.' Ze sloeg haar arm om de schouders van haar nieuwe vriendin. 'Zeg allemaal gedag tegen Delores Taurus.'

2

De naam bleef hangen. Omdat alle nieuwelingen behalve Molly uit de nabije omgeving kwamen, stond Delores Taurus als enige op de lijst voor de audities van de volgende ochtend. Die nacht verbleef ze in het Best Western Motel aan de andere kant van de weg – hetzelfde motel waar ze tweeënhalf jaar geleden met haar ouders had overnacht.

Molly liep met haar mee naar haar kamer. De hele middag had ze haar tips gegeven voor haar auditie: glimlach als je play-backt; als je water in je neus krijgt, blaas je dat gewoon uit; speel voor het hele publiek, richt je niet op één persoon; en, heel belangrijk, raak niet in paniek als je gedesoriënteerd raakt.

'Zorg dat je genoeg slaap krijgt,' zei ze nu, terwijl ze voorzichtig over het suède jasje met franje streek dat over Delores' arm hing. 'Morgen is het jouw grote dag.'

Toen ze alleen was, zag Delores dat de kamer de kleur had van te lang gekookte erwten. Het was een kleine kamer met een laag plafond en een smoezelige beddensprei met een kerstrozenmotief. De geur van lysol vermengde zich met die van oude sigarettenrook. In de kamer naast haar zat een stel mannen te lachen op de jolige manier waarop mannen lachen als ze drinken. Wat ze voelde ging nog dieper dan de allereenzaamste zondagavond die ze in de Bronx had meegemaakt. Delores zette Otto op de afgebladderde ladekast; zijn hoofd viel tegen de spiegel aan. Zelfs hij zag er grauw uit in het spaarzame lamplicht. Ze

33

wachtte op zijn kwakende, geruststellende stemmetje, maar hij had niks te zeggen. Ze legde het retourticket op het nachtkastje.

De vorige keer dat ze in dit motel was geweest, was vlak nadat zij en haar ouders *Zeemeerminnen gaan naar de maan* hadden gezien. Ze herinnerde zich dat na de show de mannen in het publiek als eerste gingen staan en luid applaudisseerden, terwijl de vrouwen en kinderen in hun stoelen bleven zitten en klapten. Iemand floot. De zeemeerminnen maakten spottende buiginkjes en bliezen kushandjes. Ze waren zo prachtig en plagerig, en veilig achter hun wanden van plexiglas.

Delores verlangde terug naar de tijd dat de Walkers nog een compleet gezin vormden, naar het veilige gevoel dat ze haar ouders aan de andere kant van deze motelmuur wist. Ze proefde de bittere smaak van angst in haar keel. Ze pakte alleen haar pyjama en tandenborstel uit, want ze was niet van plan om nog een nacht op deze plek door te brengen. Daarna sloeg ze de bedrukte sprei terug en stapte in bed. 'Dus dit is hoe het ervoor staat,' zei ze tegen niemand in het bijzonder. Ze was blij dat ze uitgestrekt op een matras kon liggen in plaats van opgevouwen in haar busstoel. Ze stelde zich voor dat Westie in zijn bedje lag, dat ze met haar vingers over zijn mollige buikje kriebelde en een of ander eng kruipend beest nadeed, en dat hij haar met zijn zachte vuistje probeerde weg te slaan. Ze lag te draaien en te woelen en schopte de sprei met kerstrozenmotief op de vloer. Uiteindelijk viel ze uitgeput in slaap met het kussen in haar armen.

De volgende ochtend prikte het zonlicht door de jaloezieën heen. Delores schrok wakker, het was alsof een van die stralen op haar hoofd had geklopt. Waar was ze? Waarom ging haar hart zo tekeer? In het daglicht leek de kamer nog kleiner dan de nacht ervoor. Ze kon maar beter opstaan en maken dat ze hier zo snel mogelijk weg was. Ze ging snel douchen en liet het kleine stukje Camay-zeep wel een keer of zes vallen. Denkend aan het gelach van de mannen de nacht ervoor sloeg ze een handdoek om zich heen voordat ze in haar koffer op zoek ging naar het badpak dat haar moeder had meegenomen van haar schoonmaakbaantje op het kantoor van een modetijdschrift. Het was een heldergroen, nylon badpak van Speedo, hoog opgesneden bij de heupen en met een lage rug. Volgens haar moeder was het het nieuwste van het nieuwste. Ze had het gevonden in een tas waar FOTOSESSIE op stond die iemand ergens achter in een kast had gezet. 'Er is toch niemand die het nog wil hebben,' had ze betoogd. 'Want het is al een keer gedragen.' Delores trok het badpak aan en bekeek zichzelf van alle kanten voor de kleine spiegel in de badkamer.

'Meisje, je ziet er betoverend uit...' – Otto was weer terug – '...als de prinses van het zandkasteel. Je wordt het populairste meisje van allemaal.' Over haar badpak trok ze een hippe korte broek met afgeknipte pijpen aan en een wit heren-T-shirt (ook afkomstig uit de 'fotosessie'-tas). Ze deed een paar schoenen met plateauzolen aan en klepperde naar de ontvangstruimte. Daar at ze een muffin en dronk ze een glas jus d'orange. Daarna stak ze de weg naar Weeki Wachee over. Bij het loket zei ze tegen de vrouw met getoupeerd platinablond haar dat ze voor haar auditie kwam. 'O, jij moet het nieuwe meisje uit New York zijn, Delorus Taurus,' zei de vrouw, terwijl ze ergens uit haar haar een potlood tevoorschijn haalde. 'Thelma verwacht je.'

Delores liep langs het parkeerterrein naar een houten bungalow waar het administratiekantoor was. Ze dacht dat Thelma Foote heel knap zou zijn, zoiets als Pocahontas of Marlo Thomas. Maar de vrouw die achter het bureau in Thelma Footes kantoor zat was de vijftig ruim gepasseerd. Haar huid trilde als een marshmallow en haar kortgeknipte haar had een mannelijke uitstraling en lag plat tegen haar hoofd. Ze had een bril met dikke glazen en een zwart montuur op, waardoor haar ogen nog meer leken uit te puilen dan ze al deden. Ze droeg een wit windjack, een slobberige kakibroek en een paar smetteloos witte gympen. In Delores' ogen zag ze eruit als zo'n oude vrouw die op de Grand Concourse haar boodschappenwagentje achter zich aan sleepte; ze leek volstrekt niet op Marlo Thomas. Dit was vast de secretaresse van Thelma Foote. Ze ging staan en stak haar hand uit, die vol ouderdomsvlekjes zat en waaraan geen enkel sieraad prijkte. 'Hallo lieverd, ik heb al zoveel over je gehoord.' Ze monsterde Delores van top tot teen. 'Je bent een lange dame. Wat dat betreft hebben ze in de stukken die ik over je gelezen heb niet overdreven. Aangenaam. Ik ben Thelma Foote.'

Delores gaf haar een stevige handdruk. 'Wat leuk u te ontmoeten,' zei ze. 'Ik ben Delores.'

Thelma bood Delores de stoel tegenover haar bureau aan. 'Zo,' zei ze, 'en vertel nu maar eens wat meer over jezelf.'

'Ik kom uit New York,' begon ze. 'Mijn ouders zijn artiest, maar mijn moeder zit ook in de modewereld. Ze reizen veel. Mijn moeder is voor een deel Frans. Twee jaar geleden zijn we hier geweest. Toen ik de zeemerminnen zag, wist ik dat ik ook ooit zeemermin wilde worden. We gaan met vakantie altijd naar de kust en daar oefen ik mijn zeemerminnenfiguren. De activiteitenmanager van het hotel waar we zaten, zag me een keer en heeft me toen gevraagd of ik mee wilde doen in een show die ze in het zwembad gaven. Toen heb ik ja gezegd en een week lang iedere dag voor de gasten opgetreden. Aan het eind van die week bood hij me een goedbetaalde baan aan. Maar mijn ouders wilden dat ik eerst de middelbare school afmaakte. Het was zo leuk op school, alle feestjes en zo.' Delores giechelde. 'En ik heb een klein broertje. Hij heet eigenlijk West, maar ik noem hem Westie.'

Delores voelde dat ze bloosde toen deze woorden over haar lippen vloeiden. Ze had de persoon beschreven die ze geweest zou zijn als dat stel uit de bus haar ouders waren geweest: knap, populair, goed gekleed en licht pronkend. Ze dacht aan de blonde vrouw in de bus en aan de heupbroek met soulpijpen die precies groot genoeg was geweest. Zo precies paste de naam Delores Taurus ook bij haar. Ze vroeg zich af of Thelma Foote haar verhaal geloofde. Terwijl Delores aan het woord was, trok Thelma Foote de rits van haar windjack op en neer. Een van de tandjes was kapot en de rits zat vast. Kwaad keek ze naar de kapotte rits en gaf er een laatste ruk aan. Er gebeurde niets. 'Ellendig rotding,' mompelde ze binnensmonds. Daarna keek ze Delores met een gespannen glimlachje aan. 'Nou, lieverd, dat is zonder meer een bijzonder verhaal. Laten we even naar de bel lopen, goed?'

Thelma deed dit werk al zo lang, ze had het allemaal al eens meegemaakt. Ze had een neus voor meisjes die deden alsof en leugens opdisten, voor meisjes die uit het niets opdoemden en weer in het niets zouden verdwijnen. Het kwam door iets in hun stem of doordat ze haar nooit recht in de ogen keken. Degenen met gebrek aan doorzettingsvermogen en degenen die niet vastbesloten genoeg waren om zeemeermin te worden, pikte ze er feilloos uit. Dit meisje was koelbloedig, vond Thelma, ze was vastbesloten genoeg. Maar als ze uit zo'n extravagant gezin kwam, waarom hadden ze dan niks aan haar gebit laten doen? Nou ja, maakt niet uit. Zelfs als ze het hele verhaal verzonnen had en nergens vandaan kwam, zou ze ongetwijfeld wel weer ergens belanden.

Thelma en Delores staken het grasveld over en liepen naar de slaapzaal van de meisjes. Thelma was klein van stuk. Hoe ze er verder uitzag bleef verborgen onder het ruimvallende jack en de slobberbroek. Met haar plateauzolen was Delores lang, bijna één meter tachtig. Toen Thelma haar arm om haar heen sloeg, moest ze zowat in de lucht springen om erbij te kunnen.

'Heb je op ballet gezeten?' vroeg ze Delores.

'Ik heb natuurlijk les gehad,' loog Delores. Ze herinnerde

zich een verhaal dat ze in *Teen Girl* had gelezen, over Karen Carpenter of zo iemand. Karen had van nature zo'n mooie zangstem dat haar ouders bang waren dat formele zanglessen de unieke klank ervan zouden aantasten. 'Maar mijn ouders vonden mij een natuurtalent en hadden het idee dat les nemen mijn persoonlijke stijl zou verpesten.' Ze keek Thelma aan om te zien of ze erin trapte.

'We zullen zo meteen zien of je er in het water net zo goed uitziet als boven water.' Thelma knikte, alsof ze het met zichzelf eens was. 'Aha, daar is de beroemde bel, waarin dromen uitkomen en harten worden gebroken.'

Ze stopten voor een metalen capsule die inderdaad de vorm van een ronde bel had. Hij was van boven open, zat vol met water en had rondom ramen. De bel was ruim drieënhalve meter hoog en bijna drie meter breed – net groot genoeg voor één zwemmer. Thelma vertelde Delores dat de watertemperatuur vierentwintig graden was, dezelfde temperatuur als in de Springs. Het zou dus koud zijn – 'koud genoeg,' zei ze.

Delores deed haar kleren uit, op haar fluorescerend groene badpak na. Ze schudde haar lange bruine haar zo dat het rond haar schouders viel. 'Wat wilt u dat ik doe?' vroeg ze.

'Ik wil dat je die tank ingaat en me laat zien wat je kunt. Overtuig me ervan dat je een zeemeermin bent.'

Delores rekte haar rug en bewoog haar hoofd van links naar rechts om haar nekspieren los te maken.

Ze stapte in de bel. Eerst zwom ze gewoon rondjes. Daarna deed ze een paar pirouettes, draaien en elementaire ballethoudingen. Ze glimlachte en deed alsof ze een lied playbackte, net als de meisjes uit de show. Molly had haar verteld dat de zeemeerminnen bijna vijf meter onder het wateroppervlak zwommen en dat ze soms helemaal stil moesten staan. Ze hadden controle over de opwaartse druk en bleven op hun plek door op het juiste moment lucht in te nemen of te laten ontsnappen.

Delores kon haar adem langer dan een minuut inhouden. Haar ogen openhouden in het heldere water was erg moeilijk. Waar ze ook keek, ze zag alleen maar het dikke, zwarte montuur van Thelma Footes bril tegen de ramen gedrukt. Na een minuut of tien hees ze zich half uit het water op. Ze wachtte af wat Thelma zou zeggen.

Thelma gaf nog maar eens een flinke ruk aan de rits. 'Rommel,' fluisterde ze en ze leek er even met haar hoofd niet bij. Toen richtte ze haar aandacht op Delores. 'Lieve hemel, je bent fotogeniek genoeg en elegant genoeg om Esther Williams te doen verbleken. Ik wil dat je nog één ding doet. Ik wil je onder water op je rug zien zwemmen, naar voren.'

Molly had haar hiervoor gewaarschuwd. Als je op je rug onder water vooruit zwom, kreeg je onvermijdelijk water in je neusholtes. 'Op het moment dat je het niet langer kunt verdragen, gebeurt het,' had ze gezegd. 'Blijf gewoon recht voor je uit kijken en raak niet in paniek.' Delores plonsde weer in de tank. Ze trok een holle rug en deed de schaarslag om onder water te komen. Het water stak venijnig toen het haar neusholtes instroomde. De drang om naar de oppervlakte te zwemmen was zo sterk dat ze er tranen van in haar ogen kreeg. Ze probeerde zich op het water voor haar te concentreren, zoals Molly haar had gezegd. Ze zag dat het water het zonlicht reflecteerde, waardoor alle belletjes kleine diamanten leken. Ze dacht aan hoe het zou zijn als je elke dag in dit heldere water kon zwemmen, als je elke dag de diamantjes, de schildpadden en lamantijnen voorbij zag glijden. Ze deed alsof ze in de echte bron zwom en het publiek in het amfitheater applaudisseerde en tegen elkaar fluisterde: 'Denk je dat zij een echte zeemeermin is?' Dat gaf haar de moed om een salto achterover te doen, waarbij ze haar benen kaarsrecht hield. Weer rechtop zwom ze naar het raam van waarachter Thelma Foote haar bekeek. Ze hield haar gezicht tegen het glas aan zodat haar neus en die van Thelma elkaar raakten, alleen gescheiden door een dun laagje plexiglas. Van die beweging schrok Thelma. Delores glimlachte mysterieus en zwom weg.

Haar hele leven was Delores nog nooit zo zeker van zichzelf geweest als op dat moment. Ze was door de auditie heen en zou zeemeermin worden; dat stond vast. Pas toen ze uit de bel klom, besefte ze hoe koud ze het had gekregen. Ze bibberde en had blauwe lippen van de kou, als een kind dat te lang in het zwembad is gebleven. 'Goed gedaan, pop, je hebt zojuist een staart verdiend. Je bent nu officieel een zeemeermin. Wat zeg je daarvan?'

'Hoeveel ga ik verdienen?' vroeg Delores, terwijl ze haar hoofd opzij hield om het water uit haar oren te laten lopen.

'Je woont daar bij de andere meisjes.' Thelma wees op het A-vormige gebouwtje achter hen. 'Je bakt hamburgers, maakt zwembaden schoon en neemt de kaartjes in ontvangst. En je zwemt mee in de show. Je krijgt vijftig dollar per week plus wat je aan fooi ontvangt. Dat lijkt me goed betaald, zou ik zeggen.'

Delores hield haar hoofd ondersteboven en schudde haar natte haren. Waterdruppels vielen op de gympen van Thelma Foote. Delores ging weer rechtop staan en gooide haar haar naar achteren. 'Ik zal het met mijn ouders bespreken,' zei ze, nog steeds haar nieuwe zelfvertrouwen voorwendend.

'Doe dat,' zei Thelma. 'Tenminste, als je hen kunt bereiken als ze op reis zijn.'

Terug in het motel nam Delores een warm bad. Hoewel 'bad' een groot woord was, want de kuip was zo klein dat haar knieën zowat haar kin raakten. Ze zat met haar rug tegen de kraan en liet het warme water over zich heen stromen. Ze had nog nooit goed nieuws gekregen. Dit was de eerste keer dat iemand haar voor iets had gekozen. Volgens Thelma Foote was ze fotogeniek en had ze haar staart verdiend. Het gaf een vreemd gevoel. Delores wist hoe ze met teleurstellingen om moest gaan. Dat was voor haar net zo gewoon als melk in je cornflakes. Maar complimenten krijgen en bereiken waar je van droomt? Ze kon wel huilen, zo gelukkig voelde ze zich.

Ze dacht aan haar vriendin Ellen, hoe perfect Ellens leven er in haar ogen altijd had uitgezien. In vergelijking met wat haar zojuist was overkomen, leek Ellens leven nu opeens heel gewoontjes, niks om nog jaloers op te zijn. Ze dacht aan haar moeder en vroeg zich af hoe zij in haar nieuwe leven zou passen. En ze dacht aan Westie en aan de bovenkant van zijn hoofd, die naar talkpoeder rook.

Delores stapte uit bad, trok een spijkerbroek aan en een van de nauwsluitende jersey Halston-topjes die haar moeder op haar werk achterover had gedrukt. Ze zat buiten in de kunststof stoel voor haar kamer en liet zich door de zon opwarmen tot alle kou uit haar botten was weggetrokken. Dit was een goed moment om Westie te schrijven. Op een ansichtkaart waarop het roze hotel met de oranje dakpannen stond, schreef ze:

Lieve Westie,
Hier woon ik op dit moment. Vandaag ben ik voor mijn auditie geslaagd en ben ik zeemeermin geworden. Ik mag nu iedere dag in het prachtige heldere water zwemmen. Mijn droom is uitgekomen. Ik zal je een zeemeerminpop sturen zodat je weet hoe ik eruitzie. Ik mis je.
Liefs, Delores

Daarna ging ze haar kamer binnen. Ze deed de jaloezieën dicht en haalde de badmuts tevoorschijn die vol zat met zilveren dollars. Er waren er nog negenenzestig over. Als ze de hotelrekening van vijf dollar had betaald, had ze er nog vierenzestig. Delores borstelde haar haar en pakte haar koffer in. Toen ze het deksel over Otto heen dicht wilde doen, zei hij: 'Hé meisje, je vergeet

41

me niet hè?' Het buskaartje stopte ze in het aparte vakje in de koffer; ze was blij met de gedachte dat ze het voorlopig niet nodig zou hebben.

Het was al na tweeën toen Delores in het administratiekantoor op Thelma Footes deur klopte.

'Ik heb het met mijn ouders besproken,' zei ze. 'Ze vinden het een mooie kans voor me, dus ja, ik wil heel graag zeemeermin zijn. Kan ik mijn spullen nu naar de slaapzaal brengen?'

Het knipoogje van Thelma Foote leek achter haar dikke brillenglazen wel tien keer zo groot. 'Kind, ooit zou ik die artiestenouders van jou weleens willen ontmoeten,' zei ze. 'Maar in de tussentijd kunnen ze ervan verzekerd zijn dat we hier goed voor je zullen zorgen. Dus kom op, dan zorgen we dat alles geregeld wordt.'

Delores hoefde nooit meer naar water te verlangen.

3

In New York City was nooit genoeg water. Delores smachtte naar water zoals een alcoholist smacht naar drank. Boven water bewogen haar lange knokige ledematen hortend en stotend. Onder water vormden haar armen elegante bogen en maakten haar lange benen golfjes. Voor zeven dollar per jaar kon ze elke dag na school zwemmen in een klein, overvol zwembad van het YMCA in de Bronx. Delores verzon verhalen in het water en beeldde die uit. Meestal was zij dan een prachtige prinses die in een kasteel woonde. Ze maakte koprollen en bedacht dansjes om zich uit te sloven tegenover de vissen en schildpadden die bij haar onder water woonden. Een keer riep de leuke oudere badmeester Henry zelfs: 'Zet 'm op, kanjer!' toen hij haar een baantje vlinderslag zag zwemmen. Hij kon niet weten dat zij de hele tijd deed alsof ze op de rug van een dolfijn zat.

De vrouw uit Baltimore kwam haar belofte na en stuurde de Walkers twee foto's van Roy die Delores boven zijn hoofd hield voor de obelisk. Ze zaten in een kaart gevouwen waarop een schilderij van een zonnebloem stond. Met grote hanenpoten had ze erop geschreven: 'Fantastische herinneringen aan jullie zonvakantie. Je bent een prachtige zeemeermin.'

Toen Delores de foto aan haar vriendin Ellen liet zien, viel hun oog op de neerhangende grijns van haar vader met de ontbrekende tanden. 'Hij lijkt op Alfred E. Neuman,' zei Delores lachend. Haar vader was dol op het tijdschrift *MAD*. Op het toilet lagen altijd een paar exemplaren. *MAD* was trouwens het enige tijdschrift dat ze thuis ooit had gezien. 'Jeetje, hij lijkt écht op Alfred E. Neuman,' zei Ellen. 'Zou hij dat zelf ook weten?'

'Dat moet wel,' zei Delores.

Haar moeder leek de verdwijning van haar vader te beschouwen als de zoveelste onvermijdelijke teleurstelling die het leven voor haar in petto had. De eerste paar weken na zijn vertrek zei ze geregeld tegen Delores: 'Hij komt wel terug. Hij komt altijd terug.' Alsof ze het over een weggelopen kat had. Soms staarde ze naar de telefoon in de hoop dat hij overging. Dat gebeurde nooit. 'Waarschijnlijk moet ik iemand bellen,' zei ze op een avond, 'maar ik mag doodvallen als ik weet wie.' Naarmate de weken verstreken, leek de afwezigheid van haar man bezit van haar te nemen. Onder haar ogen verschenen donkere kringen. En ze ontwikkelde een nerveus kuchje. Soms nam ze niet eens de moeite om een kam door haar samengeklitte haar te halen. Of ze vergat avondeten te kopen. Als Delores Westie niet in bad deed, zou hij ongewassen naar bed gaan. En toen, ongeveer zes weken na het vertrek van haar vader, begon haar moeder zich enigszins bij de situatie neer te leggen. Aan het einde van de middag zei ze tegen Delores: 'Die ellendeling is echt weg. Maar wat nog het allervervelendst is, is dat hij de auto heeft meegenomen.'

Westie leek niet eens te merken dat zijn vader er niet meer was. Het was in elk geval rustiger in huis. Haar moeder was met andere zaken bezig, maar Delores speelde met hem, gaf hem te eten en waste hem. Delores had gedacht dat haar vader haar en West zou laten ophalen als hij eenmaal op zijn plaats van bestemming was. Ze voelde zich een beetje schuldig als ze eraan dacht dat een leven bij hem eenvoudiger zou zijn, dat hij ontspannener en leuker zou zijn als hij niet meer bij haar moeder woonde. In gedachten stelde ze zich voor dat hij met de oude Pontiac naar het westen was gereden en ergens een eigen huis had. Een huis met een afgeschermde veranda en een schommel in de achtertuin. Hij zou bruin zijn, gelukkig en geen slecht humeur meer hebben. Hij zou zijn afgevallen en honingkleurige bakkenbaarden laten staan, en hij zou nog steeds de hele tijd zijn Yankees-pet dragen. Achter het huis zou een zwembad liggen. Niks bijzonders, maar net groot genoeg voor haar om baantjes te trekken. En er zou een barbecue in de achtertuin staan waarop hij biefstuk grilde en aardappels pofte. En de zon zou altijd schijnen.

Om de eindjes aan elkaar te kunnen knopen, nam haar moeder er een tweede baantje in de avonduren bij. Overdag pakte ze boodschappen in bij een supermarkt in de buurt. Daarna maakte ze in het westelijke deel van Manhattan trendy kantoren schoon in een kantoorgebouw dat uit glas en staal was opgetrokken. Regelmatig bracht ze souvenirs mee naar huis. Op een keer ook het suède jasje met franjes dat ze in het kantoor van een modetijdschrift had gevonden. 'Het lag in een hoek bij het afval,' vertelde ze Delores. 'Ik weet zeker dat ze het weg wilden gooien.' Een andere keer nam ze een 'tweedehands' klok mee naar huis met een vliegtuig erop. Hij gaf de tijd op allerlei plekken in de wereld aan, van Halifax tot de Azoren. Hij was bij het verzekeringsbedrijf van iemands bureau gevallen, zei ze, maar wonderwel was hij niet kapot gegaan. Ze zette de klok op de televisie en met het feit dat ze altijd wist hoe laat het in Zaïre was, leek ze zeer in haar nopjes te zijn. De maanden daarna nam ze nog een leren tas mee naar huis, een paar suède laarzen van Biba, een Timex mannenhorloge met een licht verbogen sluiting, een jurk van Betsy Johnson en twee spijkerbroeken met soulpijpen. 'Niet te geloven hoe slordig die mensen van het tijdschrift zijn,' klaagde haar moeder terwijl ze de afgeschreven spullen uit de tas van Macy's tevoorschijn haalde. Ze paste alle kleding altijd eerst zelf. Alles wat haar te klein was (dat gold voor de meeste dingen) kreeg Delores.

Iedere ochtend bracht Delores Westie voor schooltijd naar de vrouw die drie verdiepingen onder hen woonde. Ze was bleek, mager en liep een beetje gebogen. Ze had geen kinderen en was niet getrouwd. Delores kende alleen haar voornaam, Helene. Helene droeg haar haar in vlechten die ze op haar hoofd had vastgemaakt. Het was niet te zeggen hoe oud ze was en ze droeg nooit make-up of parfum. Het opvallendste voorwerp in haar spaarzaam gemeubileerde en smetteloos schone appartement was de enorme globe die midden in de woonkamer stond. Op een van die ochtenden draaide Delores de wereldbol rond en wees ze een willekeurige plek aan, ergens net naast Guatemala. Terwijl ze haar ogen tot spleetjes kneep om te zien waar ze was, richtte ze zich tot Westie en zei: 'Maak je geen zorgen, waar ik ook naartoe ga, ik zal altijd voor je blijven zorgen.' Helene be-studeerde de globe terwijl Westie zich in haar bijna doorschij-nende armen in allerlei bochten wrong. 'Je hebt bravoure, meid,' zei ze met een zwak stemmetje tegen Delores. 'En met bravoure kom je een heel eind.' Delores wist niet wat 'bravoure' betekende, maar de klank ervan beviel haar. Het klonk buiten-lands en ook enigszins waterachtig.

Toen de zomervakantie voor de deur stond en ze nog niks van haar vader hadden gehoord, zei haar moeder tegen Delores: 'Het kan zo niet langer, liever. Met wat ik verdien, kan ik ons drieën niet onderhouden. Je moet een baantje zoeken. Mis-schien kun je als serveerster aan de slag of boodschappen inpak-ken bij de supermarkt. Je moet iets gaan verdienen, zodat we nog een paar rekeningen kunnen betalen.'

Delores overdacht wat haar mogelijkheden waren, maar ze kon niks bedenken. Ze lag op haar bed en keek naar haar voe-ten. Maat 42. Zou ze zich altijd zo voelen, vroeg ze zich af; ge-vangen in dit kleine huis, met haar trieste moeder, haar kleine broertje en die grote voeten? Toen dacht ze aan wat Helene haar had gezegd. Ze had bravoure. Ze vroeg zich af wat een meisje met bravoure zou kunnen doen. Ze dacht aan datgene waar ze het meest van hield. Ze genoot als ze aan een duik in het diepe gedeelte van het zwembad dacht. Alleen al de gedachte aan de chloorgeur veroorzaakte een tinteling achter in haar keel. Misschien kon ze een baantje bij het Miramar-zwembad krijgen. Nee, nee, natuurlijk kon dat niet. Ze had niet eens haar diploma Reddend Zwemmen.

In een oude schoenendoos onder haar bed bewaarde Delores haar 'schatten'. Afgezien van Otto bevatte hij de foto van haar vader en haar in Weeki Wachee en een verjaardagskaart met de kop van een zwarte beer erop die in het donker oplichtte, en de tekst: 'Hemeltje lief, 't is toch niet waar, ben je nu alweer vijf jaar?' Hij was ondertekend met: 'Je vader en moeder.' Delores had hem al die elf jaar bewaard omdat het de enige verjaardagskaart was die ze haar ooit hadden gestuurd.

En dan zaten er nog de heilige foldertjes uit Weeki Wachee Springs in. Ze waren gedrukt op dik glanzend papier en er stonden kleurenfoto's op van de zeemeerminnen in verschillende kostuums. De folders beloofden 'kristalhelder blauw water' en 'de mooiste vrouwen op het land en in de zee'. Het papier was inmiddels slap geworden en bijna doorgesleten van het vele open- en dichtvouwen om de foto's te bekijken. Nu ze de foto's voor de zoveelste keer bekeek, viel haar iets op wat haar nooit eerder was opgevallen. Onder in de hoek, onder de routebeschrijving, stond een telefoonnummer en een adres. Doordat ze bijna altijd in haar fantasie met Weeki Wachee bezig was, was het nooit in haar opgekomen dat het daadwerkelijk een adres en een telefoonnummer had. Het voelde alsof je, als je het informatienummer zou bellen, feitelijk verbinding zou krijgen met het Land van Oz.

Een telefoontje naar Florida kon ze wel vergeten. Als haar moeder het over 'interlokaal' bellen had, leek het alsof ze het over een hermelijnen mantel had. 'Nou, ik ben blij dat *zij* wel naar de andere kant van het land kan bellen,' zei ze ooit eens nadat een van de buurvrouwen had lopen opscheppen over een telefoontje met haar zoon in Californië. Delores zou een brief moeten schrijven, nog zoiets waar ze absoluut geen ervaring mee had. Ze nam haar stapel oude *Teen Girls* door omdat ze zich een artikel herinnerde over hoe je een brief opstelt. Het artikel bevatte acht tips voor het schrijven van een goede brief, waaronder: 'Wees integer.' 'Wees voorkomend.' 'Wees vriendelijk.' 'Zorg dat je niet egocentrisch overkomt.' 'Hou het kort.' Ze scheurde een vel uit haar schrijfblok en schreef:

Mijne heren,
Ik ben Delores Walker. Drie jaar geleden heb ik Weeki Wachee bezocht. Sinds die tijd droom ik ervan om zeemeermin in uw park te worden. Ik kan goed zwemmen. Zonder te willen opscheppen, wil ik u vertellen dat ik volgens mijn coach goed genoeg ben om professional te worden. Kunt u me alstublieft adviseren wat ik moet doen om voor zo'n baan in aanmerking te komen? Ik ben bijna zeventien jaar, wat mij een ideale leeftijd voor een zeemeermin lijkt. Ik zie uit naar uw reactie.

Toen bedacht ze ineens dat ze misschien een foto van haar wilden zien. Ze rommelde wat door haar schatkist en vond een foto die twee jaar geleden aan het strand van Orchard was genomen. Daarop droeg ze haar witte badpak met aardbeienmotief. Vlak voordat de foto werd genomen, had ze de Yankeespet van haar vader schuin opgezet. De klep verduisterde haar gezicht dusdanig dat je haar tanden niet echt kon zien. Ze lag op een deken, met haar ellebogen in het zand en haar kin rustte op haar handen. Haar vader stond voor haar en zijn schaduw strekte zich naast haar uit. Delores was ruim een meter zevenenzeventig. Haar borsten staken als softijsjes uit en door haar hoge middel leken haar lange slanke benen nog langer dan ze al waren. Toen haar vader eens een flamingo in Cypress Gardens zag, had hij tegen haar moeder gezegd: 'Delores lijkt op een van die beesten.' Op de foto die die dag aan het strand van Orchard van haar was genomen, leek ze langer en slanker dan ze was. Delores was tevreden, want volgens haar kon een gewoon mens niet meer op een zeemeermin lijken dan zij op die foto.

'PS   Hierbij een foto van mij zodat u zich een beeld kunt vormen.'

Voordat ze de envelop dichtplakte, drukte ze een kus op de foto.

Twee weken later ontving ze een brief met het poststempel Weeki Wachee Springs. Delores hield de envelop op schoot en bewoog haar vingers er van links naar rechts overheen, alsof ze zo de inhoud van de brief kon lezen. Het was half vijf 's middags. De dagen lengden, het was de tijd van het jaar waarin het zachte licht en de zachte lucht allerlei beloftes inhielden. Ze sloot haar ogen en bedacht hoe haar leven eruit zou zien als ze nee zeiden. Ze zag zichzelf al samen met haar moeder aan het werk, popcornkruimels opvegend van kantoorvloeren, hier een vestje stelend, daar een paraplu. 'Laat ze me alsjeblief nemen,' fluisterde ze en ze scheurde de envelop open.

Geachte mevrouw Walker,

Wij waarderen uw enthousiasme en uw belangstelling voor Weeki Wachee. Wij zijn altijd geïnteresseerd in nieuwe kandidaten. We nodigen u graag uit voor een sollicitatiegesprek en willen graag uw zwemvaardigheden zien. Laat ons weten wanneer we u in de Springs kunnen verwachten, dan regelen we een afspraak.

Met vriendelijke groet,
Thelma Foote
manager

Hoezeer ze hier ook op gehoopt had, ze had nooit gedacht dat het echt zou gebeuren. Wat moest ze nu doen? Ze had geen geld, hoe moest ze in Florida komen, en bovendien: ze kon West toch niet in de steek laten? Toch belde ze de Greyhound-busonderneming op om te vragen hoeveel een kaartje naar Weeki Wachee Springs kostte.

'O, laten we eens kijken,' zei de man aan de andere kant van de lijn.

De man leek tegen zichzelf te praten toen hij de namen van de plaatsen op de kaart las. 'Orlando, St. Petersburg, Gainesville. Aha, daar heb je hem, Tampa. Retourtje New York – Tampa, vijftig dollar. Enkele reis, dertig dollar.'

Delores was nauwelijks nog in staat om hem te bedanken. Dertig dollar? Hij had net zo goed driehonderd dollar kunnen zeggen. Of drieduizend. Zo'n bedrag kon ze onmogelijk bij elkaar krijgen. Ze dacht aan haar vader en aan hoe bijdehand hij daarin altijd was geweest; hij had altijd genoeg geld gehad om de kleren te kopen die hij wilde of om naar een wedstrijd van de Yankees te gaan. Het was raar dat hij al zo lang weg was en dat ze nog steeds niks van hem hadden gehoord. Ze miste zijn vertrouwdheid.

Ze ging haar moeders slaapkamer binnen en opende de kast. Aan de linkerkant hingen nog altijd zijn kleren, precies zoals toen hij er nog was. Ze beroerde de mouw van een van zijn witte overhemden; in de loop van de tijd waren ze een beetje gelig verkleurd. Misschien zat er nog ergens wat geld in zijn zakken.

Ze stak haar hand in elke broekzak maar vond niks, afgezien van een half rolletje drop. Opeens rook ze een scherpe dropgeur. Het was typisch zijn geur. Ze schoof de broek naar de zijkant en begon de borstzakken in zijn overhemden te controleren. Achter de broeken zaten een paar planken waar hun ouders hoeden, koffers en dergelijke bewaarden. Vaak had ze tussen die spullen rondgesnuffeld in de hoop dat ze een geheim zou ontdekken, iets waarvan ze niet wist dat het er was. Ze had nooit iets gevonden en het was al jaren geleden dat ze voor het laatst op onderzoek uit was geweest.

Ze schoof de koffer en de hoeden van haar moeder opzij. Er stond een doos vol oude papieren, met officieel uitziende vensterenveloppen waardoor het adres te lezen viel. Ze vond het vossenbontje van haar moeder, met de puntige snuit en de uitpuilende kraalogen van een dier in doodsnood.

Achter in de hoek zat iets paars weggestopt, iets wat ze nooit eerder had gezien. Ze trok het naar voren. Het was een tas, een zware paarse tas met goudkleurige randen. SEAGRAM CROWN ROYAL stond er in vervaagde letters op. Delores tilde de tas van de plank en veegde het stof eraf. Toen ging ze op het bed van haar moeder zitten en maakte het gele koordje los. De tas zat vol dikke, zware zilveren munten. Ze schudde ze uit de tas. Ze maakten een rinkelend geluid voor ze over het bed rolden en omvielen. Ze bekeek ze allemaal goed: de Amerikaanse zeearenden, een man die op president Eisenhower leek, een vrouw die volgens haar 'Lady Liberty' voorstelde. Het waren zilveren dollars, sommige nog uit 1898, wel bijna tweehonderd. Deze zak moest van haar vader geweest zijn. Als haar moeder had geweten dat er een zak met geld in de kast lag, had ze alles al lang uitgegeven.

Bijna zestien jaar had ze haar vader dagelijks gezien zonder echt veel over hem te weten. Nu hij er niet meer was, ontdekte ze een heel andere kant van hem. Ze stelde zich voor dat hij een van de geldstukken in zijn hand hield, het een paar keer in de lucht wierp en genoot van de zwaarte ervan. Genoot van hoe glad en koel ze aanvoelden als hij zijn hand eromheen sloot. Ze vroeg zich af waarom hij de munten niet had meegenomen toen hij was weggegaan. Was hij vergeten dat ze er nog lagen? Of had hij ze achtergelaten in de wetenschap dat zij ze op een dag zou vinden? Als een afscheidscadeau voor haar en haar broertje?

Ze pakte wat ze nodig had, plus nog wat extra, en bedacht waar ze de rest voor West moest verstoppen. Delores ging naar haar badkamer en zocht een van haar oude badmutsen op. Ze nam hem mee naar de slaapkamer en vulde hem met honderd geldstukken. Ze hield de muts bij het kinbandje vast; het woog minstens zoveel als haar eigen hoofd. Dat deed haar denken aan het lege hoofd van Otto. Op die plek had ze de brief van Thelma Foote uit Weeki Wachee verstopt. Ze stopte Otto en de badmuts in de koffer die altijd onder haar bed lag. Daarna stopte ze de nu half gevulde Crown Royal-tas achter haar moeders vossenbontje, de hoeden en de dozen met papieren.

Toen haar moeder die avond thuiskwam van de supermarkt, wachtte Delores haar bij de deur op. Ze hadden nu twee uur samen en dan moest ze weer naar haar volgende baantje.

'Ik heb een verrassing voor je,' zei Delores lachend.

De ogen van haar moeder lichtten op. Positieve verrassingen kreeg ze niet vaak.

'Ga u maar even lekker ontspannen en neem een bad. Ik laat het wel vollopen en blijf gezellig bij je. En daarna maak ik het eten klaar.'

'En waar heb ik dit aan te danken?' vroeg haar moeder, een beetje in verlegenheid gebracht door al die aandacht.

'Dat merk je vanzelf,' zei Delores terwijl ze de kraan opendraaide. Haar moeder kleedde zich in de slaapkamer uit en trippelde in haar blootje op haar tenen naar de badkamer. Toen ze zich in het warme water liet glijden, zei ze zuchtend: 'Ahh, mijn voeten.' Van haar voeten had ze altijd het meeste last, doordat ze de hele dag in de supermarkt moest staan, en 's avonds ook nog eens in het kantoorgebouw. Delores zag de rode en eeltige hielen. De knobbels bij haar grote teen waren zo groot als deurknoppen. Haar borsten dreven omhoog toen ze achterover ging liggen. Delores verbaasde zich er altijd over hoe de tepelhof van haar moeder eruitzag. Bij haar waren ze klein en roze; die van haar moeder waren cacaokleurig en zo groot als schoteltjes. Maar ze besefte ook dat zij en haar moeder erg veel op elkaar leken. Ze hadden allebei dezelfde grote handen, voeten, borsten en tanden. Allebei waren ze lang en hadden ze een lang gezicht, als uitgerekte elastiekjes. Delores had grote, bijna zwarte ogen, net als haar moeder.

Haar moeder sloot haar ogen en legde haar hoofd tegen de porseleinen badrand. Wanneer de spanning en vermoeidheid uit het gezicht van haar moeder verdwenen was, kon Delores zien dat ze in wezen een knappe vrouw was.

'Bedankt, schat,' zei haar moeder. 'Dit is precies wat ik nodig had.'

Delores hurkte naast de badkuip en bracht haar gezicht dicht bij dat van haar moeder. 'Ik heb vandaag een baantje gekregen.'

'O ja, dat is geweldig,' zei haar moeder zonder haar ogen open te doen. 'Wat ga je verdienen?'

'Dat weet ik nog niet.'

'Wanneer moet je beginnen?'

'Zodra ik er ben.'

'Waar ben?'

'In Florida. Weeki Wachee Springs.'

Haar moeder ging zo snel overeind zitten dat het schuim alle kanten opspatte, als sneeuwvlokken.

'Weeki Wachee Springs? Waar de zeemeerminnen zijn?' vroeg ze.

'Ja,' zei Delores.

'Hoe heb je dat voor elkaar gekregen?'

'Ik heb ze een brief geschreven en toen kreeg ik een brief terug waarin stond dat ik een zeemeermin kon worden en dat ze de reis zouden betalen.'

'Je hebt ze een brief geschreven?' Het was voor haar onvoorstelbaar dat haar dochter in staat was om een brief helemaal naar Florida te sturen.

'Ja, en ze betalen mijn reis ernaartoe,' herhaalde ze. 'Vijftig dollar, retour, met de Greyhound-bus.'

'Heb je het geld?'

Nu ze haar eerste leugentje had verteld, zou elke nieuwe leugen makkelijker zijn.

'Nee, ze hebben al een kaartje voor me gekocht. Het enige wat ik hoef te doen is op de bus stappen.'

Haar moeder lag achterover in het bad. Ze was verward, boos, trots en bang tegelijk. Delores was pas zestien, nog niet oud genoeg om het ouderlijk huis te verlaten. Wie moest er nu voor West zorgen? Zoveel tegenstrijdige emoties botsten met elkaar.

'Hoe zit het met school?' vroeg ze. 'Je moet je middelbare school afmaken.'

'School? Alle zeemeerminnen wonen samen en krijgen gezamenlijk les, net als op een internaat. Ik blijf dus gewoon naar school gaan.'

Liegen was leuk. Het ging haar gemakkelijk af. Delores vroeg zich af waarom ze het nooit eerder had gedaan.

'Als jij gaat, waarom zouden West en ik dan hier blijven?' vroeg haar moeder. 'Misschien moeten we gewoon naar Weeki Wachee verhuizen en kan ik ook zeemeermin worden.' Ze vouwde haar handen achter haar hoofd en bewoog haar benen in de badkuip heen en weer zoals volgens haar een zeemeermin dat zou doen.

'Dat is grappig, mam,' zei Delores.

Maar ze lachte niet. Het schuim was inmiddels half uitgewerkt en het was een triest gezicht om haar moeder zo in het bad te zien liggen met die kronkelende benen. Er hing een soort verslagenheid om haar heen en Delores was bang dat ze ook zo zou worden als ze te lang in dit huis bleef wonen.

'Ja, als ik niet grappig meer ben, ben ik nergens meer,' zei haar moeder terwijl ze de warme kraan aanzette. Haar ogen stonden wat afwezig, alsof ze aan iets vervelends dacht. Ze werd zich bewust van haar naaktheid en sloeg haar armen om haar knieën. 'En als ik je verbied om te gaan?'

Delores was op die vraag voorbereid. 'Hier is geen werk voor mij,' zei ze. 'Ik ga daar genoeg verdienen om elke maand wat geld naar huis te kunnen sturen.'

'Dat is zonder meer een pluspunt,' zei haar moeder. 'Wanneer ben je van plan te vertrekken?'

'Volgende week vrijdag,' zei Delores. 'Dat is de laatste schooldag. Als ik de bus van vier uur 's nachts neem, ben ik daar zaterdagmiddag rond drie uur.'

Haar moeder liet zich weer onder het schuim zakken. Ze besefte dat ze het beste met haar dochter voor zou moeten hebben en dat ze zo'n kans niet zou mogen laten schieten. Maar toch voelde ze zich kwaad omdat Delores op de zaken vooruitliep en haar lot in eigen handen nam. Het voelde alsof Delores de winnaar was en zij de verliezer die achterbleef. Mensen kwamen in haar leven en gingen weer weg zonder enige rekening te houden met wat dat voor haar betekende. Ze probeerde haar angst om alleen achter te blijven, of misschien wel helemaal in het niets op te lossen, te verbergen.

'Het water wordt koud. Geef me even een handdoek aan, schat.' Ze stond in gedachten verzonken voor haar dochter, gehuld in een handdoek. Ze keek naar Delores die op de klep van het toilet zat. Ze zag er bijna net zo uit als zij op die leeftijd. Ze was maar twee jaar jonger dan zij was geweest toen ze van Delores beviel.

'Je moet doen wat je moet doen. Je hebt nog een heel leven voor je, dus verknoei het niet.' Terwijl ze dat zei, besefte ze dat dit de moeilijkste woorden waren die ze ooit had uitgesproken. Delores keek lachend naar haar op. 'Ik zal het niet verknoeien, mam. Dat beloof ik.'

Die nacht, terwijl Westie naast haar in zijn bedje lag, schreef Delores hem een briefje. Het zou nog jaren duren voor hij het kon lezen, maar Delores had het gevoel dat ze schoon schip moest maken.

Lieve Westie,
Ik ga niet weg omdat ik niet van je houd. Ik heb altijd van je gehouden en ik zal altijd van je blijven houden. Het is mijn droom geweest om naar Florida te gaan en zeemeermin te worden, en nu is die droom uitgekomen. Er zijn dingen die ik je wil vertellen. Als je ouder bent en kunt praten, spreken we elkaar iedere week via de telefoon. Dat beloof ik je. Ik had nooit gedacht dat mij dit zou kunnen overkomen en ik hoop dat jouw droom later ook uitkomt, wat die droom ook is. Hier heb je de beste foto die ik van mezelf heb. Ik hoop dat je er vaak naar zult kijken en nooit zult vergeten dat je een grote zus hebt die van je houdt.

Ze haalde de schoenendoos onder haar bed vandaan en zocht de foto waarop haar vader haar als een trofee voor de oesterschelp in Weeki Wachee in de hoogte hield. Onder aan het briefje krabbelde ze: 'PS De man op de foto is onze vader. Hij kon soms erg grappig zijn.'

4

Op een opgevouwen stukje papier dat Delores jaren geleden uit *Teen Girl* had gescheurd, stond een citaat: 'Als je over zelfrespect beschikt, ligt alles binnen je bereik.' Destijds had het haar een diepzinnige uitspraak geleken.

In de drie maanden die Delores nu in Weeki Wachee verbleef, had haar zelfrespect een enorme ontwikkeling doorgemaakt. Ze was beland tussen zes andere meisjes die totaal anders waren dan de meisje die ze in de Bronx had gekend. Je had natuurlijk Molly. En nog drie andere meisjes die een hechte kliek vormden waar je niet tussen kwam: Sheila, Sheila en Helen. Ze kwamen alle drie uit de buurt van Sebring en waren er het langst van allemaal. Molly had iets tegen Helen en wilde niet dat Delores haar aardig zou vinden. Helen had zichzelf gebombardeerd tot de grapjas van de groep, het soort meisje dat de aandacht trekt door met schelle stem grapjes te maken en dan overdreven te gaan lachen, alsof iedereen net zo veel lol had als zijzelf. Soms, als ze Molly in het park tegenkwam in het bijzijn van andere mensen, strekte ze haar armen op een theatrale manier uit en riep dan zodat iedereen het kon horen: 'Ga toch weg, het is juffrouw Pech!' Vervolgens barstte ze keihard in lachen uit. Helen zong op de manier waarop ze alles deed: luidruchtig en overdreven aanstellerig. Toen alle meisjes op een avond in de bus van Thelma Foote naar de bioscoop in Tampa reden, was Barbra Streisand op de radio te horen met het nummer 'People'.

Uit de manier waarop Helen haar ogen sloot en beide handen voor haar mond hield, alsof ze aan het bidden was, viel op te maken dat ze iets speciaals had met Barbra. Bij het tweede refrein van 'People' blèrde Helen de tekst mee. Het klonk afgriselijk, als kattengejank. Met een schok bracht Thelma Foote de auto langs de kant van de weg tot stilstand. 'In hemelsnaam,' gilde ze, terwijl ze achterom keek naar Helen, 'als ik de beest wilde uithangen met Ethel Merman, had ik haar zelf wel uitgenodigd.' Delores had nog nooit van Ethel Merman gehoord, net zomin als Molly of een van de andere meisjes. Maar ze lachten tot ze er tranen van in hun ogen kregen, alleen maar vanwege het feit dat Thelma hetzelfde dacht over Helens zangkwaliteiten als zij.

De Sheila's beweerden dat ze Helens beste vriendinnen waren, maar dat weerhield degene die bekendstond als Enge Sheila er niet van om te zeggen: 'Wie het ook moge zijn, Ethel Merman zou zichzelf door haar kop schieten als ze dat zou horen.' Enge Sheila had doorlopende wenkbrauwen die veel weg hadden van een schoenborstel. Als ze boos werd, trok ze een van haar wenkbrauwen op en flapte ze er alles uit wat in haar intelligente hersens opkwam. Iedereen was een beetje op zijn hoede als zij in de buurt was en zij was de enige die het zeemeerminschap niet beschouwde als een droom die was uitgekomen. 'Ik ben hier alleen maar om wat extra geld te achter de hand te hebben als ik volgend semester terugga naar de universiteit van Florida,' zei ze altijd. Maar inmiddels waren er zes semesters verstreken en was Enge Sheila nog steeds hier.

Blonde Sheila, nummer drie van het Sebring-trio, had een geblondeerd Farrah Fawcett-kapsel en stak de ene sigaret met de andere aan. Als ze het over jongens had, werd ze vunzig en arrogant en probeerde ze de anderen te choqueren met haar verhalen. Vrouwen die ze niet mocht, noemde ze 'achterbuurtsletten'. Als het even kon, bracht ze het gesprek op het onderwerp maagdelijkheid en begon dan te speculeren over wie nog maagd was en wie niet. Ze keek dan naar haar kruis en zei: 'Ach ja, die burcht is al jaren geleden ingenomen.' Vervolgens bracht ze een rauw klinkende mengeling van gelach en een rokershoest ten gehore. Delores vond dat er een soort schaduw over Blonde Sheila heen hing, alsof ze al was opgebruikt.

Er waren niet veel jongens in Weeki Wachee. Twee keer per week kwam er een jongen langs die de Blikken Man speelde in de 'De tovenaar van Oz'-show. Hij heette Lester Pogoda. Hij woonde in de buurt bij zijn ouders en op de dagen dat hij niet zwom, werkte hij in hun apotheek. Lester had een rode huid met dikke aders. Het leek altijd alsof er mieren onder zijn huid rondkropen. Hij had de bouw van een zwemmer met een lange slanke taille en schouders die als de vleugels van engelen uitstaken. Buiten, achter het amfitheater, lag een groot rotsblok naast de rivier de Weeki Wachee. Delores zag Lester vaak op zijn rug op die rots liggen in een poloshirt en een korte broek. Hij hield zijn gezicht precies naar de zon gekeerd, met zijn kin vooruitgestoken. Hij bleef dan zeker veertig minuten zo liggen, totdat zijn gezicht eruitzag of het zo kon ontploffen en zijn broek en poloshirt kletsnat waren van het zweet. Toen Delores een keer zaalwachter was tijdens een van de shows, ging ze even voor een pauze naar buiten. De lucht was strakblauw en het was die dag 33 graden. Als het even kon, zocht iedereen een gedeelte van het park met airconditioning op, behalve Lester met zijn vuurrode kop.

'Hoi Lester,' zei ze.

'O, hallo, Delores.' Hij zat op het rotsblok en depte het zweet van zijn gezicht.

'Nogal heet vandaag om in de zon te liggen bakken.'

'Dat kun je wel zeggen.' Hij trok zijn doorweekte shirt uit en wapperde er zichzelf wat koelte mee toe.

'Stik je niet van de hitte?'

'Ja, behoorlijk,' zei hij en hij klonk nogal suf.

'Waarom kom je niet naar binnen, uit de zon?' vroeg ze.

'Dat kan niet,' zei hij. 'Ik heb een ziekte.'

'O, sorry,' zei Delores, geschrokken van deze mededeling.

'Het is niks levensbedreigends of zo, hoor,' zei hij. 'Ik heb alleen vreselijke last van acne. Ze zeggen dat het met zon het beste overgaat. Een van de gasten hier, een oudere vrouw, sprak me ooit na het optreden aan. Ze zei dat mijn gezicht er afzichtelijk uitzag. Kun je je dat voorstellen, ze zei letterlijk "afzichtelijk".' Lester kreeg een nog roder hoofd. 'De manier om van je puistjes af te komen, was volgens haar ze door de zon te laten wegbranden. Dat wist ze omdat haar zoon er ook heel veel last van had gehad en dat was het enige wat bij hem hielp. Volgens haar zag zijn gezicht er nu goed uit en is hij inmiddels een gerenommeerd taalkundige in Chapel Hill. Ik weet het niet,' zei hij terwijl hij met zijn vingers over zijn pukkelige huid streek, 'misschien dat het iets minder is geworden.'

Delores begreep niet helemaal waarom Lester haar dit allemaal vertelde. Misschien zou hij het aan iedereen verteld hebben die hem op dat moment had aangesproken. Omdat ze niet zo veel ervaring had met jongens, wist ze niet goed wat ze hiervan moest denken. De enige andere jongen die ze ooit was tegengekomen was in het YMCA-zwembad. Die had haar soms complimentjes gegeven over haar haar en gezegd dat hij het leuk vond als ze het opgestoken had. Op een keer zwom hij in de baan naast haar. Zij deed de schoolslag en hij de borstcrawl. Aan de verandering in het water kon ze voelen dat hij dichterbij kwam. Per ongeluk streek zijn hand langs haar been. Ze stopte abrupt met zwemmen en bleef min of meer drijven. Als ze op dat moment had moeten gaan staan, zou dat haar onmogelijk gelukt zijn.

Toen ze later het zwembad verliet, wachtte Henry haar op in de smalle gang die naar de meisjeskleedkamer leidde. Hij zei niks, hij hield haar alleen dicht tegen zich aan en kuste haar. Zijn tong smaakte naar chloor en ze vond de manier waarop zijn neus tegen de hare stootte prettig. Na dit incident kusten ze elkaar overal waar ze maar een ongestoord plekje konden vinden. Geen van beiden sprak erover met anderen. Het was Henry die had gezegd dat ze goed genoeg was om professioneel zwemmer te worden. Delores had zich altijd afgevraagd of hij dat tegen haar had gezegd om er zeker van te zijn dat ze weer met hem zou zoenen.

Lester leek anders – hij was minder zelfverzekerd dan Henry. Ze begreep hoe hij zich voelde. Ze had precies hetzelfde wat haar tanden, voeten en borsten betrof. Als iemand tegen haar had gezegd dat ze zichzelf kleiner en aantrekkelijker kon maken door veertig minuten per dag in de brandende zon te gaan zitten, had ze dat ongetwijfeld ook gedaan.

Als ze tegen Lester zou zeggen dat ze begreep hoe eenzaam en onaantrekkelijk hij zich voelde, zou dat afbreuk kunnen doen aan het imago van Delores Taurus. Daarom probeerde ze hem alleen maar moed in te spreken. 'Je ziet er goed uit, Lester,' loog ze. 'Het is al veel beter dan toen ik hier net was.'

'Echt waar?' vroeg hij. Hij klonk opeens veel vrolijker.

'Ja,' zei ze. 'Echt waar. Zorg er alleen wel voor dat je geen derdegraads brandwonden oploopt.'

Delores leerde Adrienne, het meest verlegen meisje in de groep, beter kennen toen ze allebei waren uitgekozen om samen met Molly en Enge Sheila een nummer te doen in een nieuwe show, 'Carnaval in Rio'. Adrienne was lang en mager als een lat. Ze leek op een piccolofluit. Door haar zachte hoge stem klonk ze ook zo. Vroeg in de ochtend oefenden ze elke dag in de tank. Daarna liepen ze samen terug naar de slaapzaal om zich klaar te maken voor de volgende show. Enge Sheila noemde Adrienne almaar 'Vonkje', wat voor Sheila een ongebruikelijk vriendelijk gebaar leek. Delores zag dat Adrienne elke keer als ze het woord

'Vonkje' hoorde ineenkromp, alsof ze een vliegje in haar ogen kreeg. Op een van die ochtenden toen Delores en Adrienne tegen elkaar aangekropen zaten in de buis, het verwarmde verborgen platform waar ze zich opwarmden tussen de scènes door, vroeg Delores haar naar haar bijnaam.

Adriennes stem klonk zo mogelijk nog brozer dan anders. 'Het is een verschrikkelijk verhaal. Iedereen lijkt het te kennen, dus ik kan het jou net zo goed ook vertellen. Ik kom uit Zephyrhills en ik was de beste majorette van het schoolfanfare-orkest. Vorig jaar, tijdens de jaarlijkse reünie, mocht ik een truc doen waarbij beide uiteinden van mijn baton in brand staan, en ik de baton in de lucht moest gooien om hem dan weer op te vangen. Ik had het al honderdduizend keer geoefend zonder dat het ooit fout ging; het was eigenlijk niks bijzonders.'

Met veel diepe ademteugen en lange zuchten vertelde Adrienne haar verhaal. Toen ze op die specifieke avond de brandende baton in de lucht slingerde, raakte ze afgeleid door een jongen op de tribune die zijn blote billen toonde aan de Zephyrhills Bulldogs die net voor de tweede helft het veld op kwamen. De baton landde precies op de 40-yardlijn en stak het halve grasveld in brand. De Bulldogs moesten de wedstrijd afblazen, terwijl ze net met drie touchdowns aan de winnende hand waren. Daarna stond Adrienne in de hele school bekend als 'Vonkje'. 'Zelfs mijn leraren noemden me Vonkje,' zei ze. 'Het was afschuwelijk. Elke keer als ik die naam hoor, moet ik weer aan die avond denken en aan hoe vernederend het was. Uiteindelijk werd ik daar zo depressief van dat ik met school ben gestopt en hiernaartoe ben gekomen. Iemand heeft een van de Sheila's het artikel uit de *Zephyrhills High Times* gestuurd en ze wist niet hoe snel ze het onder iedereen moest verspreiden. Maar het maakt me niet uit. Ik wil nog steeds ooit majorette worden.' Ze vertelde Delores dat ze al sinds haar komst, bijna zeven maanden geleden, had geprobeerd batontrucs in de zeemeerminshows te laten opnemen. Zonder succes tot nu toe.

Een baton onder water laten twirlen, dacht Delores. Dat is volstrekt onmogelijk.

Het Sebring-trio beschouwde Delores met haar hippe kleding en beroemde ouders als een snob, en hield zich al afzijdig van haar voordat zij afstand kon nemen van hen. Tijdens haar tweede week kreeg Delores een rol als een van de verdwaalde kinderen in 'Peter Pan'. Helen speelde Wendy. Op een van die middagen raakte Helen gedesoriënteerd en kon ze de luchtslang niet vinden. Delores zag haar in paniek raken. Zonder uit haar rol te vallen, zwom ze naar haar toe, pakte haar hand en leidde haar naar de dichtstbijzijnde luchtslang, alsof het een magische schuilplaats ergens in Nooitgedachtland was.

Na de show stond ze naast Helen onder de warme douche.

'Bedankt voor je hulp daarnet,' zei Helen bijna fluisterend.

'Niks bijzonders,' zei Delores.

'Waarschijnlijk niet,' zei Helen.

Daarna spraken ze elkaar drie weken niet. In die periode kreeg Delores steeds belangrijker rollen. Eerst als waaierdanseres in *Carnaval in Rio*, en later als een van de kinderen Von Trapp in *The Sound of Music*. Haar huid was inmiddels hazelnootkleurig en de zon had haar haar gebleekt. Maar haar echte schoonheid kwam in de Springs tot uiting. Tussen Delores en het water bestonden geen grenzen. Ze maakte gebruik van de draaiingen en stromingen en bewoog zich met een betoverende gratie. Zelfs de meisjes die haar weinig goeds toewensten, bewonderden haar natuurlijke affiniteit met het water. Op de vrijdag nadat Delores een staande ovatie had gekregen voor haar solovertolking van 'Climb Every Moutain', kwam Blonde Sheila naar Delores toe toen ze het amfitheater verlieten.

'Ik hou ook van "Whiskers on Kittens",' zei ze op een eigenaardige uitdagende toon.

'Eh, nou, bedankt,' zei Delores.

'Luister. Sheila, Helen en ik liften vanavond naar Port Richey. Daar is een tent, Hot Chick. De kipkluifjes daar zijn ongelooflijk lekker. We dachten dat je misschien wel met ons mee wilde. Heb je daar zin in?'

Molly, die vlak naast Delores stond, legde haar hand over het litteken in haar nek, alsof ze door het te verbergen meer kans zou maken om deze keer uitgekozen te worden. Ze keek Delores aan met een blik die wilde zeggen: Als je met hen meegaat en mij achterlaat, help ik mezelf om zeep. Daarom zei Delores tegen Blonde Sheila dat ze een telefoontje van haar ouders verwachtte die momenteel op reis zijn.

'Je wilt toch helemaal niet met die meiden op stap,' zei Molly later. 'Dat geeft alleen maar problemen. Je begrijpt wel wat ik bedoel.' Dus terwijl de anderen die avond naar Hot Chick gingen, bleven zij en Molly achter met Adrienne en haar beste vriendin, de sombere Sharlene uit Homestead. Ze luisterden naar een lp van de BeeGees en een van Chicago. Sharlene had lang, dik blond haar waarachter ze zich leek te verbergen. Omdat ze nooit opkeek, behalve als Adrienne iets zei, leek het alsof ze een sluier droeg. Ze gaf toe dat haar haar onder water soms over haar gezicht viel en dat ze dan eventjes gedesoriënteerd raakte. 'Waarom probeer je het niet eens met een haarband?' vroeg Delores. Sharlene en Adrienne keken elkaar geschrokken aan. 'Dat is een geweldig goed idee,' zei Adrienne. Sharlene knikte. Het was pas half acht. Molly stelde voor om televisie te gaan kijken. Adrienne glimlachte en zei: 'Ik heb een beter idee. Laten we gaan twirlen.' Sharlene sprong op om de baton te pakken die ze van Adrienne had gekregen. Adrienne ging snel haar eigen baton halen. Delores fluisterde tegen Molly: 'Hoe lang moeten we dit nog volhouden?'

Toen Delores een hoofdrol kreeg als een van de twee sirenen in 'Lied van de zee', bagatelliseerde Enge Sheila dat tegenover de andere twee: 'Het is omdat ze een nieuw gezicht is. Thelma houdt van verandering.' Maar toch besloten de drie om haar uit te nodigen voor een van hun 'uitprobeer'-sessies. Dan pasten en leenden ze elkaars kleren zodat het leek alsof ze veel meer kleding hadden. Volgens Molly nodigden ze haar alleen maar uit omdat ze al Delores' hippe kleren wilden dragen. Delores vond dat niet erg, ze was blij dat ze haar gevraagd hadden. Maar uit loyaliteit tegenover Molly zei ze lachend: 'Ik ben veel groter dan jullie. Ik denk dat niks past.' Inmiddels waren zij en Molly absoluut hartsvriendinnen. In de slaapzaal stonden hun bedden naast elkaar. Ze probeerden zelfs in dezelfde diensten te werken.

5

Meestal traden de zeemeerminnen twee keer per dag op. Hoewel de shows maar twintig minuten duurden, kostte het hen nog minstens twintig minuten om weer op te warmen en nog eens twintig minuten om te herstellen van de lichamelijke vermoeidheid na een optreden. Op de dagen dat ze niet optraden, oefenden ze 's ochtends en werkten ze bij de middagshows als zaalwachter. Tijdens lunchtijd bemanden ze de snackkraampjes. Dan bakten ze hamburgers en maakten ze hotdogs. Af en toe mochten ze in het souvenirwinkeltje werken, maar dat kwam helaas maar zelden voor. Op het amfitheater na was het souvenirwinkeltje het enige gebouw met airconditioning in Weeki Wachee. Omdat zij er al langer waren, mochten Enge Sheila, Blonde Sheila of Helen daar meestal werken. Op zondagochtend moesten ze van Thelma allemaal naar de dichtstbijzijnde kerk in Spring Hill. Blonde Sheila had een oogje op de priester, dus zij ging graag, met haar kortste babydolljurkje en haar blootste sandalen aan. Enge Sheila had een hekel aan de kerkdiensten, en ze zat bijna de hele dienst met haar ogen te rollen. Helen vond het leuk als het zanggedeelte begon en deed geestdriftig mee, waarbij ze nog harder zong dan het koor. De rest ging plichtsgetrouw, zoals ze ook hamburgers bakten en de tank schoonmaakten, omdat het moest.

Als ze vrij had, schreef Delores ansichtkaarten aan Westie met plaatjes erop waarvan ze dacht dat hij ze leuk zou vinden.

Een keertje kocht ze een ansichtkaart met een foto van een zee-schildpad erop. 'In de Springs leeft een schilpad die ik Westie noem. Altijd als ik moet zwemmen, komt hij langs. Ik denk dat hij me kent.'

Als ze kaartjes moest afscheuren, keek ze rond in het theater om te zien of er misschien familie van haar op bezoek was. En als ze tijdens het zwemmen heel dicht bij het glas kwam, kon ze de mensen op de eerste twee rijen onderscheiden. Een paar keer zag ze een man met een marineblauwe pet op. Iedere keer dacht ze zeker te weten dat het haar vader was. Maar als de man op-stond, zag ze dat hij gebogen liep, of heel lang was, of dat er een grote hond aan zijn voeten lag. Ze wantrouwde alle mannen, zelfs degenen die op haar vader leken.

In de Bronx had Delores nooit een echt afspraakje met een jongen gehad. Ze had nooit meegedaan aan zoenspelletjes op feestjes. Hier zeiden mannen – zeker geen jongens meer – rare dingen tegen haar. Als ze na de show beschikbaar was voor het maken van foto's in haar zeemerminnenpak bogen ze zich naar haar toe en fluisterden dingen als: 'Ik zou best een stukje van die staart lusten' of 'Zullen we na sluitingstijd samen een biertje drinken?' Soms zeiden ze die dingen binnen gehoorsafstand van hun vrouw en kinderen.

Op een keer zwom ze laat in de middag samen met Adrienne, Enge Sheila en Molly in 'Carnaval in Rio'. Ze droeg een laag uitgesneden blouse met groene en oranje ruches en een bikini-broekje. Nadat ze het reuzenrad gedaan hadden, waarbij ze met hun voeten elkaars nek vasthielden en rondjes draaiden, zag ze een man naar voren rennen. Vlak voor haar begon hij het glas te likken. Een van de zaalwachters probeerde hem weg te trekken, maar hij duwde haar opzij en bleef maar likken. Delores zag de glibberige roze tong tegen het glas aangedrukt zitten. Het was walgelijk. Ze verloor haar concentratie en vergat haar ademha-ling te reguleren. Daardoor begon ze op te stijgen, weg van de

67

anderen. Thelma Foote, die zoals altijd de show regisseerde vanuit een onderwatercabine, greep haar microfoon en riep dringend: 'Delores Taurus, je moet zakken. Delores Taurus, je moet zakken.'

Een half uur later, toen zij en Molly samen naar de slaapzaal liepen, stond ze nog na te trillen. Ze vertelde Molly over de man met de tong. Molly maakte alleen een wegwuivend gebaar. 'Dat soort dingen gebeurt de hele tijd,' zei ze. 'Je kunt het ook anders bekijken. Gelukkig was het zijn tong en niet iets anders.'

Dit soort gebeurtenissen vertrouwde Delores meestal aan Otto toe, maar Otto lag ingepakt onder haar bed. Zij en Molly waren als eersten terug op de slaapzaal en gingen zonder iets te zeggen op hun bed zitten. Delores wilde Otto vasthouden, ze had behoefte aan het geruststellende gevoel dat hij haar gaf, ze wilde dolgraag zijn koele hoofd van keramiek zien, dat heen en weer bewoog als een vis die aan de haak is geslagen.

'Ben je nog steeds van slag vanwege die vent met die tong?'

'Het gaat niet om hem,' zei Delores. Ze bestudeerde Molly's nieuwsgierige gezicht, waarop een flauw glimlachje verscheen. 'Heb jij als kind ooit een denkbeeldig vriendje gehad, iemand tegen wie je praatte als je niemand anders had?' vroeg Delores. En zonder op antwoord te wachten, zei ze: 'Die heb ik nog steeds.'

'Echt waar?'

'Kijk, ik zal hem laten zien,' zei ze terwijl ze haar koffer onder het bed vandaan trok. Toen ze de sluiting openklikte, verscheen Otto's trieste kop met de nepdiamantjes. Molly begon te lachen.

'Wat is er?' vroeg Delores, die meteen spijt had van wat ze had gedaan.

'Dat ding ziet er grappig uit.' Molly keek Delores aan. 'O, is dat hem?'

'Ja, ik weet het. Hij ziet eruit als een hardgekookt ei. Maar hij was thuis de enige waar ik mee kon praten. Nu zie ik hem bijna nooit meer. Ik bedoel, wat zouden de anderen wel niet denken als ze Delores Taurus zagen praten tegen een pop?'

'Je mag blij zijn dat je hem had.' Molly keek de zaal rond. Er was nog steeds niemand. 'Kom op,' zei ze. 'Haal hem eruit. Ik let wel op.'

Ze liep naar de deuropening en ging daar met haar armen over elkaar op de uitkijk staan. Binnen fluisterde Delores tegen Otto: 'Ik mis hem. Ik weet dat hij iets vreselijks heeft gedaan door ons zo in de steek te laten, maar toch mis ik hem.'

Molly nam haar taak als uitkijkpost serieus en zorgde ervoor dat niemand Delores en Otto zou betrappen. Vanaf dat moment stond Molly iedere keer op wacht als Delores met Otto wilde praten. Ze zei Delores dat ze onmiddellijk als ze voetstappen of stemmen hoorde 'toedeledoki' zou fluisteren, zodat Delores nog tijd had om Otto weer onder het bed te verstoppen.

'Toedeledoki? Weet je het zeker?' vroeg Delores.

Ze lagen allebei dubbel van het lachen toen Molly ja knikte en het maar bleef herhalen. 'Toedeledoki, toedeledoki.'

De avond na het tongincident belde Delores naar huis.

'Hoi-lo.'

Haar moeder klonk als Lily Tomlin in haar telefonistenact.

'Mam?'

'O, hé, hallo Delores.'

Het was net alsof haar moeder haar stem onder controle probeerde te houden, alsof ze boos was.

'Mam, ik ben het, Delores, is alles in orde met je?'

'Ja, ik ben helemaal in orde. Hoezo?'

'Mam, waarom praat je zo?'

'Hoe bedoel je? Ik heb geen flauw idee waar je het over hebt.'

'Je klinkt een beetje, ik weet niet, boos of zoiets.'

'Waarom zou ik in hemelsnaam boos moeten zijn? Zo, hoe is het in zeemeerminnenland?'

'Goed. Ze vinden me goed. Hoe is het met Westie?'

'Hij is nu bij Helene.'

'Ja, maar hoe gaat het met hem?'

'Gewoon, goed.'

'Hoe is het op je werk?'

'Op mijn werk gaat het heel goed, kan ik wel zeggen.'

'Mam, heb je al iets van papa gehoord?'

'Nee, moet dat dan?

En zo ging het gesprek verder. De woorden van haar moeder dwarrelden als paardenbloempluisjes om haar hoofd. Uiteindelijk gaf ze het op. 'Ik moet ophangen, mam. Ik probeer gauw weer te bellen.'

'Goed, bel maar wanneer je zin hebt.'

Delores hing op. Zou het kunnen zijn dat haar moeder gek was geworden, of nog erger, dat ze haar eigen dochter haatte?

'Hoe gaat het met je ouders?' vroeg Molly toen Delores weer terug kwam op de slaapzaal.

'Eh, ze zijn momenteel erg ver weg,' antwoordde ze.

6

In werkelijkheid bloeide Gail Walker juist op in haar nieuwe leventje. Soms, als ze 's avonds kantoren schoonmaakte bij het modetijdschrift *Cool*, ging ze aan een van de grijze metalen bureaus in de doolhof van werkplekken zitten en staarde ze naar de stad beneden haar. Het kantoor bevond zich op de vierendertigste verdieping en vanuit een paar ramen kon ze de rivier de Hudson helemaal vanaf het Vrijheidsbeeld tot aan de George Washingtonbrug overzien. Als de brug 's avonds verlicht was, leek het wel alsof er zich engelen omheen verzameld hadden.

Haar favoriete plekje was het bureau waarop allerlei aardewerken beeldjes van honden stonden, een plastic ei gevuld met Silly Putty en een steen met oogjes erop geplakt. Overal hingen oude foto's die op zonnige dagen op het platteland genomen waren. Er zat een foto bij waarop een jonge vrouw met dikke blonde krullen tegen de zon in keek. Naast haar stond een jonge man met donkere gelaatstrekken. In zijn arm hield hij een piepklein baby'tje. Een oudere vrouw liep op hen af. Ze lachte en droeg iets, misschien een mandje met muffins.

Op een andere, recentere foto, stond de jonge vrouw met de blonde krullen blootsvoets op een strand. De lucht achter haar had de kleuren van een zonsondergang. Er waren foto's van een golden retriever bij en van iemand die de kaarsjes op een verjaardagstaart uitblies. Op een andere foto werd de jonge vrouw met de krullen stevig omhelsd door een man van middelbare leeftijd met een safari-jasje aan. Er hingen foto's uit tijdschriften op het prikbord, voornamelijk van schoenen. Maar Gail vond de persoonlijke foto's van het meisje met de krullen veel leuker. Vooral die van een klein meisje op het strand. Het kleine meisje had alleen een luier aan, die als de staart van een eend naar achteren stak. Ze had dikke blonde krullen en kleine donkere ogen. Op een andere foto zat hetzelfde meisje bij een vrouw op schoot, hun wangen dicht tegen elkaar aan. Ze hadden duidelijk hetzelfde profiel. Het waren vast foto's van het meisje en haar moeder, dacht Gail. Ze kon zich niet voorstellen dat Delores ergens een foto van haar zou ophangen. Dit Krullenkopje, zoals Gail haar in gedachten was gaan noemen, leek een leven te leiden waarin liefde en avontuur de hoofdrol speelden. Soms, als het buiten donker en stil was, en binnen kil en bedompt, staarde Gail zo lang en intens naar de foto's, dat ze er, voor een poosje althans, helemaal in opging.

Ze had Delores naar Florida laten gaan omdat ze blut was, en bang, en nu was haar dochter verdwenen. Delores zorgde voor zichzelf en dat leek haar prima af te gaan. Gail wist dat ze daar trots op zou moeten zijn, maar ze voelde alleen maar boosheid en wrok. Ze keek weer naar de lachende vrouw op de foto. Die vrouw zou me verafschuwen, dacht ze.

Toen ze op een avond de afvalbakken leegde op het kantoor van het tijdschrift, hoorde ze geschreeuw vanaf de werkplek van Krullenkopje komen. Ze keek door een van de doorkijkjes en zag een lange vrouw met een leren broek aan en een groene bril op over de jonge vrouw met blonde krullen gebogen staan. De vrouw schreeuwde: 'Heb je enig idee wat dit voor onze winstcijfers betekent? Jullie modepoppetjes met je hoge eisen, jullie hebben geen bal verstand van hoe je een tijdschrift moet runnen. Je bent niet aan het winkelen. Dit is verdomme de echte wereld!'

De vrouw schudde haar hoofd en liep weg. Gail wachtte even

en liep toen naar het bureau van Krullenkopje. 'Mag ik?' vroeg ze, terwijl ze naar beneden reikte om de prullenbak te pakken.

'Het spijt me, het is hier zo'n rommeltje,' zei Krullenkopje. Ze boog voorover om een stuk papier van de grond te rapen dat naast de prullenbak terecht was gekomen.

Gail boog tegelijkertijd voorover. 'Laat maar, ik kan erbij,' zei ze. Ze keken elkaar onder het bureau aan.

'Ik kan me net zo goed nuttig maken,' zei het meisje terwijl ze de tranen van haar wangen veegde. 'Kennelijk deugt er niks van al het andere dat ik doe.'

Ze gingen weer staan. Gail wees naar de foto's op het bureau van Krullenkopje. 'Hiernaar te oordelen,' zei ze, 'lijkt me eerder het tegenovergestelde het geval.' Krullenkopje schonk haar een dankbare glimlach en Gail ging verder met haar schoonmaakwerk.

Langzamerhand werd het een gewoonte. Op de avonden dat Krullenkopje moest overwerken, wat steeds vaker leek te gebeuren, ging Gail even bij haar langs. Ze zeiden elkaar gedag en maakten een praatje over het weer of nieuwe vlekken op het tapijt. 'Rode wijn,' zei Krullenkopje op een avond en ze wees naar een bruin-grijze vlek in de vorm van een uil. 'Ik weet het een en ander over etensvlekken,' zei Gail, die professioneel probeerde over te komen. Ze bukte en begon te schrobben.

Op een andere avond stootte ze per ongeluk een van de ingelijste foto's om toen ze het bureau van Krullenkopje afstofte. 'O jee, sorry,' zei ze terwijl ze het weer overeind zette. Allebei staarden ze naar de foto van het kleine meisje dat op het strand aan het spelen was. 'Ben jij dat?' vroeg Gail en ze wees de peuter in de luier aan.

'Ja, dat ben ik,' zei Krullenkopje.

Gail bekeek de foto van dichtbij en wees de vrouw aan.

'Zij is echt heel knap om te zien. Is dat je moeder?'

'Hmm. Ze was inderdaad heel mooi,' zei Krullenkopje en ze

staarde over de foto heen. 'Ze overleed toen ik zes jaar was.'

Een kreun ontsnapte Gail. 'O mijn god. Wat vreselijk. Het spijt me voor je.'

Krullenkopje maakte een wegwuivend gebaar. 'In elk geval heb ik haar krullen geërfd.'

'En haar knappe uiterlijk,' voegde Gail eraan toe.

Vanaf dat moment had Gail het gevoel dat Krullenkopje uitkeek naar haar bezoekjes. Ze zorgde dat ze altijd vriendelijk en geruststellend overkwam. Af en toe had ze het idee dat Krullenkopje bepaalde kledingstukken die aan het handvat van haar schoonmaakkarretje bungelden, herkende van fotosessies. Het waren kleine dingen: een hemdje, een rode suède riem, een gebatikte shawl. Toen Krullenkopje op een avond naar een bekend uitziend haltertopje keek, zei ze tegen Gail: 'Je hebt een goede smaak.' Er klonk niets venijnigs in haar stem door; ze leek echt in haar sas met de dingen die Gail eruit pikte.

Op sommige avonden luisterde Gail telefoongesprekken van het meisje af. Ze gebruikte veel kreten als 'geweldig', 'enig' en 'ongelooflijk', alsof de wereld zich aan haar liet zien in beelden en emoties die Gail zelf nooit ervaren had. Op een avond kwam Gail langs toen Krullenkopje net de telefoon neerlegde.

'Hoe gaat het vanavond met je?' vroeg Krullenkopje.

Gail zocht naar een antwoord dat de intentie en het enthousiasme dat ze in haar stem hoorde, reflecteerde. 'Met mij gaat het helemaal geweldig,' zei ze. 'En met jou?'

'Morgen hebben we een fotosessie. Ik moet al om zeven uur 's ochtends op Jones Beach zijn. Maar die idiote fotograaf wil per se een sessie met diepzeeschatten doen. Ik heb nog geen vierentwintig uur om voor een zeemeerminnenstaart te zorgen. Een verdomde zeemeermin! Kun je het je voorstellen?' Voor het eerst sinds ze elkaar ontmoet hadden, stak ze haar hand toe. 'Ik heb me trouwens nog nooit voorgesteld. Ik ben Avalon,' zei ze met dezelfde vastberadenheid als waarmee ze over de telefoon had gesproken.

Gail was niet gewend aan handen schudden. Ze voelde de fijne botten van het meisje en probeerde niet te hard in haar hand te knijpen. 'O, ik ben Gail.' Met haar elleboog leunde ze op het tussenschot. 'Dat is ook toevallig,' zei Gail zo deftig mogelijk. 'Mijn dochter is een zeemeermin. Je weet wel, geen echte natuurlijk, maar iets wat er dicht bij in de buurt komt. Ze zwemt helemaal in Florida, in Weeki Wachee.'

'Fantastisch,' zei Krullenkopje. Ze draaide een haarlok om haar vinger. 'Ik hoop dat ik niet onbeleefd ben, maar hoe komt u aan een dochter die zeemeermin is?'

Gail lachte, een beetje onzeker over de vraag hoeveel ze moest vertellen. 'Dat is een lang verhaal. Ze is een heel getalenteerd zwemster.'

'Dat geloof ik graag. Hoe heet ze?'

'Delores.' Gail wachtte even en zei: 'Sorry, maar wat was jouw naam ook alweer?'

Krullenkopje liet de krullende haarlok op haar schouder vallen. Ze legde haar beide handen op de zitting van haar stoel, alsof ze van plan was op te staan.

'Ik zal het verklappen als je me belooft dat je het niet verder vertelt,' fluisterde ze en ze keek om zich heen om te zien of er niemand in de buurt was.

'Wie zou ik het moeten vertellen?' zei Gail.

'Ik heet eigenlijk Evelyn. Evelyn Mandor. Ik heb mijn naam veranderd toen ik aan Vassar studeerde.'

Gail glimlachte naar Evelyn. Avalon. 'Mag ik een telefoontje plegen?'

Een paar minuten later legde ze de hoorn op de haak. 'Lycra,' zei ze. 'Het geheim van de staart is lycra en zwemvliezen.'

Gail Walker en Evelyn Mandor vormden een onwaarschijnlijk koppel. Door het leeftijdsverschil hadden ze weinig gemeen. Maar ze herkenden bij elkaar iets wat ontbrak, iets wat ergens mis was gegaan. Allebei hadden ze hun moeder verloren toen ze nog klein waren en allebei streefden ze dingen na die ze nog steeds niet duidelijk konden benoemen. Avalon was slank en beschaafd en werkte voor een gerenommeerd tijdschrift. In de ogen van Gail was Avalon alles wat Delores niet was, alles wat Gail ook niet was. En hoewel Gail besefte dat het een slechte gedachte was, vertegenwoordigde Avalon haar zoete wraak tegenover Delores. Het was voor haar dus belangrijk dat Avalon haar vertrouwde en respecteerde, omdat ze vermoedde dat haar dochter dat helemaal niet deed. Ze deed haar best het meisje voor zich te winnen en gedroeg zich op een manier die ze soms helemaal niet van zichzelf kende. Gaandeweg pepte ze haar taalgebruik op met woorden als 'super' en 'verdomd'.

Avalon nam Gail in vertrouwen. Al haar kleine succesjes en vermeende kritiek ervoer de oudere vrouw alsof het haarzelf betrof. Na een tijdje begon Gail vragen te stellen over het blad *Cool*. Avalon ontdekte dat ze het leuk vond om haar over de modewereld te vertellen en gaf haar graag haar versie van de politieke spelletjes binnen het bedrijf.

Avalon had de schoenen onder haar hoede. Of, zoals ze tegen Gail zei: 'Ik doe het schoeisel.' Zes jaar geleden was ze afgestudeerd, en nu zat ze gevangen in de krochten van de modeafdeling. Ze liet laarzen bezorgen voor herfstfotosessies, pakte ze weer in als de fotosessie was afgelopen en zorgde ervoor dat ze bij de juiste ontwerper werden terugbezorgd.

Ze wees Gail de beschadigingen aan en klaagde tegen haar over de telefonische tirade die ze ongetwijfeld weer van de ontwerper over zich heen zou krijgen. Misschien moest ze als gebaar van verzoening een boeket bloemen sturen of, in het ergste geval, ervoor zorgen dat *Cool* de schade zou vergoeden. Toen ze Gail een keer vertelde over een kleptomane styliste die er met een paar rode cowboylaarzen van Tony Lama ter waarde van driehonderd dollar vandoor was gegaan, wisselden ze een blik van verstandhouding, als om te bevestigen dat Gail nooit zoiets kostbaars zou verdonkeremanen.

Gaandeweg ontwikkelde Gail de gewoonte om te helpen met het uitzoeken van de spullen die Avalon had laten bezorgen als ze die verhalen vertelde. Soms kwam ze wat eerder om Avalon te helpen met het inpakken van de spullen voor een fotosessie. Steeds vaker deed Gail het uitpakken in haar eentje en ze werd een expert op het gebied van schoeisel.

Avalon zei dat ze wist dat de redacteuren van het blad alle meisjes op de afdeling achter hun rug de 'modepopjes' noemden. Die denigrerende bijnaam was bedoeld om zichzelf – de echte journalisten – te onderscheiden van de rest, die door anderen altijd als de prinsessen beschouwd werden. 'Ik heb vier jaar aan Vassar gestudeerd en ben afgestudeerd in kunstgeschiedenis,' zei ze. 'Dat is toch zeker ook niet niks.' De vader van Avalon was eigenaar van Mandor Farms, de grootste melkveehouderij in New Jersey. Dat wist iedereen bij het tijdschrift wel van Avalon. En dat was waarschijnlijk ook de reden dat ze niet langer Evelyn Mandor heette.

Lorraine, de hoofdredacteur die scheel keek en kloofjes in haar lippen had, en een man die ze Le Miserable noemde, kwamen geregeld in haar anekdotes voor. Het kwam altijd op hetzelfde neer: niemand wist Avalon echt naar waarde te schatten. Gail probeerde dan altijd iets sympathieks en meelevends te zeggen, hoewel ze geen idee had wie 'Le Miserable' was.

Toen ze uiteindelijk gewoon aan Avalon vroeg wie hij was, wees Avalon op de foto van de man van middelbare leeftijd in het safari-jasje die op haar bureau stond. 'Dat is hem, Jean Claude. Hij is de beroemdste modefotograaf van Amerika. Aan hem heeft *Cool* zijn avant-gardistische uitstraling en reputatie te danken. Ze betalen hem een fortuin.'

'Waarom noemen ze hem "Le Miserable"?' vroeg Gail. Avalon knikte naar de vergrotingen aan de muur: een van een vrouw die weinig meer aanhad dan een met kopspijkers versierde hondenhalsband en een van een meisje dat zich aan de mast van een zeilboot vastklampte in een zware storm. De wind blies haar gele sweater en roze hotpants bijna van haar lichaam. 'Dit is Jean Claudes idee van een reportage over vakantiekleding,' zei Avalon. 'Kun je het je voorstellen? Maar het tijdschrift loopt beter dan ooit. Hoe dichter bij de dood de meisjes lijken, hoe meer adverteerders.'

Jean Claude was misschien een man met visie, zei ze, maar hij was ook een bullebak die op de set enorme driftbuien kreeg als de modellen hem niet bevielen.

Avalon hield haar hoofd vast alsof ze wilde voorkomen dat haar hersenen eruit zouden vallen en met een namaak-Frans accent schreeuwde ze: 'Ze ziet eruit als *caca*. Die wallen onder haar ogen, dat lijken wel *montagnes*. Ze is, hoe zeg je dat, in de overgang. Zorg dat ze onmiddellijk uit mijn ogen verdwijnt!'

Een rare business, die modewereld, dacht Gail. Maar ze was blij dat de sweater van Sonia Rykiel, waarvan de zoom kapot was gegaan tijdens de sessie op de zeilboot, verfrommeld achter in een van de kasten was blijven liggen. Met een beetje verstelwerk zou hij perfect zijn voor haarzelf of voor Delores.

Tijdens een van hun avondlijke praatjes vertelde Avalon dat ze vroeg in het voorjaar naar de jaarlijkse bijeenkomst van de RMAA moest en dat ze daar nu al tegenop zag.

'Wat is de RMAA?' had Gail gevraagd.

'De Raad voor Modeaccessoires in Amerika,' had Avalon geantwoord. 'De enige reden dat ik daar naartoe moet, is dat *Cool* er een modeshow voor kledingzaken organiseert. En ik mag het sloofje zijn dat alles moet in- en uitpakken. Het is verdomme helemaal in Boca Raton.'

Gail nam zich voor om uit te zoeken waar Boca Raton lag.

Een paar weken voor kerst vroeg Gail aan Avalon hoe het met de voorbereidingen van de show ging.

'O, geweldig, prima,' zei Avalon met een licht geërgerde ondertoon in haar stem. 'Eerst zou ik een stagiaire krijgen om me te helpen, en nu is daar ineens geen budget voor. Dus nou mag ik die twintigduizend paar schoenen helemaal alleen doen.'

Later, toen ze nadacht over wat er daarna gebeurd was, dacht Gail bij zichzelf dat het woord 'brainstorm' wel heel precies aangaf wat ermee bedoeld werd. Net als bij spontane ontbranding, smolten behoefte en wanhoop in haar hoofd samen en explodeerden ze in de vraag: 'Waarom laat je mij je niet helpen?'

Avalon glimlachte voorzichtig en beleefd. 'Dat meen je toch niet serieus?'

7

Aan het eind van de Tweede Wereldoorlog kwam een duiker bij de marine, Newton Perry genaamd, op het idee dat het mogelijk moest zijn om onder water adem te halen door een slang waar via een compressor lucht uit kwam. Perry, die ook een keer stand-in was geweest voor de stunts van Johnny Weismuller in een Tarzan-film, was er nog niet aan toe om zijn duikersbestaan vaarwel te zeggen. De rijkdom aan natuurlijke bronnen in Weeki Wachee trok hem aan. Hij ging ernaartoe om zijn slangademhalingstechniek te perfectioneren. Misschien was Perry in zijn hart eigenlijk een showman, of misschien kwam het door zijn ervaringen op de filmset van *Tarzan*. Hoe dan ook, hij zag in dat het natuurlijke zeeleven in de bron van de Weeki Wachee de perfecte achtergrond zou vormen voor een onderwatershow. Hij bouwde een grote glazen muur langs de bron en plaatste daar een theater met achttien rijen stoelen voor. Hij huurde zes vrouwen in, die hij de Aquabelles noemde, om een onderwaterballet uit te voeren waarbij ze via luchtslangen die in het decor verborgen zaten adem konden halen. Een van de meest getalenteerde Aquabelles was een jonge vrouw, Thelma Foote genaamd, die heel soepel en lenig was, en ontzettend atletisch.

Het waren goede tijden in Amerika. Projectontwikkelaars in Florida konden nauwelijks aan de vraag voldoen van de vele mensen die hun droom hoopten waar te maken en zich wilden vestigen in het land van de vochtige, stroperige zon. Op het land werden dromen verkocht als honkbalplaatjes; onder water lagen de fantasieën nog voor het grijpen. Dus toen de ondernemende meneer Perry in oktober 1947 de deuren opende van Weeki Wachee Springs, was de show onmiddellijk een succes. Datzelfde jaar nog werd de film *Mr. Peabody and the Mermaid* in Weeki Wachee opgenomen. Ann Blyth vertolkte de hoofdrol als Lenore, de zeemeermin die niet kon praten maar alleen haar hemelse sirenenlied kon zingen. Lenore, het zwijgzame kindvrouwtje, veroverde het hart van een stadse, getrouwde man vlak voor zijn vijftigste verjaardag. Een rol die gespeeld werd door William Powell.

Tegen het begin van de jaren vijftig had Weeki Wachee Springs naam gemaakt en was Newton Perry een plaatselijke held. Het park was samen met Cypress Gardens een van de grootste toeristische attracties van Florida. Esther Williams en Don Knotts traden in de voetsporen van Ann Blyth en William Powell en maakten er films. En ontelbare andere beroemdheden trokken erheen omdat ze met eigen ogen wilden zien waar al die drukte over de 'Stad van de Zeemerminnen' om te doen was.

Al twintig jaar lang riep Thelma Foote 'haar meisjes', zoals ze ze altijd noemde, elke maandagochtend bij elkaar bij het buitenpaviljoen naast de aanlegplaats van de rondvaartbootjes. Ze ging dan wijdbeens voor hen staan met haar armen achter haar rug. Altijd droeg ze dezelfde kakibroek die rond haar benen slobberde en het witte windjack, hoe warm het ook was. 'Goedemorgen, lieve meisjes,' begon ze dan. Vervolgens vertelde ze hoe het schema voor die week eruitzag: wie hamburgers moesten bakken, wie de kaartjes in ontvangst moesten nemen en wie de algenaanslag van de plexiglazen wand moesten verwijderen die in het amfitheater tussen het publiek en het water stond.

De algen, altijd de algen. Als algen de vijand waren, was

Thelma Foote hun grootste opponent. Na elke show moesten twee meisjes met duikbrillen op en zwemvliezen aan de plexiglazen ramen schoonmaken met een nylon spons en ammoniak. Als ze klaar waren, controleerde Thelma met een zaklamp iedere centimeter over de hele lengte. Als ergens nog een vlek of wat aanslag zat, riep ze iedereen weer bij elkaar. 'Heb ik jullie niet duidelijk genoeg uitgelegd hoe snel algen zich vermenigvuldigen?' Haar stem trilde dan een beetje. 'Als je ze hun gang laat gaan, overwoekeren ze binnen de kortste keren het podium, het theater, het hele park. En waar moeten jullie met je mooie hoofdjes dan naartoe? De wereld zit niet te schreeuwen om zeemeerminnen, hoor. Dit hier is de enige plek waar jullie terecht kunnen. En als het hier niet meer is zoals het moet zijn omdat jullie te slonzig, te lui of te veel met jezelf bezig zijn om je tegen deze plaag te beschermen, nou, dan kunnen we de zaak wel opdoeken.'

De meisjes hadden het altijd over Thelma Foote. Ze vroegen zich af hoe oud ze was. En of ze ooit een vriend had gehad. 'Die ouwe Koeienoog?' zei Molly een keer 's avonds. 'Onmogelijk, dat is zo zeker als dat Willy Wortel vrijgezel is.'

Soms, nadat de meisjes al een ochtendshow hadden gedaan en op z'n minst een van hun andere karweitjes, riep Thelma hen weer bij elkaar onder de hete middagzon. Ze waren dan moe en bezweet. Sharlene stond altijd op de binnenkant van haar wang te kauwen en keek naar Adrienne. Een van de Sheila's stak heimelijk haar middelvinger naar haar op. Molly perste haar lippen op elkaar alsof ze op het punt stond het geloei van een koe na te doen. Ze probeerde de aandacht van Delores te trekken, maar Delores keek altijd recht voor zich uit omdat ze bang was dat ze in de lach zou schieten als ze Molly zou aankijken. Laatst nog had Thelma Delores en Molly apart genomen en hun gezegd dat ze opnieuw de tank in moesten en er pas uit mochten als ze op z'n minst een halve fles ammoniak hadden verbruikt. Delores hoorde in haar hoofd een hoog piepstemmetje dat zei dat hier helemaal niets grappigs aan was. Het was Otto: 'Wil je de rest van je leven tanks blijven schoon schrobben? Je bent Delores Taurus, niet een of andere glazenwasser.'

Als ze in het koude, heldere water zwom, verdwenen al haar gedachten over Thelma Foote en Otto, en zelfs die aan het ijzige gedrag van haar moeder over de telefoon. Ze kwam een keer dicht genoeg bij een dolfijn in de buurt om hem aan te kunnen raken; hij had een zachte huid, net Westies buikje. Het leven was perfect als ze in de Springs zwom. Maar op de dagen dat ze niet zwom, was ze altijd in de greep van de klamme hitte. Die matte haar af, net als de niet-aflatende stroom eisen van Thelma Foote met haar grote koeienogen. Zelfs de kleinste klusjes, zoals het opmaken van haar bed, maakten haar slaperig. Het schoonmaken van de tank ondermijnde alle dromen en fantasieën die haar de afgelopen zestien jaar op de been hadden gehouden. De laatste tijd had ze zelfs geen zin meer om met Otto te praten. Maar zijn stem was langzamerhand bezit van haar gaan nemen, ook als ze niet zijn vormeloze katoenen lijf in haar handen had. En die stem werd met de dag onbeschofter en baziger.

Het was uiteindelijk Lester Pogoda die Delores het ware verhaal over Thelma Foote openbaarde.

Lester zat op zijn rotsblok, op een middag dat Thelma Delores en Molly opnieuw de tank in had gecommandeerd. Toen ze klaar was met schoonmaken, verliet ze het amfitheater met een handdoek om haar hoofd gewikkeld en een sweatshirt over haar wetsuit heen. Ze was moe en had honger, en had het nog steeds koud.

'Hoi,' riep Lester naar haar.

'Hoi,' zei ze terug en vermoeid stak ze haar arm omhoog.

'Je bent vast doodop.'

'Ik ben behoorlijk moe, ja.'

'Hier is het lekker.'

Lester zag er verhit uit en glom helemaal, als een zeeleeuw die zich in het zonnetje koesterde. Ze zag dat zijn ogen in het zonlicht groen waren. Zonder puistjes zou hij er waarschijnlijk leuk uitzien.

'Is het goed als ik bij je kom zitten?' vroeg ze.

Lester ging rechtop zitten. Hij pakte zijn handdoek en veegde het plasje zweet om hem heen weg.

Delores klom naast hem. Lester ging een stukje opzij zodat zij op het beste plekje kon zitten, in een soort uitgesleten kommetje. Ze nam de handdoek van haar hoofd, spreidde hem uit en ging liggen. Zo, genesteld in de uitholling van de rots, onder de nietsontziende zon, viel ze in een bodemloze slaap. Allerlei beelden en gezichten kwamen voorbij: Westie, Henry, Otto's gladde witte gezicht, Lesters pokdalige rode huid.

Bijna een half uur lag ze zo te slapen. Toen ze wakker werd, ontdekte ze dat Lester zijn handdoek over haar benen had gelegd en haar gezicht afgeschermd met zijn honkbalpet. Hij zat nog steeds rechtop.

'Voel je je wat beter?' vroeg hij, op haar neerkijkend.

Ze voelde zich versuft en zweterig en schopte de handdoek van haar benen af.

'Ik heb je toegedekt,' zei hij verlegen. 'Om te voorkomen dat je er net als ik als een kreeft gaat uitzien.'

Delores ging zitten en wreef in haar ogen. 'Die hitte. Hoe hou je het vol?' vroeg ze hem.

'Ik ben hier opgegroeid. Ik kom mijn hele leven al in Weeki Wachee,' zei hij. 'Dit is mijn thuis.'

'Maar dan nog, de hitte, het werk, die ouwe Koeienoog. Ik weet het niet, hoor.'

'Thelma Foote komt uit Floral City,' zei Lester. 'Daar woon ik ook. Ze is oké.'

'Ik vind haar niet oké,' zei Delores. 'Volgens mij is ze gek en sadistisch.'

'Ze heeft een moeilijke tijd achter de rug.'

'Iedereen heeft een moeilijke tijd achter de rug,' zei Delores, meteen bang dat ze misschien te veel had gezegd.

'Ja, maar haar problemen speelden zich in het openbaar af.'

Delores trok haar sweatshirt uit, legde het opgevouwen onder haar hoofd en ging weer liggen. 'Wat voor soort problemen?' vroeg ze.

'Je moet beloven dat je niets hiervan aan iemand anders doorvertelt,' zei hij. 'Ze zou me vermoorden als ze wist dat ik het aan jou had verteld.'

'Maak je geen zorgen. Ik kan heel goed geheimen bewaren.'

'Oké dan. Toen Weeki Wachee in de jaren veertig openging, wilde ieder meisje uit de stad auditie doen. Thelma was een van de weinigen die ze uitkozen. Thelma is echt slim. Ze had zo naar de universiteit gekund, zelfs naar eentje in een andere staat. Maar de dag nadat ze haar eindexamen van de middelbare school had gehaald, ging ze hiernaartoe en deed ze auditie. Ze kozen haar als een van de Aquabelles – zo noemden ze de zeemeerminnen toen – en dat betekende heel veel voor haar. Want laten we eerlijk zijn, mooi is ze nooit geweest.' Lester hield zijn hand voor zijn mond toen hij lachte. 'Mijn vader zei altijd dat ze leek op die acteur Telly Savalas, je weet wel, die met die dikke lippen en ver uit elkaar staande ogen. En dan die bril! Maar ze was echt goed, en geloof het of niet, ze had een fantastisch lijf. En dus kreeg ze de baan. Er was zelfs sprake van een film, alhoewel niemand daar veel van weet.'

Lester vertelde Delores iets wat maar weinig mensen wisten en wat niet in de geschiedenis van de film was terug te vinden. Thelma Foote – en niet Ann Blyth – had bijna de hoofdrol gekregen naast William Powell in *Mr. Peabody and the Mermaid.* Blyth had kort daarvoor een rugblessure opgelopen bij een ongeluk met een slee, en de acrobatische onderwaterscènes waren voor haar zo pijnlijk dat de regisseur, Irving Pichel, overwoog haar te vervangen door haar stand-in, Thelma. Op het laatste moment besloot Pichel toch met Blyth door te gaan omdat die jonger en knapper was dan Thelma, en dat was beter voor de film. Dat is tenminste wat de kranten schreven. 'Thelma heeft het er nooit over dat ze bijna een Hollywood-ster is geweest,' ging Lester verder. 'Maar ze moet er bijna aan onderdoor zijn gegaan, denk je niet? In elk geval ging het daarna allemaal goed tot haar tweede kerst hier. Ze deden een grote, spectaculaire kerstshow, "Jingle Shells". Vat je 'm? Ergens in het verhaal krijgen twee kinderen een heleboel cadeaus. In iedere doos zit een grote verrassing. Het was de bedoeling dat Thelma uit een grote oude hoedendoos tevoorschijn zou komen. Ze moest een fee voorstellen die magisch poeder over de kinderen strooide dat hen naar de geheime onderwaterwoonplaats van de kerstman zou brengen. Maar op het moment dat Thelma uit de doos moest komen, gebeurde er niets. De mensen die de kinderen speelden, bleven naar de doos staren en de verteller bleef de regel die voor Thelma het signaal was om eruit te komen maar herhalen: "Wat zou er in die mooie hoedendoos zitten? Wat zou er in die mooie hoedendoos zitten?" Natuurlijk kon het publiek niet horen wat er onder water allemaal gebeurde, maar de andere zeemeerminnen moeten iets gehoord hebben, want allemaal tegelijk keken ze naar de hoedendoos.

Het schijnt dat Thelma vastzat. Het deksel wilde niet open. Ze heeft eraan zitten krabben en er tegenaan zitten beuken totdat eindelijk iemand doorhad wat er aan de hand was. Een van de meisjes haalde het deksel eraf. Thelma werd helemaal gek. Ze sloeg met haar armen en schopte om zich heen en probeerde naar boven te komen. Haar feeënvleugels waren helemaal verbogen en verfrommeld. Ze bleef maar rondjes zwemmen, misschien omdat ze niks kon zien zonder bril. Uiteindelijk dook de zeemeermin die de kerstvrouw speelde in het water en haalde haar eruit. Daarna is Thelma nooit meer het water in gegaan. Ik denk dat ze zich te veel schaamde. Ze hebben haar dit baantje gegeven omdat iedereen medelijden met haar had, en ze doet dit nu al twintig jaar. Ze is er behoorlijk goed in, ook al is ze erg streng voor de zeemeerminnen, vooral voor degenen die er goed uitzien.'

Lester keek weg.

Delores ging zitten en knoopte het sweatshirt rond haar middel. 'Maar dat geeft haar nog geen reden om zo gemeen te doen,' zei ze terwijl ze een dubbele knoop in de mouwen legde. Voordat ze van het rotsblok afklom, boog ze zich naar Lester toe en fluisterde: 'Maak je geen zorgen, ik zal het aan niemand vertellen. En bedankt.'

Toen Delores weer op de slaapzaal kwam, had Molly haar opblaasbare droogkap op. 'Was het leuk met Lester?' riep ze boven de herrie van de heteluchtblazer uit.

Delores haalde haar schouders op.

'Nou, je bent ook niet erg enthousiast. Jeetje, Delores, iedereen weet dat Lester waanzinnig verliefd op je is. Hij moet zich dolgelukkig hebben gevoeld toen jij naast hem op zijn rotsblok lag.'

Delores haalde weer haar schouders op. Nooit zou ze Molly of wie dan ook het verhaal vertellen dat Thelma Foote tijdens *Jingle Shells* in de doos had vastgezeten. Als er iets was wat Delores over het leven wist, dan was dat dat het belangrijk was om geheimen te bewaren.

8

De kerstperiode was voor Thelma Foote altijd een moeilijke tijd. Begin november begon ze op vreemde tijden onverwacht het amfitheater te controleren. Gewapend met een zaklamp en een vergrootglas controleerde ze iedere centimeter van het plexiglas, uit vrees dat er sinds haar vorige controle ergens weer een beetje algengroei was ontstaan. Om half vijf 's ochtends maakte ze Delores en Molly wakker. Ze schreeuwde dat alles naar de verdoemenis ging en dat niemand zich daar druk om maakte, alleen zij. 'Pak aan,' zei ze en ze duwde Molly een fles ammoniak en een paar sponzen in handen. 'Jij en je vriendinnetje kunnen je hier nuttig maken.' En in het vage ochtendlicht, met hun pyjama aan, duikbrillen op en flippers aan, boenden Delores en Molly de wand van het amfitheater en maakten zo de wereld voor alle toekomstige zeemeerminnen weer iets veiliger.

Tegen half november begonnen de repetities voor de grote kerstshow. Dit jaar stonden de eigenaren van Weeki Wachee erop een oud succesnummer opnieuw op te voeren, 'De wereld van Frosty de sneeuwman'. De kostuums waren half versleten en op sommige zaten gele vlekken van het lange liggen. Thelma ging er eerst tegenin, maar dat had geen enkele zin. De eigenaren woonden niet eens in Weeki Wachee. Ze besteedden er nauwelijks enige aandacht aan en hielden zich alleen maar met geld bezig. Thelma maakte zichzelf wijs dat de kostuums er na grondig verstelwerk en goed wassen weer zo goed als nieuw uit zouden zien. Maar in werkelijkheid zagen de kostuums er net zo ontmoedigd uit als zij zich voelde. Nog geen honderdvijftig kilometer verderop deed het nieuwe Disney World goede zaken, terwijl hier het aantal bezoekers terugliep. Zelfs Dick Pope van Cypress Gardens voelde de druk en het gerucht ging dat hij duizenden extra dollars in het opleuken van zijn show pompte. Ze was bang dat 'De wereld van Frosty de sneeuwman' weinig belangstelling zou krijgen.

Elke ochtend repeteerden de meisjes en Lester plichtsgetrouw voor de show terwijl Thelma zwijgend vanuit de regiecabine toekeek. De show was gedateerd, vond ze; het leek op een amateurvoorstelling van een middelbare school. Ze had stukken gelezen over de audio-animatronics, de robots in Disney World. Alleen al in de Mickey Mouse-musicalrevue speelden achtenzestig levensechte robots mee. In de ruim een meter hoge Mickey waren tweeëndertig functies ingebouwd: hij kon zijn hoofd bewegen, zwaaien met zijn dirigeerstokje en rondjes draaien. Er was een één meter vijfennegentig hoge replica van Abraham Lincoln die kon opstaan en een van zijn beroemde toespraken kon houden, al ging dat nog niet helemaal probleemloos: soms boog hij ineens voorover of zakte hij door de knieën. Maar vergeleken met 'De wereld van Frosty de sneeuwman' vertegenwoordigde Disney World de toekomst. Het stond met beide benen stevig verankerd in het ruimtetijdperk. 'De wereld van Frosty de sneeuwman' was verleden tijd, oud nieuws.

Thelma zag dat Adrienne lusteloos een niet-afgemaakte salto achterover uitvoerde en dat Helen drie tellen achterliep bij het playbacken van het lied 'Frosty the Snowman'. Ze voelde het leven uit zich wegebben. De lucht leek ijler en ze voelde zich licht in het hoofd. Deze mensen slokken mijn leven op, dacht ze, dag in dag uit knabbelen ze er weer een stukje vanaf. Als ik hier nog langer blijf, blijft er niets van me over, slechts de laatste restjes van wat ooit Thelma Foote is geweest.

Ze ging staan en greep de microfoon. 'Attentie, attentie,' riep ze. 'Ik wil dat iedereen onmiddellijk uit het water gaat en naar mij toe komt, in het theater. Ik heb een belangrijke mededeling.'

De bibberende acteurs zaten gewikkeld in handdoeken te wachten op wat Thelma te zeggen had.

'Ik ga er niet veel woorden aan verspillen,' begon ze. 'Deze show is waardeloos. Hij is afgezaagd, saai en niet leuk om naar te kijken. Eerlijk gezegd heb ik geen zin om dit jaar een kerstshow te geven. Maar als jullie je mooie hoofdjes bij elkaar willen steken en zelf een show willen bedenken, ga je gang. Verwacht alleen geen bijdrage van mijn kant. Succes ermee!' Ze deed de rits van haar windjack dicht en beende de deur uit.

Lester keek Delores even aan met een blik die zei: Zie je wel, ik heb het je toch verteld over dat hele kerstgedoe. En Lester, die bijna nooit iets zei in een groep, opende als eerste zijn mond toen iedereen elkaar stomverbaasd en zwijgend aankeek.

'Er komen mensen speciaal voor de kerstshow hiernaartoe,' zei hij. 'We moeten zelf iets bedenken.'

Ze gingen rond een van de picknicktafels zitten en begonnen te praten over wat ze zouden kunnen doen. Op een vrijdagavond een paar weken daarvoor hadden ze zich met z'n allen in de bus van Weeki Wachee gepropt en waren ze naar Tampa gereden. Daar hadden ze de film gezien waar iedereen het over had, *The Godfather*. Op de terugweg hadden ze er de hele tijd over nagepraat: de onschuldige Kay, de driftige Sonny, de enge Michael, de loyale Tom Hagen en de tragische Apollonia. Ze haalden de scènes weer op. Favoriet was de scène waarin Sonny bijna Carlo, de man van zijn zus Connie, doodde omdat Carlo Connie in elkaar had geslagen. Ze kwamen allemaal uit een familie waarin echte Carlo's en Connies voorkwamen.

Adrienne was de eerste die met het idee kwam. 'Misschien

moeten we een show doen ter ere van *The Godfather*. We zouden de trouwscène uit het begin kunnen doen.'

'Godallemachtig,' zei Sharlene terwijl ze een pluk haar uit haar gezicht streek. 'Dat is het meest fantastische idee dat ik ooit heb gehoord.'

'Geweldig, Einstein,' zei Helen, 'maar heb je er ook aan gedacht dat wij allemaal meisjes zijn? Op Lester na natuurlijk. En *The Godfather* gaat alleen maar over mannen.'

Iedereen keek naar Lester, die met zijn vingers langs zijn kaak streek. 'Ik heb het boek gelezen,' zei hij in een poging van onderwerp te veranderen. 'Het is het beste boek dat ik ooit heb gelezen.'

'Als zeemerminnen astronauten kunnen zijn,' zei Delores, 'dan zie ik niet in waarom ze geen "familie" zouden kunnen zijn.' Ze zei het woord 'familie' met een lage gangsterstem.

Dat klonk iedereen erg logisch in de oren, al waren ruimtepakken natuurlijk wel iets anders dan een driedelig maatkostuum.

De meisjes die in Weeki Wachee werkten, waren nooit cheerleader geweest. Ze hadden op de middelbare school nooit bij een groepje gehoord. Net als de mensen in *The Godfather* waren ze buitenstaanders die alleen elkaar hadden om op terug te vallen. Ze putten moed uit het feit dat de personages in de film hun eigen wereld hadden gecreëerd. Dat het een wereld was waarin verlies en geweld de boventoon voerden, werd volledig overschaduwd door het feit dat de degenen die erin voorkwamen machtige personen waren, die zich naar de top hadden gewerkt. De zeemerminnen begonnen met een zwaar Italiaans maffia-accent tegen elkaar te praten. Zelfs de Sheila's en Helen deden mee.

De volgende drie uur zaten ze aan de picknicktafel het idee verder door te praten. Lester zou Don Corleone spelen; dat sprak voor zich. Toen Helen dat hardop zei, protesteerde Lester:

'Nee, dat is niet goed. Je moet iemand hebben die beter is dan ik om Vito Corleone te spelen.' Hij werkte altijd op de achtergrond, behalve als hij aan de balie stond in de apotheek van zijn ouders. De laatste tijd stond hij liever niet in het middelpunt van de belangstelling. Zo was hij niet altijd geweest. Toen hij vier jaar was, hadden zijn ouders hem meegenomen naar zijn eerste zeemeerminnenshow. Nadat het doek opging, was er een zeemeermin met een groene staart langsgezwommen die een kus naar het publiek blies. Sinds die tijd had hij altijd zeemeerman willen worden. Op zijn zesde begon hij serieus te oefenen en probeerde hij te zwemmen terwijl zijn voeten met een touw bij elkaar waren gebonden. Omdat hij een sterke zwemmer was met een knap gezicht en het perfecte lijf voor een zeemeerman, werd Lester nog voor zijn zestiende aangenomen bij Weeki Wachee. Toen kreeg hij last van acne en begon hij rollen te kiezen waarbij hij zich kon bedekken met maskers en kostuums. Hij was bijvoorbeeld de Blikken Man in *De Tovenaar van Oz* en de rups in *Alice in Wonderland*. Als hij overwoog om zijn echte gezicht te tonen, hoefde hij alleen maar zijn ogen te sluiten om zich voor te kunnen stellen wat er zou gebeuren. De mensen zouden één blik op hem werpen en zich dan van hem afwenden. Ze zouden doen alsof ze zijn verwoeste huid niet hadden gezien, maar natuurlijk was dat het enige wat ze van hem zagen.

'Ik vind echt dat een van jullie de Don zou moeten spelen,' stelde hij. 'Iemand die krachtiger overkomt en die leuk is om te zien.' Hij wierp een blik op Delores.

Delores herinnerde zich dat Henry haar 'kanjer' had genoemd. Alleen al het feit dat hij dat zei, had haar toen het gevoel gegeven dat haar grenzen niet zo onoverkomelijk waren als ze altijd had aangenomen. 'Lester,' zei ze. 'Jij zou een perfecte Godfather zijn. Het sterke, stille type.'

Blonde Sheila ging staan. 'Je moet het doen, Lester, het zou goed voor je zijn om een keer een echte vent te spelen in plaats van die nichterige Blikken Man. Ik ga ook een man spelen, Johnny Fontane.' Ze wees met twee duimen op haar borst. 'Een echte rokkenjager. Ik weet wel een beetje hoe het is om je aangetrokken te voelen tot het andere geslacht,' zei ze wellustig.

'Je hebt meer verstand van je aangetrokken voelen tot een lamp,' hinnikte Helen.

Molly stelde voor dat Delores Connie Corleone zou spelen, omdat ze dezelfde grote, donkere ogen had als Talia Shire, die in de film de rol van Connie vertolkte. 'Dan mag je ook dansen met Don Corleone,' zei ze, lachend naar Lester, die een nagelriem aan het terugduwen was en het vermeed iemand aan te kijken.

Ze bedachten dat Delores en hij tijdens het openingsnummer zouden dansen totdat Johnny Fontane op het toneel verscheen. Dan zou Delores naar hem toe zwemmen, haar armen om hem heen slaan en hem kussen. ('En denk eraan,' plaagde Blonde Sheila, 'niet tongzoenen.') De andere zeemeerminnen zouden een cirkel vormen rond de Don. Ze zouden de kring steeds dichter maken tot ze bij Dons schouders waren en zachtjes zijn haren strelen. Terwijl ze de scène uitstippelden, besloot Lester dat hij misschien toch wel Don Corleone kon spelen.

De volgende vier weken oefenden ze elke dag twee uur voor de ochtendshow en 's avonds na sluitingstijd nog een keer. En hoewel Thelma deed alsof ze niet geïnteresseerd was, wierp ze af en toe tijdens de repetities een blik in de tank. Op een avond klampte ze Delores aan, die net de grill in de snackbar aan het afsluiten was. 'Je houdt je een beetje in,' zei ze. 'Dit is het moment voor Connie Corleone om te schitteren, om uit de schaduw van haar broers en vader te treden. Je moet meer de aandacht opeisen. Je bewegingen zouden opvallender, overdrevener moeten zijn, je moet je meer laten gaan.'

Een paar dagen later trok ze in de souvenirwinkel Blonde Sheila naar zich toe. 'Jouw Johnny Fontane schept te veel op.

Vergeet niet dat hij blut is, zijn carrière is naar de haaien en hij komt om geld bedelen. Hij is een rokkenjager, maar hij is ook bang, hij doet het bijna in zijn broek van angst.' Een andere keer legde ze Lester uit hoe hij zijn hoofd zo moest houden dat beide tegengestelde kwaliteiten van Don, zijn tederheid en zijn wreedheid, overtuigend overkwamen.

Na verloop van tijd verscheen Thelma regelmatig tijdens de repetities. Ze nam weer plaats in de regiecabine en onderbrak hen om de paar minuten via de microfoon met haar gekmakende instructies: 'Buig dieper. Nederigheid. Denk aan nederigheid,' riep ze tegen Sharlene, die Bonasera, de begrafenisondernemer, speelde. 'Borst vooruit, Delores. Dit is je trouwdag.'

Jarenlang had Thelma geld opzijgezet op een spaarrekening. Het ging niet om heel veel geld, tienduizend dollar misschien. Ze noemde het haar appeltje voor de dorst, iets achter de hand voor het geval ze ooit haar baan bij Weeki Wachee zou verliezen. Op een avond zat Thelma lang na sluitingstijd achter haar bureau en staarde naar de bedragen in haar bankboekje. Ze kon zelf beslissen wat ze met het geld zou doen: er was niemand in haar leven die het kon erven of er aanspraak op kon maken. De regelmatige rij stortingen vertelde het verhaal van een eenzaam leven zonder uitspattingen, zonder verrassingen. Ze liep met haar vingers de cijfers in het boekje langs en schreef wat getallen op een blocnote. Met een paar duizend dollar zou dit 'Godfather'-gebeuren echt klasse kunnen krijgen. Al het gezeur en de motiverende praatjes, alle emotionele inzet die ze van deze meisjes en ontelbaar veel meisjes vóór hen had geëist – misschien was dit haar kans om het allemaal goed te maken. Misschien zou dit Weeki Wachee weer op de kaart kunnen zetten, alle ophef over Disney in Orlando ten spijt. Weer op de kaart als 'een van de grootste attracties van Florida', zoals in de brochure stond vermeld. Ze deed haar bankboekje dicht en stopte het in het borstzakje van haar windjack.

94

De weken erna begonnen er berichten over de nieuwe show in de kranten te verschijnen. Misschien kwam het doordat *The Godfather* dat jaar zo'n enorm succes was geweest, want kranten uit zowel Tallahassee in het hoge noorden als helemaal tot in het zuiden van Miami publiceerden ieder nieuwsitem dat maar met de show te maken had. Zo was er een artikel over de bruidsjurk van Connie Corleone en haar staart van bijna een meter lang. De accountant Sylvia werd geciteerd toen ze iemand had verteld dat de kunstbloemen bijna vijfhonderd dollar gingen kosten. Een anonieme persoon met een gedempte stem belde de *Tampa-St. Petersburg News* met de mededeling dat de zakenman Meyer Lansky die vanuit Israël naar Miami zou terugkeren tien kaartjes had gereserveerd voor de kerstpremière.

Eerste kerstdag viel in 1972 op een maandag. Dinsdag was de première. De show zou om één uur 's middags beginnen. Om half twaalf was het parkeerterrein al afgeladen; er stonden zelfs auto's in de berm langs Route 19. Buiten was het 17 graden, koud voor december. Mensen droegen truien of vesten. Met uitzondering van de keer dat Elvis onaangekondigd was langsgekomen, was het nog nooit zo druk geweest in het park. Mensen wachtten in de rij en probeerden erachter te komen of ze een goede plek hadden gekregen. Bijna iedereen had een fototoestel bij zich.

Rond vijf voor twaalf zat de zaal vol. Achterin stonden mensen, kleine kinderen zaten op hun hurken in het gangpad. Het zware zwarte doek hing voor het toneel en de zeven treurige trompetnoten van 'The Godfather Waltz' kondigden het begin aan. Toen de lichten aangingen, zag het publiek de woorden THE MERFATHER, geschilderd in dezelfde letters als op de filmposter. Alleen was er in plaats van een hand die op de poster het mechaniek van een marionettenspeler vasthield, nu een hand te zien die een vishengel vasthad. Langzaam ging het doek open. Eerst kon je alleen de bloemen van vijfhonderd dollar zien. Terwijl 'The Godfather Waltz' aanzwol tot een melancholiek crescendo, verscheen Delores in haar nauwsluitende parelmoeren bruidsjurk. Haar bruidskleed was bij de boezem laag uitgesneden en had een geschulpte rand. De lange mouwen eindigden in een V waarvan het puntje tot op haar knokkels kwam. Op de punten van de V zaten enorme parels. Over het hele lijfje en de staart waren pailletten genaaid zodat Delores, ongeacht waar ze was, schitterde als een vis in het zonlicht.

Lester speelde Don Corleone als iemand die besefte dat dit een tijdelijk geschenk was waar hij met volle teugen van moest genieten. Niet bereid om zich er ook maar een seconde van te laten ontglippen, paste hij zijn bewegingen dusdanig aan dat zijn Don waardig, zelfs koninklijk overkwam. Toen Bonasera (Sharlene in een marineachtig jasje en een broek die uitmondde in een staart) een drievoudige salto deed en daarna zijn hand kuste, hield Lester zijn hoofd precies zoals Thelma hem had gezegd. Hij bewoog zijn armen sierlijk; toen hij Delores/Connie in zijn armen nam om te dansen, veranderde zij door de kracht van zijn greep in een klein meisje. Toen hij samen met Blonde Sheila/Johnny Fontane 'I Have But One Heart' playbackte, een lied van bijna drie minuten, hoefde hij maar één keer lucht uit de luchtslang in te ademen. Zijn optreden was zo sterk dat hij zelfs zijn gezicht vergat.

Jaren eerder had Delores een knipsel uit *Teen Girl* bewaard met de kop JE KUNT IEDEREEN ZIJN DIE JE WILT ZIJN. In het artikel stond dat als je vanbinnen kon voelen hoe het was om bijvoorbeeld Goldie Hawn te zijn, dat je dan niet echt Goldie Hawn werd, maar wel dat je je dan alles wat je bewonderde in Goldie Hawn eigen kon maken. Bijvoorbeeld dingen als haar prettige persoonlijkheid en haar vermogen om vooral de leuke kanten van het leven te zien. Dat idee was Delores altijd bijgebleven, hoewel ze zich niet kon voorstellen waarom iemand Goldie Hawn zou willen zijn. En nu was het Connie Corleone en niet Delores Walker die iedere salto, iedere plié uitvoerde terwijl Blonde Sheila/Johnny Fontane haar toezong.

Thelma Foote zat achteraan op de tribune met haar ellebogen op haar knieën. Als ze al trots was op Lester en haar meisjes kon je dat niet van haar gezicht aflezen. Haar mond hing een beetje open en haar ogen stonden uitdrukkingsloos. Pas twintig minuten later, toen de show voorbij was, de lichten werden gedimd, de zeemeerminnen verdwenen en het spotlicht zich richtte op een man in een roeiboot aan het wateroppervlak met een sigaar in zijn mond, een gleufhoed op, een krijtstreeppak aan en een vishengel in zijn handen met een lijn die in de tank hing, pas toen ging Thelma met de rest van het publiek staan terwijl de volle klanken en de treurige slotakkoorden in mineur het houten amfitheater vulden. Niemand lette op Thelma. Als ze dat wel gedaan hadden, hadden ze gezien dat die ouwe koeienkop nauwelijks waarneembaar met haar armen zwaaide en een lichte buiging maakte. Precies zoals ze zou hebben gedaan als ze in de tank samen met de meisjes het applaus in ontvangst zou hebben genomen.

9

The Merfather was een groter succes dan iedereen had verwacht. In de weekendbijlage met uitgaanstips van de *Tampa Tribune* verscheen een artikel met de kop: SCHITTERENDE DELORES TAURUS OPZIENBAREND SUCCES IN WEEKI WACHEE'S *MERFATHER*. Op de kunstpagina van de *St. Petersburg Times* stond een kop: DELORES TAURUS IN WEEKI WACHEE ZWEMT MET DE VISSEN EN STEELT DE SHOW. De twee dagen na de show belden er radiozenders en kranten uit het hele district op met het verzoek om een interview met Delores en Lester. Maar het intrigerendste telefoontje kwam van Alan Sommers, producer bij WGUP in Tampa, het lokale televisiestation van ABC-News. Hij wilde graag de manager van de zeemeerminnen ontmoeten.

Het leven van Thelma Foote had zich altijd afgespeeld tussen Floral City en het drieënveertig kilometer verder weg gelegen Weeki Wachee Springs. Naar Tampa rijden, hield in dat ze haar bekende wereldje moest verlaten en beoordeeld zou worden door een onbekende die geen enkele reden had om bang voor haar te zijn of om haar aardig te vinden. Het betekende ook dat ze netjes voor de dag moest komen. Op de ochtend dat ze met Sommers had afgesproken, streek ze een van de weinige blouses in haar kast glad, een lichtblauw indiaans shirt van katoen met paars smokwerk. Eronder droeg ze een nieuwe kakibroek. Ze zou het witte windjack in de auto laten, voor het geval dat.

Het ABC-kantoor bevond zich in een van de nieuwe beige kantoorgebouwen in het centrum van Tampa. Thelma zette de auto op het parkeerterrein en ging naar binnen. Terwijl ze voor de metalen deuren van de lift stond te wachten, hoorde ze het gezoem van de airconditioning. Ze waren krachtig, die nieuwe systemen. Ze kon maar beter geen risico nemen. Nog voordat de lift beneden was, rende ze terug naar de auto, greep het windjack en ritste het tot aan haar hals dicht. Toen meneer Sommers haar bij de receptie op de zevende verdieping verwelkomde, zei hij: 'Aangenaam kennis te maken, mevrouw Foote. Zal ik uw jas aannemen?'

'O, nee, dank u,' zei ze en ze sloeg haar armen voor haar borst over elkaar. 'Ik hou hem voorlopig nog even aan.' Meneer Sommers leidde haar naar een kantoor met ramen van de vloer tot aan het plafond die uitzicht boden over Tampa Bay. 'Ik zal mijn assistente koffie laten brengen,' zei hij. 'Wat een uitzicht, hè? Ik zit zo dicht bij het water dat ik bijna zelf een zeemeermin zou kunnen zijn.' Hij lachte hoofdschuddend. 'Soms lach ik me dood om mezelf,' zei hij. Daarna ging hij in de stoel tegenover Thelma zitten, strengelde zijn vingers ineen en keek haar rechtstreeks aan. 'Luister, ik zal er niet omheen draaien, mevrouw Foote. Ik heb vorige week de show gezien en die meisjes zijn sensationeel.'

Meneer Sommers sprak iedere lettergreep duidelijk uit, alsof hij in een microfoon sprak.

'Sennn-saaa-tio-neeel! En niet onaardig om te zien ook, mag ik wel zeggen.' Hij glimlachte lichtjes en probeerde toen een glimp van zichzelf in de bril van Thelma op te vangen. Maar Thelma had een mok koffie vast, en door de hete damp waren haar glazen beslagen. Ze probeerde oogcontact met Sommers te maken, maar ze zag geen sikkepit.

'Het zijn heel speciale meisjes,' zei ze. Ze zette haar mok op de tafel en staarde in het niets. 'Ik heb ze allemaal persoonlijk geselecteerd en ze zijn stuk voor stuk op hun eigen manier een ster.'

'Dat is precies wat ik dacht,' zei Sommers en hij haalde zijn handen door zijn zwarte krulhaar. 'Jij en ik, Thelma, zijn duidelijk uit hetzelfde hout gesneden.'

Toen de mist was opgetrokken, bestudeerde Thelma Sommers op dezelfde manier als waarop ze een nieuw meisje dat auditie deed in de bel bekeek. Hij bewoog zich zo stuntelig als iemand die uit zijn hoofd had geleerd hoe je je elegant moest bewegen maar geen benul had van wat het werkelijk inhield. De hand die hij gaf was niet meer dan een kort kneepje, zijn glimlach had iets weg van een lichte huivering, en dan die onsamenhangende prietpraat. Hij was een kleine, slanke man in een perfect passend pak met een dubbele rij knopen en glimmend gepoetste schoenen. Hij zag eruit als een van de vissen die ze rond het rif bij Weeki Wachee had zien rondzwemmen. Thelma wist het nodige over vissen. Deze, met zijn puntige uiterlijk en scherpe kleine witte tanden, was, als je hem al met een vis kon vergelijken, net een glibberige baars met zijn puntige rugstekels.

Sommers praatte verder en trommelde met zijn vingers op de armleuning van zijn stoel. 'Zoals ook in jouw bedrijfstak het geval zal zijn, Thelma – je vindt het toch niet erg als ik je Thelma noem, hè? – is op je lauweren rusten er niet meer bij. Om hier bij WGUP actueel en dynamisch te blijven, zijn we constant bezig onszelf te vernieuwen, om onze kansen te vergroten, zo je wilt. Toen ik over *The Merfather* las, zei ik tegen mezelf: "Sommers, dit is je kans. Ga naar Weeki Wachee en bekijk die show." Het was bijna – en dat zeg ik in alle bescheidenheid – een soort goddelijke interventie. Nadat ik het optreden van die meisjes had gezien, zei ik tegen mijn baas: "Als we die zeemerminnen nú geen contract aanbieden"' (Thelma kromp ineen toen hij met zijn vingers knipte om zijn woorden kracht bij te zetten), '"dan kun je er vergif op innemen dat die ratten van WTAM hun hengel al hebben uitgegooid voordat de meisjes tijd hebben gehad om hun haren te drogen." Zo heel af en toe heb je het perfecte idee te pakken op het perfecte moment, en dan krijg je iets van... wauw!'

Sommers gooide zijn armen in de lucht als een dirigent die een symfonie afrondt.

'Dus waar ik aan zit te denken, Thelma, is het volgende. Wat vind je ervan als we iedere avond een van jouw meisjes in volledig zeemerminnentenue het weerbericht laten presenteren? Ik weet wat je nu denkt – maar geloof me, we hebben alles grondig doordacht – zeemerminnen kunnen niet rechtop staan met die staart, toch? Geen probleem. Wie zegt dat je rechtop moet staan om het weerbericht te presenteren? Eerst hebben we overwogen om ze aan kabels aan het plafond te laten hangen, zodat het lijkt alsof ze drijven. Maar de juristen hebben dat idee snel van tafel geveegd; rugproblemen, blessures, dat soort ellende. Maar toen kreeg ik het volgende geweldige idee.' Sommers leunde voorover in zijn stoel, en Thelma deinsde alvast achteruit uit vrees voor nog meer geknip met vingers.

'Waarom laten we ze niet ontspannen in een badkuip achteroverleunen? Dan liggen ze in het water, en het is ook nog een beetje sexy. Ik kan je in ieder geval vertellen dat iedereen het een fantastisch goed idee vond. Fann-tasss-tisch gewoon. Het zou ook heel goed zijn voor onze zender. En eerlijk gezegd, ik weet zeker dat jullie de concurrentie van dat nieuwe Disney World in Orlando voelen. De gratis publiciteit die je bij ons zou krijgen, kan ook geen kwaad. Wat zeg je ervan, Thelma?' Hij richtte zijn glimlach met de punttandjes op haar.

Alan Sommers was het soort man dat normaal gesproken zijn schouders zou ophalen als hij in de buurt van een vrouw als Thelma kwam en gewoon langs haar heen zou lopen. Zonder glimlachje, zonder hoofdknikje of iets anders wat erop zou wijzen dat hij haar had zien staan. Mannen als hij gaven haar altijd het gevoel dat ze zich moest schamen voor haar uiterlijk, haar kleding en haar leeftijd. Maar nu zat hij daar tegenover haar met zijn kleine tanden en iets smekends in zijn ogen. Thelma stond zichzelf zelden toe om te denken aan hoe dicht ze bij Hollywood was geweest of aan het *Jingle Shells*-fiasco, maar nu overvielen de herinneringen haar als een migraineaanval. Een schimmelgeur vulde haar hoofd bij de gedachte dat ze nog meer jaren in dat amfitheater naar de zoveelste uitvoering van *De zeemeerminrevue* of *De kleine prins* zou moeten kijken. Ze had haar hele leven in Weeki Wachee doorgebracht; iedereen daar beschouwde haar als achterhaald. Ze moest daar weg. Wat dat betreft had ze zichzelf geen rad voor ogen gedraaid. Nu kwamen haar eigen woorden in haar hoofd op, de woorden die ze voor elke show tegen de meisjes zei: 'Uiteindelijk is intuïtie het enige waar je op kunt terugvallen,' zei ze altijd. 'We hebben allemaal een innerlijk stemmetje dat ons zegt wanneer je adem moet halen, hoe je je hoofd precies moet houden om ervoor te zorgen dat je haar als een cape om je hoofd drijft, wat hét moment is waarop je moet glimlachen. Luister naar dat stemmetje, want dat is wat de sterren van de zwoegers onderscheidt.'

Voor de eerste keer in haar leven volgde Thelma haar eigen advies op. 'Sommers – u vindt het toch niet erg als ik je Sommers noem, hè?' zei ze. 'De meisjes, de kostuums, de badkuip, ik zie het helemaal zitten. Er is alleen één ding: het zijn nog steeds mijn meisjes, mijn jonge schoonheden. Dat houdt in dat alle onderhandelingen via mij lopen. Over wat ze gaan verdienen, wat ze zeggen, wat ze dragen: het gaat allemaal via mij. Wat u ze ook gaat betalen – en ik weet zeker dat u daar niet krenterig in zult zijn – ik ontvang een commissie van vijftien procent.'

Sommers wreef over het glimmende plekje op zijn voorhoofd waar zijn haargrens begon te wijken. Hij stak zijn pen in de lucht alsof hij een punt wilde maken. Daarna liet hij de pen weer zakken en glimlachte. 'We zijn uit hetzelfde hout gesneden, nietwaar, Foote?'

Thelma vond van zichzelf dat ze artistieke aanleg had, dat ze schoonheid kon waarderen puur om de schoonheid. Deze glibberige baars wist niet eens wat het verschil was tussen 'artistiek' en 'artisjokken'. Alles aan hem verraadde wat hij was: een man bij wie alles draaide om geld en hoe je daarvan zoveel mogelijk kon binnenslepen. Nee, ze waren niet uit hetzelfde hout gesneden, maar ze wist precies hoe ze zijn spelletje moest meespelen.

'Ik ben nog niet klaar, Sommers,' zei ze. 'Daarnaast wil ik een vindersloon van duizend dollar. En ik wil dat de meisjes als dames behandeld worden. En omdat ik de enige ben die u toestemming kan geven om deze meisjes te gebruiken, valt er niet te onderhandelen over mijn aanbod.'

Sommers klikte een paar keer met zijn pen en beet toen op zijn ring van het Rutgers College.

'Oké, hoe snel kunnen ze beginnen?'

Toen Thelma Foote de volgende ochtend terugkeerde in Weeki Wachee, riep ze de meisjes bijeen voor een speciale vergadering.

Het lag niet in haar aard om grappig of ironisch te doen. De weinige keren dat ze het wel deed, gingen gepaard met een brede lach waarbij ze haar lippen op elkaar hield, waardoor haar ogen nog verder uit elkaar leken te staan.

'Ik ben net terug van een vergadering met de mensen bij WGUP in Tampa, de plaatselijke televisiezender van ABC-News.' Ze grijnsde. 'Ze hebben me een aanbod gedaan dat ik niet kan weigeren.' Ze wachtte op het gelach, maar niemand lachte. Verdomme, zei ze boos tegen zichzelf, moet ik die stomme grap nu nog uitleggen ook? Maar haar ongenoegen ebde weg toen ze eraan dacht hoe dankbaar de meisjes haar zouden zijn omdat ze hen een stapje verder in hun carrière had geholpen.

Ze vertelde hun over meneer Sommers en zijn idee om elke avond een zeemermin het weerbericht te laten presenteren. 'Onze vrienden bij WGUP zijn zelfs op het slimme idee gekomen om jullie in een badkuip te laten zitten. Want jullie kunnen natuurlijk niet staan en als jullie achter een bureau zouden zitten, zou het publiek de staart niet in zijn volle glorie kunnen aanschouwen. Ze hebben een behoorlijk slim plan bedacht, als je het mij vraagt. Dus het begint hier, schatjes: het succes, het betere leven. En let op mijn woorden, dit is echt nog maar het begin.'

Ze wisten niet wat ze moesten zeggen. Een zeemermin willen zijn was één ding; het weermeisje op televisie willen zijn was iets heel anders. Nadat Thelma hen alleen had gelaten, was Blonde Sheila de eerste die iets zei. 'Geweldig. Ik wil wel in een badkuip op tv.' Sharlene vroeg zich af hoe ze naar Tampa kwamen en weer terug. 'Al die publiciteit,' zei Molly. 'Wie heeft iedereen over ons verteld?'

'Wie denk je?' zei Enge Sheila. Helen maakte een gebaar met haar handen waarbij ze haar vingers onder haar kin hield en met haar duimen en wijsvingers een bril vormde.

Niemand lachte. Ze beseften dat het Thelma Foote was geweest die voor de mooie kostuums had gezorgd, die de kranten had gebeld en die hen had aangespoord om hun personages zo geloofwaardig mogelijk te maken. Deze meisjes, haar meisjes, zouden niet zo gemakkelijk iemand anders vinden die hen ongevraagd vooruit hielp en die structuur en rechtvaardigheid in hun leven had gebracht. Als zij een 'familie' waren, was zij hun Don. Hoewel niemand haar rol volledig bevestigde, zou dit de laatste keer zijn dat iemand zinspeelde op koeienogen als ze het over Thelma Foote hadden.

Opgewonden over alles wat er gebeurd was, belde Delores haar moeder op om haar prettige kerstdagen te wensen. Net zoals ze de afgelopen maanden had gedaan, nam haar moeder de telefoon op met die opgaande toon in haar stem.

'Hoi-lo,' zei ze.

'Hoi mam, met mij. Gaat alles goed?'

'O, hallo.' Haar stem klonk vlak. 'Hoe gaat het met je?'

'Goed, echt goed. We hebben onze spectaculaire kerstshow achter de rug. Ik speelde Connie Corleone uit *The Godfather*. Het publiek was erg enthousiast. Vrolijk kerstfeest trouwens. Hoe gaat het met Westie?'

'Met Westie gaat het goed. Hij praat al.'

'Ik mis hem. Ik mis jou ook.'

'Ik weet zeker dat hij jou ook mist. Hij is blij met alle ansichtkaarten die je stuurt.'

'Heb je een leuke dag gehad?'

'Gaat wel. Ik hoefde niet te werken, dat is fijn. Maar ik heb wel slecht nieuws. Helene heeft borstkanker.' Ze fluisterde het woord borstkanker.

'Dat is vreselijk. Komt het weer goed met haar?' vroeg Delores.

'Dat is nog onduidelijk. Het ziet er niet best uit. Arm mens. O ja, en nog iets. Zit jij in de buurt van Boca Raton?'

'Ja, ik denk van wel. Hoezo?'

'Nou, waarschijnlijk komen we daar ongeveer half april naartoe.'

'Jij en Westie?'

'Ik, Westie en Avalon.'

'Wie is Avalon?'

'Kom op nou. Je weet toch wel wie Avalon is.'

Thelma Foote had een regel: geen telefoontjes voor negen uur 's avonds, omdat dan de tarieven omlaag gingen. En alle kosten voor langer dan drie minuten bellen werden ingehouden op het loon van de meisjes. De drie minuten van Delores waren voorbij.

'Echt mam, ik heb geen idee wie Avalon is. Maar ik moet ophangen.'

'Oké, dag.'

10

De avond voordat Delores haar debuut maakte als weermeisje bij WGUP schreef ze Westie een kaart met een foto van een flamingo erop. 'Onze vader vond dat ik er uitzag als zo'n vogel. Morgen kom ik op de televisie als weermeisje in een badkuip. Ik vertel je er meer over als je wat ouder bent. Soms gebeuren er dingen die je je in je hele leven nooit hebt kunnen voorstellen. Je zult het zien.'

Delores had twaalf dollar uitgegeven aan ansichtkaarten en speelgoed voor Westie. Dat geld kwam van de zilveren munten die ze nog steeds in de badmuts bewaarde die in haar koffer onder haar bed lag. Inmiddels verdiende ze vijftig dollar per week en nog ongeveer twintig dollar per week aan fooien. Elke week stuurde ze twintig dollar naar haar moeder. Ze hield dertig dollar voor zichzelf om naar de film te gaan en af en toe wat kleren te kunnen kopen, en de resterende twintig dollar stopte ze in een plastic Weeki Wachee-tas die ze ook onder haar bed had liggen. Het geld in de boodschappentas spaarde ze voor Westie. Ze vulde het elke week aan. Ze hoopte dat hij daardoor als hij ouder was nooit iets alleen voor het geld zou hoeven doen. Het ritueel gaf haar een goed gevoel omdat het betekende dat zij deel zou uitmaken van Westies toekomst. Iemands grote zus zijn, die rol was haar navelstreng met de echte wereld die momenteel verder weg leek dan ooit.

De volgende dag stapten Thelma en Delores laat in de middag in het busje om naar Tampa te rijden. De hele maand maart was het klam en regenachtig geweest. Thelma had ervoor gezorgd dat elk van haar meisjes over een opvouwbaar plastic regenkapje beschikte. Haar gedachtegang was soms onnavolgbaar, want de meisjes brachten immers het grootste gedeelte van hun tijd onder water door. Maar als Thelma eenmaal iets in haar hoofd had, kon niemand het haar uit het hoofd praten. Voor ze de auto startte, schudde Thelma het kapje uit, vouwde het op en stopte het terug in het plastic hoesje. Delores deed hetzelfde. Daarna deed Thelma het handschoenenvakje open en haalde er een paar camelkleurige leren handschoenen uit met donkerbruine zweetplekken op de palmen. 'Ik ben hier van alles, maar chauffeur zijn hoort daar niet bij,' zei ze terwijl ze de handschoenen aantrok en ze bij de pols vastmaakte. 'Je kunt er gif op innemen dat Dick Pope niet de hele dag bezig is met het heen en weer rijden van waterskiërs.' Thelma zette de wagen in z'n achteruit en liet de koppeling opkomen. De wagen hikte en de motor sloeg af, waardoor ze allebei van hun stoel stuiterden. 'Alleen deze ene keer,' zei Thelma en ze startte de motor opnieuw. 'Ik doe de introductie en dan ligt de bal bij Sommers.' Delores vroeg zich af of Thelma wel besefte dat zij erbij was. 'Wat denkt hij wel, dat mijn meisjes iedere dag naar Tampa komen zwemmen?' De auto schokte nu naar voren. 'Hij wil mijn meisjes, dus hij zorgt maar voor een auto met chauffeur. Einde verhaal, basta.'

En alsof ze net toevallig Delores opmerkte, keek ze haar met een glazige glimlach aan. 'Zo liefje, jij bent het,' zei ze. 'Jij bent onze eerste tv-ster. Ik heb jou gekozen omdat jij de enige bent die meer verstand heeft dan een garnaal. Dit is hét moment om de showbizzgenen van je vader en moeder te testen.' Ze knipoogde. 'En verknoei het niet, hè?'

Delores vroeg zich af waarom iedereen haar altijd zei dat ze de boel niet moest verknoeien. Dat had haar moeder gezegd toen ze naar Florida ging en nu zei Thelma het ook al. In de ogen van Delores was zij van hen allen de enige die er juist géén puinhoop van gemaakt had.

Bij de studio in Tampa aangekomen namen ze de lift naar de zevende verdieping. Het maakte indruk op Delores dat de receptioniste Thelma leek te kennen. 'Hé, mevrouw F., ik zal hem bellen en zeggen dat u er bent.' Delores kon zich niet voorstellen dat iemand Thelma 'mevrouw F.' zou noemen, maar Thelma leek tevreden en knikte beleefd naar haar. Delores hoorde de receptioniste over de telefoon 'Ze is er' zeggen en daarna iets fluisteren wat klonk als 'O, jij ook altijd'. Ze zei dat Sommers hen verwachtte en dat ze meteen naar zijn kantoor konden lopen.

Na wat Thelma over Alan Sommers had verteld, had Delores iemand verwacht die net zo knap en beleefd was als Dick Clark. Maar niets was minder waar. Hij was klein en mager, en hij had niet het keurig gekapte haar dat Dick Clark er zo gedistingeerd deed uitzien. Hij had dichte kleine krulletjes, het soort haar dat volgens *Teen Girl* gemakkelijk met een heet ijzer in bedwang gehouden kon worden. Zijn wenkbrauwen waren strakke strepen, maar zijn huid was zacht en roze. Het was een schichtig type met een snelle babbel.

'Meneer Sommers, mag ik u voorstellen aan Delores Taurus, de prima donna onder onze zeemeerminnen,' zei Thelma.

Sommers pakte de hand van Delores en knipoogde naar haar met zijn grijze vissenogen.

'Zo, dus jij bent ons nieuwe weermeisje,' zei hij terwijl hij haar arm op en neer zwengelde. 'Aangenaam kennis te maken. Hmm, je ziet er een beetje verhit en vochtig uit.' Zijn lach kletterde over haar heen. Daarna richtte hij zich tot Thelma. 'Fantaastissche jukbeenderen! We zullen die tanden wat moeten verdoezelen en iets aan die tieten moeten doen. Groot is geweldig. Te groot is ordinair.' Niemand had ooit zulke dingen in het bijzijn van Delores gezegd en ze wist niet waar ze moest kijken.

Thelma deed haar bril af en blies er eerst op voor ze hem met haar jack oppoetste. 'Delores komt uit een artiestengezin,' zei ze, starend in de richting van Sommers. 'Ze weet hoe ze de camera moet bespelen.'

'Uitstekend, uitstekend,' zei Sommers. 'We kunnen hier wel wat professionals gebruiken.' Hij bekeek haar van top tot teen. 'Je bent een toonbeeld van perfectie. We doen alleen wat aan je haar en make-up en dan zijn we klaar voor de doorloop. Ben zo weer bij u terug, mevrouw F.' Sommers nam Delores bij de arm en leidde haar naar een kleine witte kamer. In de kamer bevond zich niets anders dan een grote spiegel omringd door felle gloeilampen en iets wat op een tandartsstoel leek. En er was een visagiste die Brandy heette.

'Onze eerste zeegodin,' zei Sommers en hij duwde Delores zachtjes in de stoel. 'Maak haar mooi; bedauwd, alsof ze net aan land is gespoeld. Inspireer me.' Hij stak zijn duimen op naar Brandy.

Brandy droeg een roze kiel en had een zijden sjaal als een bandana rond haar steile zwarte haar geknoopt. Ze deed wat foundation op een klein make-upsponsje en begon het op te brengen op Delores' gezicht. Met haar pink bracht ze een lichte blos aan. Ze haalde allerlei flesjes en tubes uit iets wat eruitzag als een enorme gereedschapskist, alleen waren de laatjes van deze kist gevuld met borsteltjes, lippenstiften, kleine potjes en tubes in kleuren die weer varianten van andere kleuren waren. Ze zei niet veel, en hield alleen Delores bij haar kin vast en bewoog zo haar hoofd van de ene naar de andere kant, alsof ze werkte aan een beeldhouwwerk. 'Geelbruin doet je jukbeenderen beter uitkomen,' zei ze op een gegeven moment; en toen een keer: 'Bordeauxrood flatteert je natuurlijke huidkleur.' Delores keek naar haar eigen gezicht in de spiegel en zag de klodderskleuren in één geheel veranderen. Ze dacht eraan hoe vaak ze met Ellen samen in haar kamer had gezeten en de make-uptips uit *Teen Girl* had uitgeprobeerd. En nu zat ze hier bij een professionele visagiste die haar vertelde hoe ze haar lippen voller kon laten lijken en de glimmende delen van haar neus matter kon maken.

Even keek Delores voorbij haar eigen spiegelbeeld. Via de spiegel kon ze door de open deur en de gang Thelma Footes profiel zien. Thelma deinsde achteruit, op een manier zoals ze gedaan zou hebben als een Duitse herdershond haar had aangevallen. Ze kon Sommers' borstelige haar onderscheiden en zag dat hij zich naar Thelma boog en zijn gezicht vlak bij het hare bracht. Hij zei iets. Toen ging Thelma rechtop staan en trok ze aan de touwtjes aan de kraag van haar windjack. Wat ze ook terugzei, ze zette haar woorden kracht bij door een beschuldigende vinger naar hem op te steken. Sommers' schouders zakten af, alsof hij door haar woorden op zijn plaats was gezet. Hij stopte zijn hand in zijn zak en haalde iets tevoorschijn, een koekje of zo. Ja, het was een vijgenkoekje. Hij stopte het in zijn mond. Delores had geen idee wat ze precies zag of wat ze zeiden. Ze begreep alleen dat er een soort krachtmeting had plaatsgevonden en het leek erop dat Thelma die had gewonnen.

De visagiste was Delores' gezicht als finishing touch aan het bepoederen toen Sommers zijn hoofd om de deur stak. 'Hoi, schoonheid,' zei hij, zo zoetzuur als een citroensnoepje. 'Brandy, je bent ongelooflijk. On-ge-loof-lijk. We moeten de badkuipprocedure nog uitwerken.' Hij tikte op zijn horloge. 'De tijd dringt.' Brandy streek met haar tong over haar tanden. Ze nam Delores' dikke bruine haar in haar handen en liet het als modder door haar vingers glijden. 'Dat gaat wel lukken, het moet alleen een beetje bijgeknipt worden.' Ze knipte haar pony tot op zo'n tweeënhalve centimeter af – 'We zullen dat mooie hoofdje van je eens laten stralen'. Toen rommelde ze door haar gereedschapskist tot ze een tube haargel gevonden had. Ze perste een flinke klodder op haar handen en wreef die door Delores' haar. 'Klaar. Je glanst nu helemaal. Hup, in de benen... eh... staart.' Ze hielp Delores in haar kostuum – een groen lijfje dat eruitzag alsof het vol schubben zat en een dikke zwarte wetsuitbroek die de kijkers niet te zien kregen, maar die bedoeld was om Delores warm te houden als ze in de badkuip zat. Toen ze aangekleed was, legde Sommers zijn hand om haar slanke taille en schoof hij haar naar de set.

Het was erg koud op de set. Er waren geen ramen. De muren waren geïsoleerd zodat er geen enkel geluid doorheen kon. Daardoor klonk iedereen alsof hij een jampot over zijn hoofd had. De nieuwslezer zat achter een gestroomlijnd bureau van formica met nerven waardoor het net van hout leek. Het leek alsof je op de achtergrond live-beelden zag van het historische deel van Tampa, Ybor City, maar in werkelijkheid was het een enorme uitvergroting van een foto. Zelfs de planten waren van kunststof.

Naast het bureau stond een antieke badkuip op leeuwenpoten. Het was een royaal diep bad met een mooie rand en glanzende koperen kranen. In tegenstelling tot de rest op de set was dit wel echt. De oude badkuip vol water paste helemaal niet in de gestroomlijnde nieuwsstudio. De hele set had daardoor iets weg van een rommelmarkt. Sommers pakte Delores bij haar elleboog. De twee cameramannen stonden achter hun camera's in de aanslag, benieuwd hoe het nieuwe weerbericht er op het scherm zou gaan uitzien. De nieuwslezer, Chuck Varne, een plaatselijke beroemdheid, zat aan zijn bureau en nam zijn script door. Delores herkende zijn gezicht van de billboards die overal in Tampa stonden: CHUCK VARNE VAN WGUP VERTELT HOE HET ECHT ZIT luidde het bijschrift.

Toen Chuck Varne opkeek naar Delores, beet hij op zijn onderlip en kneep hij zijn ogen tot spleetjes. 'Zo, dus jij bent het nieuwe weermeisje,' zei hij met sonore stem. 'Nou, dan hoeven onze kijkers tenminste niet meer tegen oude kerels zoals ik aan te kijken.' Maar bij zichzelf dacht hij: Lieve help, zo ver is het dus al gekomen. Dat we jonge hoertjes in de uitzending vertonen.

De sportverslaggever, Lloyd Graf, was ook op de set, een forse man met een breed gezicht en een laag voorhoofd. Zoals de meeste sportverslaggevers kwam hij vriendelijk, geestdriftig en niet al te slim over. 'Welkom aan boord,' zei hij met een blik op Delores' kostuum. 'Nou, dit is weer eens iets anders.' Met gemaakte hoffelijkheid stak Sommers zijn hand uit en zei hij tegen Delores: 'Mag ik u op uw troon helpen, juffrouw Taurus?'

Alles hier voelde fout aan. Het lijfje zat te strak, waardoor ze maar moeilijk adem kon halen. Het voelde alsof iemand haar borsten probeerde te pletten. En met al die make-up op haar gezicht was ze bang dat het er allemaal af zou brokkelen als ze haar mond te wijd open deed. En dan die badkuip! In eerste instantie had het een leuk idee geleken om het weerbericht te presenteren vanuit een badkuip. Maar nu ze hem hier zag staan, als een clown met een dikke buik en grote platvoeten, realiseerde Delores zich dat het allemaal één grote schertsvertoning was. De zogenaamde grap was dat zij jong en halfnaakt was terwijl de badkuip iets suggereerde wat minder onschuldig was dan schuim en plastic eendjes.

De cameramannen grijnsden naar elkaar en bekeken haar lichaam op zo'n manier dat ze zich het liefst wilde bedekken. Sommers gedroeg zich weerzinwekkend en overdreven bezorgd. Ze wist dat ze nu nog kon weglopen, nog voordat ze een voet in het bad had gezet. Maar vooral níét opgeven was een tweede natuur van Delores geworden: de bus naar Tampa, haar auditie in de bel, keer op keer de tank schoonboenen. Dit was haar kans om op de plaatselijke televisie te verschijnen. Het zou iets opleveren, het betekende een nieuwe fase, wat dat ook mocht zijn. Ze was niet van plan om zich daarvan te laten weerhouden door twee geile cameramannen en een of andere idiote krullenbol.

Delores zette een voet in het water. Het was lauw. Omdat er in de studio geen kraan zat, waren twee stagiairs de hele middag bezig geweest het bad met emmers water te vullen. Ongetwijfeld hadden ze zich daarbij afgevraagd waarom ze in hemelsnaam in communicatiewetenschappen wilden afstuderen. Ze zette haar andere voet erbij en deed alsof dit de normaalste zaak van de wereld was.

'Oké, pop, ga maar zitten,' zei Sommers. Delores hield beide randen van het bad vast en liet zich in het water zakken totdat alleen haar hoofd nog boven de rand uitstak. Ze besefte meteen dat dit niet werkte, dat ze er vanuit het standpunt van de camera moest uitzien als een dobberende tennisbal.

Een van de cameramannen riep Sommers bij zich om door zijn lens te kijken. 'Je kunt niet eens haar tieten zien,' fluisterde hij. 'Wat heeft het in godsnaam voor zin als je niet eens haar tieten kunt zien.' Sommers beet op zijn collegering. Toen vulde zijn snaterende stem de luchtdichte studio. 'Het is hier geen boerenerf, we zitten in een televisiestudio,' riep hij. 'Ik wil geen bijdehante opmerkingen of vieze woorden horen over juffrouw Taurus. Ze maakt nu deel uit van ons team en jullie behandelen haar met respect. Einde verhaal. Basta.'

Die laatste woorden deden bij Delores een belletje rinkelen. Thelma.

Soms, als ze er het minst op bedacht was, gebeurde er iets als dit. Het herinnerde Delores eraan dat ze niet zo alleen was als ze dacht: een praatje met Molly, een brief van Ellen, en nu deze bevestiging dat Thelma aan haar kant stond. Ze herinnerde zich dat ze een keer als klein meisje tussen haar ouders in voor de televisie op de bank in slaap was gevallen. Vaag werd ze zich bewust van haar vaders ruwe handen die haar haar uit haar gezicht streken en het warme, veilige gevoel dat haar overviel. Zo voelde dit ook.

Delores had Sommers kunnen vertellen hoe hij het badkuipprobleem kon oplossen, maar ze had geen zin om het hem gemakkelijker te maken. Dus wachtte ze tot hij zelf met het briljante idee kwam. 'Ik heb het!' Hij balde zijn vuist in de lucht alsof hij zojuist kampioen zwaargewicht was geworden. 'Ze moet op de rand van de badkuip zitten met haar staart in het water. Dat is de oplossing. Het enige wat we nu nog nodig hebben is de staart. Ik heb een staart nodig!' schreeuwde hij. De stagiairs werden naar de studio geroepen. Sommers legde de situatie uit en zette zijn tanden weer in zijn ring. 'We zijn niet in Londen. Dit is verdomme Florida. Sorry dat ik het zeg, pop,' zei hij met een vluchtige blik op Delores. 'Zoek een zeemeerminnenstaart voor me. Nu! Jullie hebben precies zestig minuten, zestig *minutos*. Over twee uur gaan we de lucht in. Sta me niet zo aan te staren. Ik kan niet eens zwemmen.' Hij greep in zijn zakken naar nog zo'n vijgenkoekje.

Niemand lette op Delores die nog steeds in het bad zat. De stagiairs zagen eruit alsof ze zwaar op de proef gesteld werden; bij een van hen hing zijn overhemd achter uit zijn broek. Ze deden Delores denken aan hoe misbruikt Molly en zij zich voelden als Thelma Foote hen weer de tank in stuurde om die schoon te maken. Het water in het bad was koud geworden. Ze klom eruit en ging bij het bureau van de nieuwslezer staan. Ze zag er eigenaardig uit met haar strakke zwarte broek, het groene haltertopje met schubben en haar grote natte voeten. Een van de stagiairs sprak haar aan. Hij had schouderlang haar, dunne armen en zachte babyhanden. 'Je hebt het vast ijskoud,' zei hij. Ze knikte, sloeg haar armen om zich heen en probeerde het bibberen in bedwang te houden. 'Hier,' zei hij terwijl hij zijn blauwe colbertje uittrok. 'Sla dit maar om je heen.'

'Ik ben drijfnat,' zei ze.

'Ik ben Armando.' Hij lachte.

Ze sloeg het jasje om zich heen. 'Wacht even,' riep ze hem achterna. Hij draaide zich om. 'Ik kan je helpen.' Ze gaf hem het nummer van Weeki Wachee en zei dat hij naar Molly Pouncey moest vragen. 'Zeg dat ik heb gezegd dat je moest bellen en vertel haar dat de staart voor mij bedoeld is.'

Altijd als Sommers iemand vertelde over het zeemeerminnenweermeisje, vertelde hij ook het verhaal dat ze op het laatste moment op zoek moesten naar de staart. 'Ik kwam ineens op het idee,' zei hij dan. 'Plotseling kreeg ik een visioen van een beeldschoon meisje dat op de rand van de badkuip zat en met haar staart in het water sloeg. Alleen één probleem, er is geen staart. Ik word helemaal gek. We hebben nog maar een half uur. Ergens in de buurt moet toch een staart te vinden zijn. We hebben verdomme eenden en muizen in Orlando, dan zal iemand in deze krankzinnige staat toch ook wel een staart hebben. Dus ik zeg tegen mijn mensen, ik zeg: "Het kan me niet schelen wat je moet doen of wat het gaat kosten, zorg gewoon voor zo'n verdomde staart." En als door een wonder vinden we er een. Ik stuur een van de jongens als de sodemieter zowat naar de andere kant van de staat om hem op te halen. Ooit geprobeerd om ergens tijdens de spits snel te komen? Ik leg radiocontact met onze man in de verkeershelikopter om onze jongen te helpen opstoppingen te vermijden en hem de snelste route te wijzen. Ik lijk generaal Westmoreland wel, radiocontact met de helikopter en dan onze jongen via zijn ontvanger de juiste route doorgeven. Uiteindelijk is hij dan terug met de staart – een prachtexemplaar, bijna een meter lang – en met nog drie minuten voor de uitzending begint, zegt zo'n geniale beveiligingsbeambte: "Wacht eens even, wat is dat? Je gaat mooi niet met dat ding de studio in." Ze bellen mij en ik ren naar beneden alsof de hele boel in lichterlaaie staat. "Geef die maar aan mij," zeg ik terwijl ik de staart uit de handen van de jongen gris. Die beveiligingsman weet niet wat hij moet doen. Ik zeg hem dat hij opzij moet gaan als hij hier nog langer wil werken en dat hij de staart moet doorlaten. Als ik weer boven ben hebben we nog minder dan een minuut de tijd. En de rest is bekend.'

Sommers vertelde het verhaal altijd met de zelfverheerlijkende bravoure van een man die uit alle macht probeert zichzelf als een legendarische figuur af te schilderen. Hij vond het prachtig om te kunnen vertellen dat hij, als die staart niet op het laatste moment op miraculeuze wijze was verschenen, weer had kunnen vertrekken naar Middletown in New York om lichtknopjes en mierenlokdozen te verkopen in de gereedschapswinkel van zijn vader. In zijn versie noemde hij Armando, de stagiair die de staart vond, niet bij naam. Ook Molly en Helen werden niet genoemd. Zij waren degenen die als een gek hadden gereden om het ding op tijd in de studio te krijgen, terwijl Armando naast hen via het bakkie met Sommers sprak en probeerde te verbergen dat hij op het punt stond om over zijn nek te gaan van die man.

Mensen uit dezelfde bedrijfstak die de kijkcijfers en beursnotering van het WGUP-nieuws in de gaten hielden, zouden Sommers uiteindelijk geniaal gaan noemen. Lasteraars die boos waren vanwege zijn plotselinge publieke succes zouden hem besmuikt de Albert Einstein van de plaatselijke televisie gaan noemen. Als hij die verhalen vertelde, probeerde hij zich een air van bescheidenheid aan te meten en maakte hij grapjes over zichzelf. Desondanks bleek uit de gretigheid waarmee hij ze vertelde dat volgens hem het succes van het programma volledig aan hem te danken was.

Maar iedereen die zijn ogen niet in zijn zak had zitten en Delores' debuut op die eerste avond had gezien, wist meteen dat dit meisje het soort élégance bezat dat verliefdheden opwekt en veel geld in het laatje brengt. Vanaf het moment dat ze in beeld kwam, veranderde ze in een indrukwekkende persoonlijkheid. Met haar hoofd schuin keek ze met wijdopen ogen het publiek aan. Op een manier dat het net leek alsof ze regelrecht van de zeebodem was opgestegen. De korte pony gaf haar gezicht iets volkomen onschuldigs, wat ze nog eens accentueerde met een zachte stem.

Met één hand op de rand van het bad en een houten aanwijsstok in de andere bracht ze haar bovenlijf iets naar voren. Ze hield haar hoofd een beetje schuin en bracht haar staart dusdanig in beweging dat er kleine rimpelingen in het water ontstonden. Met de aanwijsstok wees ze met een draaiende beweging het wolkendek aan dat boven Orlando hing, om aan te geven dat er een koudefront op komst was. Ze leerde in spiegelschrift schrijven op de achterkant van de kaart van plexiglas en praten over drukverschillen en windrichtingen. Ze deed het met het gemak van iemand die haar hele leven nooit anders had gedaan. Binnen een paar weken was Delores een begrip in Tampa en omgeving. Sommers besloot om alleen Delores als weermeisje op te laten treden en haar niet te laten rouleren met de rest. Vrouwen vonden haar aanbiddelijk; mannen vonden haar sexy. Zelfs kleine kinderen bleven zonder morren twintig minuten naar het nieuws kijken, in afwachting van de zeemeerminnenmevrouw met het weerbericht.

II

Het regende de hele maand maart tot en met begin april, maar toch kreeg Weeki Wachee veel bezoekers. In het begin waren de andere meisjes verrukt over het succes van Delores, in de hoop dat het op een of andere manier ook op hen zou afstralen. Maar al snel werd duidelijk dat al die extra bezoekers alleen maar voor Delores kwamen. Alleen al als haar naam genoemd werd, begonnen mensen te fluisteren en met hun voeten te trappelen. En als ze in een voorstelling meespeelde, waren alle ogen op haar gericht. De anderen hadden er net zo goed niet kunnen zijn. Zelfs op het bord bij de ingang van het park stond in grote rode letters haar naam: DELORES TAURUS LIVE! Op een middag, toen ze voor de ingang van het park stond te wachten op de auto van WGUP die haar zou ophalen, liep Lester Pogoda langs. Hij wandelde daar niet toevallig; de hele dag had hij zitten broeden hoe hij haar 'toevallig' tegen het lijf kon lopen.

'Lester, hoe gaat het met je?' vroeg Delores.

'Dat weer, het is funest voor mijn huid,' zei Lester. 'Al dagen geen zon, maar dat hoef ik jou niet te vertellen, lijkt me.'

Iedereen bracht tegenwoordig het weer ter sprake als ze een praatje met Delores maakten. Ze had nooit goed beseft hoeveel belang mensen eraan hechtten. 'Kun je nou niks aan die regen doen?' vroegen ze haar dan. Alsof de plekken met onweer en regen zouden verdwijnen en ze er een mooie dag van kon maken als ze een zon op het scherm plakte. Verbeeldde ze het zich nou of deed iedereen bij Weeki Wachee nu inderdaad een beetje bits tegen haar vanwege het slechte weer?

'Ja,' zei ze tegen Lester. 'Ik begin er ook genoeg van te krijgen. Van dat weerbaantje, bedoel ik.'

Lester keek verbaasd. 'Maar zo zwaar is het toch ook weer niet? Ik bedoel, al die roem en iedereen die je wil zien, je moet je toch de koning te rijk voelen.'

'O, ik voel me wel goed. Maar het is gewoon veel gedoe, hier werken en iedere avond het weerbericht presenteren...'

'Waarom rouleer je dan niet met een van de andere meisjes hier?' vroeg hij.

'Thelma. Het mag niet van haar.'

'Ik wil je niet nog meer problemen bezorgen,' zei Lester, zorgvuldig zijn woorden kiezend. 'Maar sommige meisjes zijn niet zo blij met alle aandacht die jij krijgt. Ik kan geen namen noemen, maar een van hen bazuint rond dat je iets hebt met die productieleider, Sommers of Winters of hoe hij ook mag heten.'

Normaal gesproken zou Delores gedacht hebben dat Blonde Sheila dat gerucht de wereld in had geholpen, maar sinds Blonde Sheila 'verkering' had met de priester van Spring Hill Church, volgde ze bijbellessen en had ze het geloof ontdekt. Blonde Sheila, die altijd alles met seks in verband bracht en kon vloeken als een tempelier, deed haar best om het goede te doen in de ogen van God en had het dollen praktisch vaarwel gezegd. 'Wie zegt dat?' vroeg ze Lester.

'Doet er niet toe,' zei hij hoofdschuddend en met gesloten ogen. 'Het punt is, het is waarschijnlijk alleen maar jaloezie, maar ze roddelen over je. En ik vond dat je dat moest weten.'

'En jij? Zit jij ook over mij te roddelen?' vroeg ze.

'Nee,' zei hij, haar blik ontwijkend. 'Waarom zou ik?'

'Weet ik niet,' zei ze. 'Ik vroeg het me alleen af.'

Toen Delores die avond terugkwam van het tv-station, zag ze

dat iemand de tekst op het bord had veranderd in GA NAAR HUIS MISLUKTE SLET!

Er werden nu voortdurend grapjes gemaakt over de regenkapjes. De meisjes deden ze voor de grap ook op als ze gingen oefenen in het water. Thelma had dat van haar op een middag zelfs op in de regiecabine, zo slecht was haar stemming inmiddels. Op een avond, kort na haar gesprek met Lester, had Delores opeens een ingeving. Toen de camera al op haar gericht was en de nieuwslezer het weerbericht had aangekondigd, haalde ze een regenkapje tevoorschijn dat ze in haar haltertopje had verstopt. Ze knoopte het rond haar hoofd en begon haar item met de woorden: 'Zou het ooit nog ophouden met regenen in het gebied rond Tampa Bay?' Later die avond zat ze tijdens het eten naast Sharlene. Sharlene bleef stug naar haar bord kijken, haar haar hing voor haar gezicht toen ze zei: 'Wat je vanavond op het nieuws deed, was grappig.' 'Dank je,' zei Delores. 'Ik wist niet dat iemand hier ernaar keek.'

'Ja hoor, we kijken allemaal. We vonden je vanavond echt geweldig. En voor wat het waard is, Adrienne en ik geloven geen snars van wat ze over jou en die tv-producent zeggen.'

'Wat zeggen ze dan over mij en die tv-producent?' vroeg Delores.

'O, niks,' zei Sharlene en ze liet haar haar nog iets meer voor haar gezicht vallen.

Het was vaste prik, iedere avond nadat de lichten uit waren, kwam het gesprek gaandeweg op seks. Deze avond had Blonde Sheila het over jongens die zo klein geschapen waren dat je niet eens goed kon zeggen of ze nu wel of niet in je zaten. Plotseling richtte Helen zich tot Delores. 'Over klein gesproken, hoe zit het nou met jou en dat kleine kereltje van de televisie? Gaat hij nou een ster van je maken of gaat hij alleen maar met je naar bed?'

'Er is helemaal niks tussen hem en mij,' zei Delores. 'Het is een enorme lamstraal.'

'Nou, met jou elke avond halfnaakt in dat bad, heeft hij ongetwijfeld de blauwste ballen van heel Florida,' zei Helen. Ze hoorde hoe de anderen in het donker stikten van het lachen. De volgende ochtend vroeg Delores aan Molly wat blauwe ballen precies waren en waarom dat zo grappig was.

Molly zei dat het volgens haar iets was wat mannen kregen voor ze met iemand naar bed gingen, maar uit de manier waarop ze het zei, leidde Delores af dat Molly er net zo weinig van begreep als zij.

Na die avond dat ze Sommers een lamstraal had genoemd, leek het alsof de meisjes minder koeltjes tegen haar deden.

Een paar avonden later vertrouwde Delores Otto toe: 'Volgens mij gaat het behoorlijk goed met mij.' En hoewel ze het niet ronduit zei, bleek uit een lichte buiging in haar stem dat de toekomst er volgens haar hoopvol uitzag. Kleine Otto, die al veel te lang opgesloten had gezeten in een muffe koffer, was minder optimistisch dan zij. Om te beginnen begon zijn witte hemd te vergelen. Vroeger had Delores hem op de hand gewassen en ervoor gezorgd dat hij er altijd als nieuw uitzag. Nu was hij verbannen naar een plek onder het bed, een geheim dat te beschamend was om met wie dan ook te delen, op Molly na natuurlijk. Normaal gesproken had hij een schelle stem, maar de laatste tijd had zijn stem een zielig toontje gekregen waar verdriet en verontwaardiging uit sprak. Ze had nog maar nauwelijks haar hand in hem gestoken of hij begon al: 'Waarom laat je je zo door hen misbruiken?' vroeg hij dwingend. 'Je bent een tv-ster. Hoeveel geld verdien je daarmee? Te weinig. En wie strijkt alle eer op? Meneer Krullenkop. Denk je dat ze je mogen vanwege je prettige persoonlijkheid en intelligentie? Denk daar nog maar eens over na, pop. Want zo noemt hij je toch, nietwaar? Pop. Maar ja, wie ben ik om daar iets van te zeggen.'

Hij begon te lachen, een dwaas aanzwellend gelach. Molly stond op de uitkijk en fluisterde zoals afgesproken hun codewoord toen ze de anderen hoorde aankomen. 'Toedeledoki,' zei ze. En toen nog een keer, met meer klem: 'Toedeledoki!' Otto schudde nu helemaal van het lachen en Delores was bang dat zijn imitatiediamanten eraf zouden vallen. Wat kon ze anders doen dan hem weer in de koffer stoppen? Bovendien had ze er echt geen behoefte aan om te horen wat hij zei. Otto was voor Delores altijd een manier geweest om te ontvluchten aan de somberheid in haar leven. Hij vertegenwoordigde een wereld waarin alles rustig, ordelijk en mooi was en waar ze de dingen waarnaar ze verlangde kon vinden. Als ze met hem speelde, werd die wereld voor haar werkelijkheid. Wie hen samen had kunnen zien, zou gecharmeerd zijn geweest van het jonge meisje dat sketches bedacht voor haar triest kijkende pop. Haar geheim was dat de sketches die ze speelde haar leven verbeeldden en dat de pop haar alchemist was. Nu waren Thelma Foote en Alan Sommers de poppenspelers en was ze aan hen overgeleverd. Otto deed er steeds minder toe.

Ze staarde naar het trieste figuurtje met zijn vergeelde katoenen hemd en nam zich voor om hem zo gauw mogelijk te wassen. Ze vouwde hem voorzichtig op en stopte hem terug in de koffer. Nadat ze de sluiting dichtgeklikt had, keek ze om zich heen om zich ervan te verzekeren dat er niemand aankwam. Toen streelde ze de bovenkant van de koffer alsof het een konijntje was. 'Het spijt me,' fluisterde ze. 'Het spijt me echt.'

Als ze er even bij stilgestaan had, had Delores geweten dat er half april iets te gebeuren stond. Maar zoals de zaken er nu voor stonden, had ze nauwelijks tijd om haar eigen planning bij te houden. Sinds zijn succes had Sommers koortsachtig nog meer ideeën gerealiseerd, zoals goudvissen in de badkuip en achtergrondmuziek die goed paste bij de weersvoorspellingen van die dag (bijna de hele maand mei 'Raindrops Keep Falling on My Head' en toen de lucht eindelijk opklaarde 'Here Comes the

Sun'). En hij bedacht een weermeter die op een schaal van één tot vijf staarten het weer aangaf (heel slecht weer, één zeemeerminnenstaart; prachtig weer, vijf staarten).

Al die extra's bezorgden het team een hoop problemen, maar hadden weinig consequenties voor Delores – tot hij zijn laatste fantastische ingeving kreeg. De bedoeling was dat kijkers opbelden en het een en ander vertelden over een speciale gebeurtenis die op stapel stond. Delores moest dat dan in haar weerbericht verwerken. In plaats van dat ze alleen iets hoefde te zeggen over schapenwolkjes en noordoostenwind, moest ze nu ook allerlei namen en cijfers noemen. 'Enid en Larry Swigert uit Bartow kunnen op hun barbecue morgenavond ter gelegenheid van hun vijfentwintigjarig huwelijksfeest een plaatselijke regenbui verwachten en een vochtigheidsgraad van achtennegentig procent. Maar zaterdag klaart de lucht vroeg in de ochtend alweer op. De temperatuur zal tot ongeveer twintig graden stijgen en de luchtvochtigheid is laag. Wat een geluk voor Ronnie Frankel, die zaterdag in de Beth David-synagoge zijn bar mitswa viert.'

'Over het schrijven van een script zegt het contract niks,' verklaarde Thelma tegen Sommers. 'We moeten het honorarium opnieuw bespreken.'

'U begrijpt er niks van, hè? We maken televisiegeschiedenis,' pareerde hij. 'We leggen contact met onze kijkers. We zeggen: "Hé, jij daar in dat gehucht waar je woont, jij bent net zo belangrijk als wij. Jullie leven is ook ons leven en samen vormen we één grote blije familie." Ze horen Delores Taurus hun naam noemen of misschien die van hun vrienden of familieleden. En daarom kijken ze de volgende dag weer, want misschien noemt ze weer iemand die ze kennen. Het is persoonlijk. Persoonlijk zijn, dat is waar het om draait! Ze hebben allemaal het gevoel dat ze hen persoonlijk kent.' Hij beet op zijn ring. 'Het is een geniale zet. Gewoon geniaal, al zeg ik het zelf. Maar vertel me eens, mevrouw F., viert u misschien binnenkort een groot verjaardagsfeest of staat er een andere feestelijke gebeurtenis op stapel? Ik kan ervoor zorgen dat uw naam op tv genoemd wordt. Ik heb wel wat invloed, weet u.' Hij sloot zijn ogen, haalde zijn schouders op en grinnikte zelfgenoegzaam, alsof hij weer iemand een staaltje van zijn pientere geest had laten zien.

Thelma legde haar hand op haar heiligbeen en stak haar buik naar voren, zoals vrouwen in een vergevorderd stadium van hun zwangerschap doen. 'Ik zal heel duidelijk zijn,' zei ze. 'Eerlijk gezegd interesseert het me geen snars, al probeer je contact te leggen met de maan. Afspraak is afspraak. En in ons contract is niet opgenomen dat mijn meisje het halve telefoonboek van Tampa uit haar hoofd moet leren. En ja, er zit inderdaad een speciale dag aan te komen. Morgen is het precies drie maanden geleden dat ik voor het eerst je magere handje schudde en tot aan mijn knieën belandde in de shit die je produceert. Je speelt je spelletje verkeerd, meneer S. En het zou goed kunnen dat we morgen ook vieren dat het de laatste keer is geweest dat Delores Taurus met haar mooie kontje in die kleine studio zit waar je zo dol op bent.'

Thelma wachtte tot Sommers zou terugslaan. In werkelijkheid vond ze het heerlijk om met hem te bekvechten. Ze had nog nooit zo veel van zichzelf laten zien tegenover een man. Het steekspel dat ze met hem speelde, voelde fysiek aan: een boksstoot, een stomp in de maag, een gescheurde lip. Als ze uitgeknokt waren, voelde ze zich leeg en enigszins tevreden. Meestal interesseerden mannen haar totaal niet. Je van je beste kant laten zien, je opdoffen en met jezelf lopen pronken, het was allemaal een hoop gedoe om niks, vond ze. Ze had nooit begrepen waarom iedereen zich daar altijd zo druk om maakte. Maar zo schreeuwen tegen een man, de grofste en gemeenste dingen zeggen die ze kon bedenken, dat was andere koek. Dat was opwindend, vurig en pikant en had alles in zich waar vrouwen het altijd over hadden als ze over mannen spraken, maar wat bij haar normaal gesproken walging opriep.

Maar weinig mensen konden aanspraak maken op Thelma's loyaliteit. Haar meisjes voelden natuurlijk wel een verplichting tegenover haar, maar die band was zo zwak dat ze op één hand kon tellen hoeveel van hen eraan zouden denken om haar een kerstkaart te sturen als ze eenmaal waren vertrokken. Sinds Newton Perry haar had uitgekozen als een van de Aquabelles was daar nooit veel verandering in gekomen. O, ze had dolgraag meneer Perry alle loyaliteit in de wereld geschonken, als hij niet Ann Blyth maar haar had gekozen voor de rol van de zeemeermin in *Mr. Peabody and the Mermaid*. Maar hij koos voor het 'mooiere meisje met het slankere, aantrekkelijker figuur en de lieflijker uitstraling'.

Dat soort woorden kunnen het hart van een jong meisje voor altijd doen verschrompelen en de manier waarop ze tegen de wereld aankijkt voor altijd veranderen. Vanaf dat moment was Thelma zichzelf gaan bedekken, nooit zouden anderen haar lichaam nog te zien krijgen en er iets van kunnen zeggen. En wat het gebrek aan lieflijkheid betrof, er waren andere dingen dan een pruillipje en mooie reebruine ogen die een meisje kon gebruiken om te krijgen wat ze wilde. Thelma was gestructureerd en kreeg dingen voor elkaar. Misschien dat mensen haar niet meteen leuk vonden, maar als ze eenmaal doorhadden dat ze wist waar ze het over had en dat ze het beste in hun acteer- en zwemkwaliteiten naar boven wist te brengen, draaiden ze meestal wel bij. Al die jaren had ze Weeki Wachee gemanaged. Ze hoefde aan niemand verantwoording af te leggen, behalve aan Don McKeene, de accountant van de eigenaren. Een dikke man met een vreemde blauwe tong die zich alleen met cijfertjes bezighield. Voor zover Thelma wist, had hij nog nooit een voorstelling bijgewoond; hij was alleen geïnteresseerd in de winst. Thelma was degene die Weeki Wachee pit gaf, of zoals Sommers het zou zeggen, die het liet bruisen.

Thelma potte haar loyaliteitsgevoelens en gevoel van verplichting tegenover anderen op, alsof ze zwakker zou komen te
staan als ze die zou tonen. Bovendien had niemand er ooit om
gevraagd. Dus daar zat het dan, als een in tweeën gehakte regen-
worm, blind om zich heen zoekend naar het ontbrekende stuk
dat er weer één geheel van zou kunnen maken. In Sommers herkende ze de andere helft van de worm, hoewel hij nooit enig signaal had gegeven dat hij er precies hetzelfde over dacht. Vanuit
een of ander schuldgevoel omdat hij haar de echte wereld in had
gesleept, en het gevoel dat haar succes verbonden was met het
zijne, wierp ze hem al die jaren van nooit getoonde dankbaar-
heid voor zijn kleine, in opzichtige puntschoenen gestoken voeten. Dat veranderde niets aan de intensiteit waarmee zij en
Sommers ruziemaakten. Thelma hield er gewoon van om deel
uit te maken van het lokale nieuwsteam van WGUP en ze vond
het ook leuk om het meisje een van hen te maken. Delores Taurus herinnerde Thelma aan haarzelf toen ze nog jong was, vóór
de tijd dat Ann Blyth in haar leven opdook. Ze herinnerde
Thelma aan de tijd dat ze nog had gedacht dat alles mogelijk
was en dat niets haar ervan kon weerhouden om de allerbe-
roemdste zeemeermin ter wereld te worden.

12

Op een avond, net nadat de chauffeur van WGUP Delores bij Weeki Wachee had afgezet, belde Thelma haar vanuit haar kantoor op. Adrienne nam de telefoon op en vormde met haar lippen de woorden 'Het is Thelma' naar Delores. Ze had vandaag twee shows en het weerbericht achter de rug en was bekaf. Daarom hield ze haar vinger voor haar lippen en fluisterde: 'Ik ben er niet.' Ze wist bijna zeker dat Thelma haar belde om de tank te boeken. 'Je weet niet waar ik ben.'

Adrienne zei dat ze Delores de hele dag niet gezien had.

'Mocht ze zo meteen verschijnen,' zei Thelma, 'dan heb ik interessant nieuws voor haar. Iets waar ze beter van wordt, om precies te zijn.'

Tien minuten later zat Delores in het kantoortje tegenover Thelma Foote. Thelma had zich omhoog gehesen. Ze zat met gevouwen handen op het bureau en zwaaide met haar benen heen en weer. Met de achterkant van haar gympen raakte ze telkens de voorkant van het bureau. Het klonk als het gebonk van een stuiterbal. Hoe meer ze zei, hoe sneller het gebonk.

'Die pony staat je echt goed. En die grote poppenogen die je opzet zijn aantrekkelijk, maar je moet niet vergeten af en toe met je ogen te knipperen. Anders loop je het risico dat je er geschrokken uit gaat zien. En nog wat, als je iemands naam noemt, kijk dan in de camera en doe net alsof je alleen tegen die ene persoon spreekt. Met een klein glimlachje wordt het allemaal nog persoonlijker. Persoonlijk, daar houden ze van. Ze vinden dat je goed werk levert. Meneer Sommers – een doelgerichte man, vind je niet? – wil je salarisverhoging geven, omdat je nu aan één stuk door moet praten over verjaardagen van mensen, de doop van kinderen en weet ik wat allemaal. Dus bovenop wat je hier krijgt, ga je ook nog eens 58 dollar per week bij WGUP verdienen. Een aardige verbetering, zou ik zeggen. Dit zou weleens iets groots kunnen worden.'

Delores wist dat er meer dan 58 dollar per week in het spel was. Ze wist dat Thelma Foote ook een gedeelte kreeg. En dat zij, omdat ze een meisje was – nou ja, een meisje kon je haar niet noemen, ze had meer weg van een stripfiguur – waarschijnlijk heel wat minder geld verdiende dan alle anderen die bij het programma betrokken waren. Precies zoals Otto al had gezegd. Ze was zich steeds beter gaan realiseren hoe afhankelijk Thelma Foote van haar was. Hoe afhankelijk Weeki Wachee van haar was. Zelfs de kijkcijfers van WGUP waren gestegen sinds zij op televisie verscheen. Dit was misschien het goede moment om meer geld te vragen, om eisen te stellen. Op het bord voor de ingang stond alleen haar naam. Zij was de reden dat er meer kaartjes werden verkocht.

Thelma zat nog steeds tegen het bureau aan te schoppen en bleef praten over hoe Delores haar troeven moest uitspelen. Het was onduidelijk wat er nog meer zou volgen. Ze leek de telefoon niet eens te horen, ook al stond hij naast haar dij. Nadat hij ongeveer acht keer was overgegaan, staarde Delores ernaar alsof ze overwoog hem zelf op te nemen.

'O, oké dan,' zei Thelma, geïrriteerd vanwege de onderbreking. Ze nam op met een luid, kortaf 'Ja'. Delores zat dicht genoeg bij Thelma en de telefoon om degene aan de andere kant van de lijn te kunnen horen: niet zozeer de woorden zelf, maar meer de manier van praten. Het was een vrouw met een stem waarvan de toonhoogte als een kazoo rees en daalde. Het had iets bekends.

Op Thelma's gezicht brak een glimlach door. 'Hallo, hoe gaat het met u? Goed. Met mij ook. O ja, een modecongres. Dat klinkt erg interessant. Ook toevallig, ze zit hier voor me! Ja, het leven zit vol verrassingen.'

Natuurlijk. Het was haar moeder. Ze was op weg naar Boca Raton voor die bijeenkomst over modeaccessoires en ze wilde langs Weeki Wachee komen om haar te zien.

'Insgelijks, mevrouw Walker,' zei Thelma en ze ging staan. 'Nee, nee, het genoegen is geheel aan míjn kant. Blijft u aan de lijn.'

Thelma gaf de telefoon aan Delores.

'Hoi, mam.'

Dat had je het weer: 'Hoi-lo.'

Zij en Westie zouden later op de avond bij het Best Western Motel aankomen. Ze spraken af om elkaar de volgende ochtend om acht uur in het motel te ontmoeten en samen te ontbijten. 'Oké, prima. Tot morgen.' Delores legde de hoorn op de haak en keek Thelma met grote ogen aan. 'Ze is onderweg voor een of andere modebeurs. Morgen komt ze even langs. Ze kijkt ernaar uit kennis met u te maken.'

'Ach hemeltje,' zei Thelma, 'ik verheug me er enorm op om haar te ontmoeten.'

De volgende ochtend zat Delores zoals afgesproken exact om acht uur in de lobby van het Best Western te wachten op haar moeder en Westie.

Ze hadden elkaar bijna een jaar niet gezien. Delores en Gail Walker staarden elkaar zeker een minuut lang aan voordat een van hen de naam van de ander zei. Alleen Westie, een echte peuter inmiddels met bolle wangen, zandkleurig haar en een spleetje tussen zijn voortanden, zag er bekend uit. Zowel moeder als dochter waren een mooiere versie van zichzelf. Delores was bruin van de zon en straalde vanwege haar succes. En haar moeder, die er ooit grauw had uitgezien van alle teleurstellingen die ze had meegemaakt, zag eruit alsof ze een compleet nieuw verfje had gekregen. Ze had haar haar gekleurd en laten knippen. De wallen onder haar ogen waren verdwenen, ze had een beetje mascara op en haar ogen stonden helder en verwachtingsvol. Aan haar rode soulbroek en exclusieve rode leren laarzen met hoge hakken kon Delores zien dat ze nog steeds af toe een greep in de modekast deed.

En dan was er natuurlijk haar manier van praten.

'Nou, daar zijn we dan weer allemaal.' Ze zei tegen Westie, die nog geen woord had gezegd: 'Westie, hier ben je verwerkt.'

'Mam, je bedoelt zeker verwekt,' zei Delores.

'Wat doet het ertoe. Waar het om gaat, Westie, dit is waar jouw leven is begonnen. En kijk nou toch, we zijn er allemaal weer.' Ze klonk weer vlak toen ze zei: 'Nou ja, niet helemaal, maar jij, ik en je zus. Dat is bijna hetzelfde.'

Met zijn tweeënhalf jaar was Westie geen baby meer. Delores herkende de knuffeldolfijn die ze hem bijna zes maanden geleden gestuurd had. Hij was grijs en bobbelig en had duidelijk vele malen in de wasmachine gezeten. Westie hield hem tegen zijn borst aangedrukt en keek Delores verwijtend aan, alsof hij bang was dat ze hem zou afpakken.

Delores knielde voor hem op de grond; hij leunde tegen de benen van zijn moeder aan. Hij herkende haar niet. Hij besefte niet dat zij zijn zus was, degene die hem al die kaarten had gestuurd en die een plastic zak vol met geld voor hem bewaarde.

'Hé, Westie, hé klein kereltje,' zei ze terwijl ze met haar duim en wijsvinger zijn handje vastpakte. 'Ga je mee? Wil je een paar zeemerminnen zien? En schildpadden en misschien zelfs wel een dolfijn?' Ze bewoog de staart van zijn versleten knuffel heen en weer en hij trok hem weg.

'Hij noemt hem Dorf,' zei haar moeder. 'Ik heb geprobeerd hem duidelijk te maken dat het een dolfijn is, maar hij wil hem per se Dorf noemen.'

Delores sprak met een lief klein stemmetje. 'Ik heb een idee. Misschien heeft Dorf een zus. Zullen jij, ik, Dorf en mammie naar het park gaan en haar gaan zoeken?'

'Westie, dat is een leuk idee, vind je niet?' zei haar moeder. 'Dat vindt Dorf vast ook leuk. Kom op, dan gaan we.' Ze gaven hem allebei een hand toen ze de weg overstaken, maar hij duwde Delores weg. Toen ze bij het park aankwamen, was het bord met haar naam erop het eerste wat ze zagen. Ze wou dat Westie kon lezen. Haar moeder liep er zonder het te zien voorbij, totdat Delores haar erop wees. Haar moeder staarde naar de dikke zwartmetalen letters die haar dochter aanprezen.

'O, kijk nou toch,' zei ze en ze streek met haar vingers over de 'D' en de 'E'. 'Wat mooi.'

Dit waren dingen die haar moeder begreep: mensen zetten niet iemands naam op een bord als die persoon niks voorstelt. Haar dochter was een belangrijk iemand geworden. Ze dacht aan Avalon en dat zij en Delores, jong als ze waren, haar met hun prestaties al voorbijgestreefd waren. Ze was nu vijfendertig jaar, bijna zesendertig. Oud genoeg om een puinhoop van je leven te hebben gemaakt, maar misschien nog net jong genoeg om ook iemand van belang te worden.

Westie knuffelde Dorf en staarde naar het beeld van de twee zeemeerminnen een stukje verderop. Delores volgde zijn blik; het was dezelfde obelisk die haar vader had geprobeerd na te doen toen hij haar ruim twee jaar geleden voor die bewuste foto boven zijn hoofd in de lucht had gehouden. Ze dacht terug aan het vreemde drietal waaruit hun gezin toen had bestaan. Ze had nooit kunnen denken dat ze het zelfmedelijden en het gezeur van haar moeder echt zou gaan missen. Ze vergat het slechte humeur van haar vader en herinnerde zich de kracht in zijn armen en zijn wezenloze Alfred E. Neuman-glimlach. Ze vroeg zich af of hij wist hoeveel succes ze had. Maar zelfs als dat zo was, wat deed het ertoe?

Alles aan deze ochtend maakte dat Delores het liefst in een hoekje wilde gaan zitten huilen. Haar moeder, helemaal opgedirkt, die haar nauwelijks opmerkte en die nauwelijks enthousiast was over het succes dat ze had geboekt. Westie die haar niet eens herkende. Dit was haar familie: drie stukken op een schaakbord die elk hun eigen weg gingen. En het vierde stuk, haar vader, was verdwenen, was ergens in een hoek beland en er was niemand die naar hem zocht.

Ze zag als een berg op tegen de rest van de dag: dit was nog maar het begin van een afschuwelijke dag. Over nog geen uur zou ze haar moeder aan Thelma Foote voorstellen. Daarna zou ze kennismaken met de andere meisjes, de show bekijken, met haar meegaan naar WGUP en Sommers ontmoeten. Alles wat ze als Delores Taurus had opgebouwd, zou in één klap tenietgedaan kunnen worden door slechts één enkele opmerking van haar moeder. Over hun armoedige appartement in de Bronx, over haar baantjes als schoonmaakster van kantoorgebouwen en inpakster in de supermarkt, over de verdwenen vader – over zowat alles wat maar over haar lippen kwam.

Delores klopte precies om negen uur op Thelma's deur. Thelma sprong op en begroette hen zo overdreven dat het wel leek alsof de familie Disney op bezoek was gekomen. Ze had zich voor de gelegenheid zelfs in het nieuw gestoken. Haar gympen waren brandschoon en Delores kon als ze goed keek zien waar de vouwen hadden gezeten in haar overduidelijk splinternieuwe windjack. Soms haalde Thelma vlak voor de show een tube lipgloss tevoorschijn en gaf die aan een van de meisjes. 'Daarmee accentueer je je natuurlijke kleur,' zei ze dan. Nu zag het ernaar uit dat Thelma zelf ook een beetje lipgloss op had gedaan. Het was het enige wat kleur gaf aan haar onopgemaakte bleke gezicht, waardoor ze eruitzag alsof ze net een fruitsnoepje met rodebessensmaak had gegeten.

Thelma pakte de hand van Gail Walker met haar beide handen vast en schudde hem hartelijk. 'Mevrouw Walker – of hebt u liever dat ik u mevrouw Taurus noem? – we zijn zeer vereerd met uw bezoek.' Daarna keek ze Westie aan en zei een klein beetje harder: 'En jij moet het kleine broertje zijn waar we zo veel over gehoord hebben. Hoe gaat het met je, Westie? Ik ben Thelma Foote.'

Westie staarde Thelma boos aan, alsof hij bang was dat ze hem misschien zou zoenen of kidnappen.

'Neemt u alstublieft plaats,' zei Thelma. 'Welkom bij onze eigenaardige kleine familie. Wat zult u trots zijn dat uw dochter zo'n succes heeft. Ze heeft voor heel wat verandering gezorgd hier in Weeki Wachee.'

Op Gails gezicht verscheen een nieuw soort glimlach. Ze maakte haar lippen breder, sloeg haar ogen iets neer en, nee, dat kon niet waar zijn, ze zoog haar wangen een klein beetje naar binnen, waardoor ze kuiltjes in haar wangen kreeg en haar jukbeenderen geprononceerder leken dan ze waren. 'Mijn dochter is altijd al vergiftigd geweest met een talent voor het water.'

O, god, ze bedoelt 'begiftigd', dacht Delores. Ze hoopte maar dat het Thelma niet was opgevallen.

'U had haar in de kerstshow moeten zien,' ging Thelma verder. 'Toen werd pas echt duidelijk dat juffrouw Taurus topkwaliteit in huis heeft; ze is een echt natuurtalent.'

De uitdrukking op het gezicht van haar moeder veranderde niet. 'In onze familie zijn meer mensen die talent voor drama hebben. Ik had hier graag willen zijn met kerst, maar het was thuis allemaal erg hectisch toen.'

Delores kon merken dat haar moeder haar best deed. Ze zag er behoorlijk goed uit. Misschien had ze zich echt aan haar eentonige bestaan ontworsteld. Dat nieuwe levendige stemgeluid met die heldere klanken, je kon nooit weten. Ze had haar New Yorkse accent bijgeschaafd. Ze articuleerde beter en sprak de klinkers meer voor in de mond uit: 'Westie voelt zich niet in de steek "gelaaten" door zijn grote zus' (in plaats van 'gelahtuh'). 'Hij weet dat ze dol op hem is' (in plaats van 'dolllopemmis'). En haar medeklinkers hadden meer nadruk gekregen: 'In Boca "Ratone" heb ik een afspraak met Avalon "Mandhorr". We organiseren daar de accessoireshow.'

Delores wist als geen ander dat als je je lang genoeg op een bepaalde manier gedroeg en telkens weer hetzelfde verhaal vertelde, dat je door die voortdurende herhaling heel goed de waarheid kon verbloemen. Maar was de act die ze zelf opvoerde net zo doorzichtig als die van haar moeder? Inmiddels voelde ze zich echt Delores Taurus en hoefde ze niet meer allerlei leugentjes en verzinsels te bedenken. Gaf ze nog steeds toe aan stille geneugten als kijken naar de Glenn Campbellshow of beschouwde ze dat als te gewoontjes voor de vrouw die ze probeerde te zijn? En hoe zat het met Delores' vader? Had haar moeder hem helemaal uit deze versie van haar leven geschrapt?

Als Thelma al benieuwd was waar haar zingende echtgenoot, meneer Walker, uithing of wat Gail Walker precies deed in de mode, dan liet ze dat niet merken. Net als die eerste keer dat Delores auditie kwam doen in de bel, vroeg ze niet verder. Ze liet de moeder van Delores gewoon haar verhaal vertellen. Uit niets viel af te leiden of ze er iets van geloofde of niet. Terwijl de twee vrouwen met elkaar spraken, keek Delores naar Westie. Hij had Dorf op de grond gegooid en leunde tegen de schouder van zijn moeder. Hij zag eruit alsof hij op het punt stond te gaan huilen. Delores had medelijden met hem.

'Wat vinden jullie ervan als Westie en ik eventjes op avontuur gaan?' zei ze plotseling. 'Dan spreken we om half elf af bij het amfitheater. Ik heb dan nog genoeg tijd om me klaar te maken voor de show van elf uur.'

Westie keek zijn moeder aan, die hem bemoedigend toeknikte. 'Nou, dat klinkt leuk. Ga maar. Ga maar samen met je zus op avontuur.' Het jongetje leek te twijfelen, maar toen Delores naar hem glimlachte en haar hand uitstak, gaf hij haar een hand. Misschien herinnerde hij zich haar toch.

'Kom op, Westie,' zei Delores. 'Er is iemand die jou graag wil ontmoeten.'

Soms ving Delores aan de oever van de bron boomkikkers, kleine diertjes met een dun, vochtig huidje. Ze hield ze dan even in haar handen gevangen en als ze ze weer had vrijgelaten, bleef er altijd een beetje van het kleverig goedje dat op hun pootjes zat op haar handen achter. Westies warme hand in die van haar voelde precies zo aan als een van die kikkertjes, en ze zorgde ervoor dat ze hem niet te stevig vasthield.

Ze liepen langs het amfitheater naar de oever van de Weeki Wachee. De zon stond hoog aan de hemel en het water was spiegelglad en glansde. Delores hurkte bij het water neer; Westie hurkte naast haar. 'Als je heel goed kijkt, zien we misschien wel Dorfs zusje. En herinner je je nog die zeeschildpad waar ik je over verteld heb? Die woont hier vlakbij en ik heb hem Westie genoemd, net zoals jij heet. Als we heel stil blijven zitten, komt hij misschien wel langszwemmen.'

Westie ademde diep in en hield zijn adem zo lang als hij kon in. Er zwommen een paar magere karpers voorbij, maar geen dolfijnen of zeeschildpadden. Westie had een korte broek en een gestreept poloshirt met korte mouwen aan. Onder haar korte broek en mouwloos bloesje had Delores haar badpak aan. Ze keek even naar hem. Zijn mollige korte beentjes waren gespierder geworden. Hij had zijn vaders bouw, dat was duidelijk. Toen herinnerde ze zich dat zij maar een paar maanden ouder was geweest toen haar moeder haar voor het eerst in het meer had gegooid.

'Westie', fluisterde ze. 'Zullen we erin gaan en de schilpad zoeken?'

Westie knikte ja.

'Oké, luister wat we gaan doen. Jij klimt op mijn rug en je

houdt je zo stevig vast als je kunt. En samen gaan we hem zwemmend zoeken. Goed?' Westie keek haar aan met een verbaasde en zorgelijke blik.

Delores deed haar kleren en schoenen uit en ze hielp hem bij het uittrekken van zijn shirt en schoenen. Daarna knielde ze neer. 'Klim maar achterop,' zei ze alsof hij ging paardjerijden op haar rug. Als een klein aapje klauterde hij op haar rug. Langzaam liep ze het water in, de modder op de bodem sijpelde tussen haar tenen door. Toen ze tot haar middel in het water stond, zei ze Westie nog een keertje dat hij zich heel goed moest vasthouden. Ze liet zich voorover in het warme water vallen en deed de schoolslag, met rustige, wijde armbewegingen en de beenbeweging van een kikker. Zo zwommen ze een tijdje, het water maakte slurpende geluiden langs hun lijf. Toen zag Delores het dier in het troebele water onder hen rondscharrelen, alsof hij etalages aan het bekijken was. Aan zijn lichte olijfkleur en het hartvormige schild kon ze zien dat het dezelfde schildpad was die al zo vaak tijdens een van haar shows voorbij was gezwommen, de schildpad die ze Westie noemde. Ze fluisterde tegen haar broertje: 'Ik zie hem. Hou je adem in en je ogen open, en hou je zo stevig vast als je kunt. Niet bang zijn.'

Vol vertrouwen nu door het gemak waarmee zijn zus zich in het water bewoog, deed Westie wat hem gezegd was. Delores dook naar beneden. Ze zwom dicht naar de oude zeeschildpad toe en hij bekeek haar nieuwsgierig vanonder zijn zware oogleden. Toen gebeurde er iets bijzonders. De schildpad zwom omhoog naar Westie en stootte heel zachtjes met zijn ronde kop tegen de wang van het jongetje voor hij weer wegzwom. Delores zwom weer naar de oppervlakte. 'Heb je hem gezien?' vroeg ze. Achter zich hoorde ze Westie giechelen. 'De schildpad heeft me aangeraakt,' zei hij. 'De schildpad heeft me aangeraakt.'

Dat soort dingen gebeurden hier.

'Zie je wel, hij weet wie je bent,' zei Delores. 'De volgende keer gaan we Dorfs zusje zoeken.'

Ze maakte zich geen zorgen meer over hoe de rest van de dag zou verlopen. Westie had kennisgemaakt met de magie van deze plek en ze wist dat hij het nooit meer zou vergeten.

Later die ochtend zwom Delores mee in de Assepoestershow. Toen de show voorbij was, zwom ze zoals altijd naar het plexi-glazen raam en zocht het publiek af. Ze ontdekte haar moeder en het kleine jongetje naast haar. Ze waren allebei gaan staan en ze had de indruk dat het jongetje op en neer sprong en naar haar wees. Maar je ogen halen rare trucjes met je uit als je bijna vijf meter diep onder water zit, dus helemaal zeker was ze er niet van.

Na de show kwam Thelma uit de regiecabine en voegde ze zich bij Westie en Gail. 'U hebt een talentvolle dochter,' zei ze met opgetrokken wenkbrauwen. 'Echt als een vis in het water, vindt u niet?'

'Delores heeft aanleg voor zwemmen,' zei Gail. 'Het zit in de familie.'

Thelma knikte en probeerde een enthousiastere reactie bij deze vrouw los te krijgen. 'Combineer dat met de creatieve ta-lenten van haar vader en ik zou zeggen dat ze het helemaal voor elkaar heeft.'

Gail vroeg zich af wat Thelma in hemelsnaam wist over de ta-lenten van Roy Walker. In haar ogen gingen die niet verder dan thuis met eten smijten. 'Ja, haar vader is een geval apart, mag ik wel zeggen.' De twee vrouwen knikten zoals vrouwen doen als ze het over verschillende mannen hebben. 'En jij?' zei Thelma, langzaam en duidelijk sprekend. 'Wil jij later ook zeemeerman worden?'

Westie friemelde aan zijn versleten dolfijn en negeerde haar. Thelma wist opeens weer waarom ze zo'n hekel had aan kinde-ren. Het waren zulke egocentrische, mokkende wezentjes, en om eerlijk te zijn, niet erg interessant. Dit exemplaar nog minder dan de meesten. Maar ja, kijk naar zijn moeder. Thelma's indruk van Gail Walker was sinds het moment dat ze haar die ochtend voor het eerst had ontmoet nog geen spat verbeterd. Het was een angstige vrouw die zich leek te storen aan het succes van haar eigen dochter; triest eigenlijk. Thelma zou het vreselijk vinden als haar eigen verdriet net zo zichtbaar was voor anderen als bij Gail. Maar dat was natuurlijk niet zo. En als ze eerlijk moest zijn, zou je het ook geen verdriet kunnen noemen; ontmoedigd was ze soms, maar niet triest. Triest was te sterk uitgedrukt. Maar wat het ook was dat ze voelde, ze hield het zorgvuldig verborgen – ze was heel anders dan Gail Walker. Het was wel bijzonder dat Gail en Delores zo veel op elkaar leken, allebei lang met grote handen en voeten, maar de een bruiste van levenslust, terwijl de ander volledig leek te zijn weggekwijnd. Maar wat Thelma echt dwars zat, was de manier waarop Gail Delores behandelde. Niet dat Thelma nou zo veel verstand had van moederlijke gevoelens, maar ze wist er genoeg vanaf om te weten dat iedere moeder ter wereld dolgelukkig zou zijn met een dochter als Delores Taurus. Iedere moeder, behalve deze dan.

Ze deed echt haar best tegenover Gail Walker, en Thelma deed niet vaak zo veel moeite om een praatje te maken, om aardig te zijn tegen een kind. Maar het enige wat ze ervoor terug kreeg was iemand met een gemaakt, chic accent in buitensporige kleding. Het ergste was nog dat Gail Thelma geen enkele vraag had gesteld over haarzelf of over hoe het is om een bedrijf als Weeki Wachee te runnen. Zelfs bij dat arrogante modetijdschrift ontmoette ze niet iedere dag iemand die de leiding had over zeemeerminnen. Je kon Thelma nauwelijks vergelijken met iemand van zo'n vrouwenbeweging, God verhoede het, maar het verbaasde haar altijd als iemand van haar eigen sekse kortaf of minachtend deed. Ze begreep best dat ze, als onafhankelijke zakenvrouw en zo, misschien bedreigend overkwam, maar dan nog. Als zelfs andere vrouwen haar dat niet gunden, wie dan wel?

'Nou, zullen we kijken of we Delores kunnen vinden?' zei Thelma bijna knarsetandend. Delores was naar de slaapzaal gegaan om zich om te kleden. Ze had gezegd dat ze even snel iets moest doen en dat ze elkaar voor het theater bij de rivier zouden treffen. Westie was de eerste die Delores over het grasveld zag aankomen. Hij rukte zich los van zijn moeder en rende naar haar toe. 'Hé, Westie,' riep ze naar hem. Hij zag dat ze een wit pakje met een blauw lint erom in haar hand had. 'Hallo,' zei ze.

'Vond je het een leuke show?' vroeg ze. Hij pakte haar lege hand. 'Ik heb een idee,' fluisterde ze. 'Kom mee, we vertellen mam en Thelma dat we straks weer terugkomen.'

Gail legde wat aarzelend haar arm om de schouders van Delores. 'Dat was een heel bijzondere show. Het is ongelooflijk dat iemand met zo veel talent uit mijn genenpoel is voortgekomen.'

Delores onderdrukte de neiging om te zeggen: 'Je bedoelt zeker modderpoel', maar omdat haar moeder haar arm om haar schouders had, hield ze haar mond. Ze rook vaag de geur van Mum-deodorant.

Toen ze zich had weten los te wurmen, zei ze: 'Luister mam, Thelma, ik neem Westie even mee naar de slaapzaal. Dan stel ik hem voor aan de andere meisjes en dan gaan we daarna samen even iets eten bij de snackbar.'

Haar moeder keek op haar horloge en tikte met haar nagel op het glas. 'O, lieverd,' zei ze. 'Ik vind het heel jammer, maar ik ben bang dat het voor mij en Westie tijd is om te gaan. Ik heb vanochtend Avalon gesproken en ze wil dat ik zo snel mogelijk naar Boca kom. Het schijnt dat de spullen eerder dan gepland zijn gearriveerd en we moeten ons echt gaan klaarmaken voor de show.' Dat was de waarheid, min of meer. Ze had eerder die dag echt met Avalon gesproken en die was bijna in tranen geweest. 'Alles is pas laat aangekomen,' had ze gezegd. 'Dus nou zit ik hier in mijn kamer die vergeven is van de schoenen, horloges en weet ik wat allemaal. Ik krijg nooit alles op tijd uitgepakt en gelabeld.'

'Helpt het als ik wat eerder kom?' had Gail gevraagd.

'Of het zou helpen?' riep Avalon. 'Dat zou... dat zou een geschenk uit de hemel zijn.'

'Oké dan. Ik kom zo snel als ik kan.'

Gail was ervan uitgegaan dat Delores blij zou zijn als ze wat eerder wegging. Ze heeft me hier helemaal niet nodig, redeneerde ze. Ze heeft al die meisjes om zich heen, en dan heb ik het nog niet eens over die Thelma Foote. Wat een gek mens is dat, zeg. Ze haatte de manier waarop Thelma om Delores heen danste en fluisterend allerlei prijzenswaardige dingen over haar zei, alsof ze zelf niet goed kon zien wat haar dochter had bereikt. Hoe kon zo'n vrouw – was het eigenlijk wel een vrouw? – begrijpen wat het inhield om moeder te zijn, om de keuzes te moeten maken die zij had gemaakt om haar kleine mannetje alleen op te kunnen voeden? Mensen als zij probeerden haar naar beneden te halen. Maar mooi niet, ze werkte te hard om zich minderwaardigheidsgevoelens te laten aanpraten door iemand als Thelma Foote.

Delores en Thelma wisselden een blik van verstandhouding. 'Ik heb maar een paar minuten nodig. Ik wil Westie alleen maar even meenemen naar de slaapzaal,' zei Delores. 'We zijn zo terug.' Ze hield Westies handje wat steviger vast, draaide zich om en liep naar de slaapzaal.

Voor het eerst sinds ze de Bronx had verlaten, had Delores een leeg gevoel vanbinnen. Het zat vast in haar keel als een stuk lever en het maakte het praten moeilijk. Wat had ze zich zorgen gemaakt om haar moeder. Wat als ze met ongekamd haar was komen opdagen in een of andere afschuwelijke outfit die ze bij

Alexander's in de uitverkoop op de kop had getikt? Dat zou vernederend zijn geweest. Delores had niks afgesproken over de make-up, de laarzen of de nieuwe manier van praten. Het was nooit in haar hoofd opgekomen dat haar moeders dromen over wie ze wilde worden er hetzelfde uitzagen als die van haar, of misschien nog wel verder gingen. Ze begon te beseffen dat zeemeermin worden en onder water leven niet de enige manier was om je los te maken van de Walkers of van Grand Concourse. Haar moeder was gevlucht zonder zelfs maar van huis te gaan.

Haar moeder had een paar keer tegen Westie gezegd dat ze een cadeautje voor Helene moesten kopen – Helene met die grote globe in haar kamer en de dunne armen met de wasachtige huid. Het ging niet goed met de borstkanker van Helene, had haar moeder haar eerder die dag verteld. 'Waarschijnlijk overleeft ze het niet,' had ze gefluisterd. Ze was al aan het zoeken naar een andere oppas voor Westie. Geen vader, geen moeder, en nu ging zijn oppas ook bijna weg. Westie had net zo goed wees kunnen zijn.

Ze kreeg opeens een idee. Misschien een gek idee, maar gezien de stand van zaken gek op een goede manier. 'Kom, Westie.' Ze rende nu bijna. Toen ze bij de slaapzaal aankwamen, zocht ze Molly en nam haar apart. 'Dit is mijn broertje,' zei ze, de ruimte afspeurend. 'Westie, dit is mijn vriendin Molly.'

Molly kon haar ogen niet van Westie afhouden. 'Wat een schatje,' zei ze.

Delores keek naar haar kleine broertje en fluisterde tegen Molly: 'Ik wil dat hij met Otto praat. Zou je een paar minuten op de uitkijk willen staan?'

'Kleine broertjes. Dat zijn de leukste,' zei Molly. 'Ga je gang. Ik let op.'

Delores nam Westie mee naar haar bed. Ze tilde hem op en zette hem op de rand van het bed. De wollen deken kriebelde aan zijn blote dijen en hij bleef net zo lang wiebelen tot hij bijna van het bed af gleed. 'Even wachten, Westie,' zei Delores. 'Ik wil je iets laten zien.' Ze knielde, trok de koffer onder het bed vandaan en pakte Otto uit. Ze nam de pop op schoot, streek zijn vlekkerige shirt glad en ging naast Westie zitten. 'Dit is mijn vriendje Otto. Je hebt hem ontmoet toen je nog heel klein was,' zei ze. 'Niemand kent hem verder, alleen jij. Mammie niet, Helene niet. Na jou is hij mijn beste vriendje.'

'Hoi, Westie,' zei Otto met zijn lieve, krakerige stemmetje. 'Ik heb al veel over je gehoord.'

Westie schrok op en keek naar Otto's witte hoofd.

Otto praatte verder: 'Ik woonde eerst waar jij woont, maar nu woon ik hier. Meestal zit ik in de koffer onder het bed van Delores. Ik zie haar niet zo vaak meer als vroeger.'

Delores fluisterde Westie toe: 'Otto is hier heel eenzaam. Ik denk dat hij het veel leuker zou vinden om thuis te zijn, bij jou. Zou jij voor hem willen zorgen?'

Westie kneep zijn ogen stijf dicht en raakte toen Otto's hoofd aan. 'Hij is lief, vind je niet?' zei Delores. Westie knikte ja. Otto sprak weer verder: 'Ik zou het heel leuk vinden om bij jou te komen wonen, Westie. En op een dag gaan we weer allemaal bij elkaar wonen, ja toch Delores?'

'Dat doen we, ik beloof het.'

Delores legde Otto op Westies schoot, naast Dorf. 'Wil je hem hebben?' Westie knikte weer ja. 'En denk eraan, elke keer dat je met Otto praat, praat je ook met mij.' Ze pakte zijn hand. 'Kijk, ik zal je laten zien hoe je hem tot leven kunt laten komen.'

Westie was helemaal verrukt van de pop, van zijn nepdiamanten tranen en hoe hij hem kon laten dansen en draaien, en in zijn handen kon laten klappen. 'Ik vind Otto leuk,' zei Westie. 'Ik zal voor hem zorgen.'

'Je hebt Otto heel blij gemaakt,' zei ze en ze kriebelde Dorf. 'Ik weet zeker dat jij, Otto en Dorf de beste vriendjes zullen worden.'

Delores hoorde Molly vanachter de gesloten deur fluisteren. Haar zangerige 'toedeledoki' bracht haar met een schok weer terug in de werkelijkheid. Het was tijd om te gaan. Delores stopte Dorf in Westies vrije hand en kuste Otto op zijn hoofd. 'Tot gauw,' zei ze tegen hem. En tegen Westie zei ze: 'Oké mannetje, we hebben een afspraak. Op een dag zijn we weer allemaal samen. Niet vergeten.'

Buiten de slaapzaal stonden Thelma en haar moeder op hen te wachten. Thelma droeg een zonnebril en had een honkbalpet diep over haar voorhoofd getrokken. Ze had niet de moeite genomen om de lipgloss die ze die ochtend op had gehad opnieuw aan te brengen, en haar lippen waren bleek en stonden strak. Ze had haar handen achter haar rug ineengeslagen en haar voeten een halve meter uit elkaar neergezet. Als Delores niet had geweten wie deze twee mensen waren, zou ze gedacht hebben dat de vrouw in het windjack en de witte gympen de wacht hield bij de vrouw met de dikke make-up en de exclusieve rode, leren laarzen.

'Het is tijd om te gaan,' zei haar moeder zodra ze Delores en Westie zag. 'Ik bel je vanuit Boca. Het was geweldig om te zien hoe goed het met je gaat.' Ze boog zich dicht naar Delores toe en fluisterde: 'We hebben het heel ver geschopt, liefje. Vind je niet?' Het was voor het eerst sinds lange tijd dat Delores haar weer met haar oude accent hoorde praten.

Delores kuste Westie gedag en aaide Otto. 'Niet vergeten wat ik heb gezegd, hoor,' zei ze. Toen draaide ze zich om en rende terug naar het huis.

In het huis was een grote badkamer. Aan de ene kant zaten drie aparte douches, elk met een eigen wit plastic douchegordijn eromheen. Tegenover de douches bevonden zich drie wc's, van elkaar gescheiden door simpele grijze metalen wanden. Delores sloot zichzelf in een van de wc's op en ging huilend op het toilet zitten. Ze hield haar handen voor haar mond, zodat niet iedereen haar kon horen huilen. Af en toe trok ze de wc door om haar gesnotter te maskeren. Ze had geen idee hoe lang ze daar al zat, toen ze zich ervan bewust werd dat er iemand in het hokje naast haar zat. Te oordelen naar de witte nagellak op de korte, stompe tenen moesten het Molly's voeten zijn. Delores probeerde normaal te ademen en niet haar neus op te halen.

'Delores, ben jij dat?' zei Molly.

Ze schraapte haar keel. 'Ja. O, hoi, Molly.'

'Hé. Je hebt een schattig broertje. Hij lijkt op jou.'

'Nee joh, meer op mijn vader,' zei Delores en de tranen welden weer op.

'Broers, ze zijn ongelooflijk.'

'Dat is waar,' fluisterde Delores.

'Heb ik je ooit verteld hoe ik aan dat litteken in mijn nek ben gekomen?'

'Eh, nee.'

'Mijn broertje Larry. Op een dag, ik was tien en hij vier, zaten we aan de keukentafel plaatjes uit een tijdschrift te knippen. Ik denk dat we een kaart voor mijn ouders wilden maken of zoiets, dat weet ik niet meer precies. En opeens, zomaar, stak Larry zijn arm over de tafel heen en sneed hij me met de schaar in mijn nek. Ik was zo geschokt dat ik nauwelijks pijn voelde. Ik denk dat hij alleen maar wilde zien wat er zou gebeuren. Overal zat bloed; het was echt een enorme bende. Ik ben toen naar mijn moeder gegaan. Zij heeft me naar het ziekenhuis gebracht en ik kreeg zevenentwintig hechtingen. Ik heb helemaal niet gehuild, niet één keer. Gek hè? Larry is nu bijna elf en ik mis hem ontzettend. Niemand binnen het gezin heeft ooit gesproken over wat er is gebeurd, tot nu dan.'

Allebei zeiden ze een paar minuten geen woord. Uiteindelijk vroeg Delores: 'Heeft iedereen bij jullie thuis een naam met een L erin?'

Molly schoot in de lach. En Delores ook. Algauw zaten ze zo hard te lachen dat ze elkaars voeten onder het scheidingswandje heen en weer zagen zwaaien.

Ze trokken allebei door en gingen bij de wasbak staan. Delores gooide wat water tegen haar gezicht. Molly vertelde wat er zojuist gebeurd was. Thelma had gebeld en Sharlene had de telefoon opgenomen. 'Thelma schreeuwde tegen Sharlene. Ze zei dat ze Sharlene een luie sloddervos vond en dat ze, als ze zo door bleef gaan, zich meteen kon gaan aanmelden voor een baantje als serveerster. Ze zei dat de tank smerig was en dat ze zich doodschaamde dat iedereen het kon zien. Sharlene begon te huilen en toen zei Thelma dat ze daarmee moest ophouden en dat ze een kinderachtige huilebalk was. Dus raad eens wie op dit moment de tank aan het schoonmaken zijn? Sharlene en Adrienne. Kun je het je voorstellen?'

Op dat moment voelde Delores genegenheid voor Thelma. Ze dacht aan hoe het moest zijn om vijfentwintig jaar lang vast te zitten in deze nepwereld. Om rekening te moeten houden met al die types die hier tijdelijk verbleven: voortijdige schoolverlaters, weggelopen tieners, wanhopige meisjes die nergens anders naartoe konden, leugenaars zoals zijzelf. Vorige week nog was Blonde Sheila opeens twee dagen verdwenen. Niemand wist waar ze was en uiteindelijk had Thelma de politie gebeld. Iedereen was in rep en roer, totdat Blonde Sheila opeens weer stralend opdook.

'Waar zat je in godsnaam?' vroeg Thelma. Het bleek dat zij en de priester van de Spring Hill Church naar Ocala waren geweest voor een tweedaagse bijbelstudiebijeenkomst. 'God heeft me daarheen ontboden,' zei Blonde Sheila met overdreven devotie. Er verschenen enorme rode vlekken in Thelma's nek. 'Dat kan me geen reet schelen, al ontbiedt God je om naar Bethlehem te komen,' schreeuwde ze in het bijzijn van iedereen. 'Als je nog één keer zo'n verdwijntruc uithaalt, lig je eruit met die schattige bekeerde staart van je! Heb je dat goed begrepen?'

Het was onmogelijk dat Thelma plezier had in haar werk. Ze verdiende beter.

Plotseling kreeg Delores een idee. Ze moest alleen zorgen dat ze zo snel mogelijk bij het kantoor van Thelma Foote kwam. Als Thelma er nou nog maar is, dacht ze en ze rende het park door. Ze hoopte maar dat ze nog niet was gaan lunchen.

Thelma's deur stond op een kier. Delores klopte aan.

'Wat is er?' Thelma klonk gespannen.

'Mag ik binnenkomen?' vroeg Delores zacht.

'O, ben jij het. Ga me niet vertellen dat ze er nog steeds is.'

'Wie?'

'Je moeder, wie anders?'

Delores moest lachen. 'Ze was wel erg, hè?'

'Nee, natuurlijk niet,' zei Thelma en ze zette haar bril af.

Zonder bril zagen Thelma's ogen er moe en doods uit.

'Het zijn alleen een paar lange weken geweest. Je moeder is een heel aardige vrouw.'

'Eigenlijk vindt u haar helemaal niet zo aardig.' Delores sprak luider nu. 'U vindt haar een vervelende, saaie vrouw die de boel voor de gek probeert te houden.'

Delores ging tegenover Thelma op de metalen klapstoel zitten. 'En zal ik u nog eens wat verklappen? Ik heb ook iedereen voor de gek gehouden. Ik kom uit de Bronx en woon in een heel klein, donker flatje met overal etensvlekken. Mijn vader is een jaar geleden bij ons weggegaan en niemand weet waar hij uithangt. Hij zit helemaal niet in de showbusiness, althans niet voor zover ik weet. Hij werkte in een groothandel voor levensmiddelen. Mijn moeder pakt levensmiddelen in bij de supermarkt en 's avonds maakt ze kantoren schoon. Een van die kantoren is van dat stomme modetijdschrift waar ze het de hele tijd over heeft. De meeste kleren die ik heb, heeft zij gestolen maar waren haar te klein. De manier waarop ze praat, haar taalgebruik, het haar, de make-up: het is allemaal nep. De enige echte persoon in het gezin waar ik vandaan kom, is Westie. En hij wordt, voor zover ik weet, opgevoed door een oude mevrouw die in dezelfde flat woont als wij, en die waarschijnlijk binnenkort overlijdt. Toen ik in de Bronx woonde, was ik lelijk en impopulair. Ik ben nog nooit met een jongen uit geweest en als ik dit baantje hier niet had gekregen, had ik waarschijnlijk ook ergens in een supermarkt in de Bronx gewerkt. Zo, nu weet u alles wat er over mij te weten valt.'

Delores liet zich tegen de metalen rugleuning van de stoel vallen en wachtte af wat er ging gebeuren.

Thelma zette haar bril op en haar ogen kwamen weer tot leven.

Ze zette haar hand onder haar kin en staarde Delores zonder met haar ogen te knipperen aan. Toen ze eindelijk iets zei, sprak ze met veel genegenheid: 'O, lieve help. Je rammelt vast van de honger. Laten we iets te eten gaan halen.'

DEEL 2

13

Roy Walker zat in een mouwloos hemd en een lichtblauwe boxershort op de rand van zijn bed. Zoals hij elke ochtend deed als hij wakker werd, stond hij op, liep vijftien keer om zijn bed, liet zich op de grond vallen om zijn vijftig sit-ups en twintig push-ups te doen.

Sinds hij op zichzelf was gaan wonen, had hij veel van dit soort gewoonten ontwikkeld. Hij ging onder de douche staan, alleen koud water, en zeepte zijn hele lichaam in. Daarna ging hij met het stuk zeep door zijn haar en kneedde zijn hoofdhuid met zijn vingers om hem grondig te masseren. Hij had ergens gehoord dat het geheim om je haar te behouden was dat je ervoor zorgde dat de bloedcirculatie boven op je hoofd goed was. Roy was altijd trots geweest op zijn dikke, golvende haar dat nu tot op zijn schouders viel, en hij wist zeker dat het kale plekje op zijn kruin, zo klein als een theekopje, gewoon een vergissing zou blijken.

Omdat de ramen van zijn caravan niet groter waren dan een tissuedoos kon hij pas beoordelen wat voor weer het was toen hij buiten kwam. Het zag eruit alsof het ging regenen. Boven zijn hoofd hingen laaghangende, grijze wolken. Er kon elk moment een gestage, harde bui op zijn metalen dak vallen, die de was aan de waslijn zou doorweken en de emmers met water zou vullen en de grond in zilte modder zou veranderen. Daarna zou het een kwestie van minuten zijn voor de zon zich zou doen gelden en alles wat doorweekt was weer droog zou bakken.

Roy ging zijn caravan weer in en maakte zijn bed op, waarbij hij zijn lakens in nette ziekenhuisvouwen schikte. Hij had praktisch geen bezittingen: wat kleren, waaronder twee hawaïshirts, twee lakensets, een deken, een kussen, een stevig paar schoenen, een tandenborstel, een scheermes, een haarborstel, zijn New York Yankees-pet en zijn wrap-around-zonnebril. Hij zorgde extra goed voor wat hij had. Hij had de auto verkocht aan een kerel uit Bradenton, die hem er zeshonderd dollar contant voor had gegeven. Dat was een jaar geleden, en hij had het nog steeds niet allemaal uitgegeven. In de business waar hij in zat, had je niet veel nodig.

Roy ging op zijn bed zitten en keek zijn caravan rond. Hij liet zijn gedachten niet vaak naar het verleden afdwalen, maar op een of andere manier deden het geluid van de regen en de geur van nat wordende aarde hem denken aan hoe het op regenachtige dagen in dat appartement in de Bronx was geweest. Het had er naar natte handdoeken geroken, en hij had het gevoel gehad dat die hem verstikten. Soms had hij geschreeuwd, alleen maar om gehoord te worden, om het geluid van zijn eigen stem te ervaren. Soms was hij de deur uit gegaan, gewoon naar buiten, om het gevoel te hebben dat hij leefde en dat er buiten die muren nog iets anders was. Toen had hij datgene gedaan waar hij zich het meest voor schaamde. Hij had zijn gezin achtergelaten en was ervandoor gegaan.

Hier leefde hij op een plek die maar half zo groot was als dat krappe appartement; hij was zo alleen als een man maar kon zijn. Hij probeerde niet te denken aan het gezin dat hij had achtergelaten, maar het besef van wat hij had gedaan, bleef een litteken op zijn ziel. Hij droomde nooit van boetedoening; het ascetische leven dat hij nu leidde leek die het dichtst te benaderen.

Toen hij net weg was, had hij geen idee gehad waar hij naartoe zou gaan. Hij was nog nergens geweest, behalve naar Florida. Hij was de I-95 op gereden, naar het zuiden, en had bedacht dat hij gewoon zou blijven rijden tot er iets zou gebeuren. De eerste nacht reed hij door tot acht uur 's morgens, en kwam hij tot aan de grens tussen North en South Carolina. Hij kon zijn ogen nauwelijks nog openhouden en had zich laten leiden door een reeks groen-oranje billboards die hem naar het South of the Border Motel leidden. Na tien uur droomloze, probleemloze slaap was hij nog twaalf uur doorgereden, tot hij in Sarasota was. Hij had in geen dagen echt gegeten, en zijn buik schreeuwde erom gevuld te worden. Misschien voelde hij zich daarom aangetrokken tot de bescheiden uitziende eettent waarop met speelse letters REUZENCAFÉ op de roze markies stond. Een reuzensteak, een reuzenbord friet. Bij die gedachte was het water hem in de mond gelopen.

Binnen werd hij begroet door een man die zo lang was dat hij een beetje moest bukken om zijn hoofd niet tegen het plafond te stoten. Roy had nog nooit iemand gezien die zo lang was. Hij was vast zo'n tweeënhalve meter lang. Hij had schoenen ter grootte van bloembakken en enorme handen. Hij had een verlegen en bijna droevige glimlach, en met zijn treurige hondenogen was hij minder bedreigend dan hij had kunnen zijn. Bovendien stond hij gebogen en sprak hij vriendelijk tegen de twee dwergen die bij de fristap zaten. Roy ging aan een leeg tafeltje zitten en bekeek de kaart. Hij werd geboeid door de 'sappige biefstuk, bedekt met uien' en merkte pas dat er iemand bij hem stond toen de donkere schaduw zijn zicht op de kaart verduisterde. 'Wat mag het voor u zijn?' De diepe, holle stem klonk alsof hij uit een rioolbuis opsteeg.

Roy bestelde zijn biefstuk en nam er een glas bier bij. Terwijl hij at, staarde hij in de verte en was zich er alleen van bewust hoe de zoete geur van de uien bleef hangen. Op een gegeven moment viel zijn blik op een muur die was behangen met kranten-knipsels. Op alle knipsels stond de lange man bij de voordeur met zijn boomlange arm om een beroemde persoon die er naast hem uitzag alsof hij uit zijn zak was gevallen. Roy herkende Elizabeth Taylor, Tony Perkins en Steve Lawrence; Lawrence was ongeveer even lang als Roy, dus hij zou naast iemand die geen tweeënhalve meter lang was al niet zo groot lijken. Roy maakte uit de bijschriften op dat de lange man beroemd was en dat de eettent waarin hij zat beroemd was. Venice, Florida. Hij had er nog nooit van gehoord, maar volgens de krantenknipsels was het de winterstek van Hanratty's Circus, een van de grootste ter wereld. Dat verklaarde alles: de dwergen, de reus, het Reuzenca-fé.

De enige keer dat Roy naar het circus was geweest, was met Delores, toen ze klein was. Hij herinnerde zich de kleuren en dat de acrobaten leken te vliegen. Hij haalde zich de gezichten van de koorddansers voor de geest. Eerst star van de concentra-tie en daarna met een triomfantelijke glimlach, als ze het koord over waren en de verheugde kreten van het publiek hoorden. Sommige mensen hadden zelfs niet durven kijken, bang voor de gevolgen van een verkeerd geplaatste voet of een misstap. Roy herinnerde zich die keer in het zeemeerminnenpark toen hij een paar seconden ieders aandacht had getrokken en de me-nigte de adem had ingehouden toen hij Delores boven zijn hoofd had gehouden en de houding van een standbeeld vlak bij hem had aangenomen. Mensen als hij trokken nooit aandacht. Maar die ene keer wel, en hij had een golf van plezier en moge-lijkheden gevoeld waar hij nog vaak aan terugdacht, maar die hij nooit had kunnen evenaren.

De dwergen verstoorden zijn dagdromerij. Ze hingen aan de lippen van een man met volmaakt achterover geplakt haar tot in zijn nek en een grijze slobberbroek. Hij moest iets grappigs ge-zegd hebben, want ze begonnen allemaal te lachen, een heldere lach. Roy vroeg zich af of de man clown in het circus was. Roy probeerde niet te staren, maar geleidelijk aan werd hij zich ervan bewust dat hij uit de toon viel omdat hij er gewoon uitzag.

Hij probeerde aan opbouwender dingen te denken, zoals het zoeken van een baan. Maar zijn gedachten aan zijn gezin lieten hem niet met rust. Wat voor man liet zijn vrouw en twee kinderen in godsnaam in de steek, zomaar zonder reden? Even overwoog hij terug te gaan. Toen herinnerde hij zich de avond van de leverscène, en wat er daarna was gebeurd. Hij kon nooit meer terug. Hij had zijn redenen, hoor, waarvan de meeste te maken hadden met het feit dat hij zo lang ellende had meegemaakt, dat hij bijna niets meer om hen gaf. Hij maakte zichzelf wijs dat hij was weggegaan omdat als hij dat niet deed, de woede in zijn binnenste hem zou verteren of hun allemaal fataal zou worden. Misschien wekte Gail die woede in hem op. Ze waren ook zo jong geweest toen ze trouwden en een kind hadden gekregen. Als het eropaan kwam, was Gail een bikkel. In haar jongere jaren was ze mooi geweest. Die zou zich wel redden. Delores was een slimme meid en zou haar eigen weg wel vinden. Wat de kleine betrof: nou, hij wist niet veel over de kleine, behalve dat hij een moederskindje was. Moederskindjes vonden altijd wel iemand die hen beschermden.

Hij had tenminste geld achtergelaten; die zilveren dollars die hij al die jaren had opgespaard. Hij had graag naar de oude, bekraste gezichten gekeken, en zich afgevraagd door wiens handen ze waren gegaan en wat ermee was gekocht. Gail zou waarschijnlijk door zijn spullen rommelen en ze snel genoeg vinden.

Roys gedachten keerden terug naar waar hij nu was. Deze plek deed aangenaam aan. De mensen leken vriendelijk. Lekker weer. Het gedoe om hem heen stond hem aan. Toen de reus bij zijn tafel kwam om af te ruimen, boog hij zich voorover en vroeg hij aan Roy: 'Wilt u nog iets bestellen?'

Roy zei: 'Ja. Mag ik u iets vragen?'

De reus trok een grimas alsof hij de vraag verwachtte hoe lang hij was.

'Tuurlijk,' zei hij.

Roy dacht even na. 'Ik vroeg me af of u weet hoe je hier aan een baan kunt komen.'

De reus glimlachte. 'Nou, weet u, er is hier maar één show in de stad. Hoe bent u als koorddanser?'

Roy glimlachte. 'Ik heb nog nooit op het koord gestaan, maar ik heb een goed stel spieren. Kijk maar.' Roy stroopte zijn mouwen op en spande zijn spieren, zoals hij zich voorstelde dat een sterke man in het circus zou doen.

De reus porde met een vinger in Roys gespannen spieren.

'Niet slecht,' zei hij. 'U hebt vast veel spinazie gegeten. Ben je soms worstelaar of zo?'

'Nee,' zei Roy. 'Ik til kartonnen dozen met blikken en schoonmaakmiddelen op, bij wijze van werk. Dat deed ik, tenminste.'

De reus had de kwetsbare uitstraling van iemand die aan vernederingen gewend was, en Roy had instinctief het gevoel dat hij het begreep. 'We kunnen altijd een extra circusknecht gebruiken,' zei de reus.

'En wat doet een circusknecht?'

'Die doet het zware werk,' zei hij. 'Circusknechten helpen met het inrichten van het kamp, ze zetten de tenten op, laden alles in en uit. Wat er gedaan moet worden.'

'Klinkt als mijn soort werk,' zei Roy. 'Dat kan ik wel. Mag ik u nog iets vragen?'

'Ga je gang.'

'Hoe heet u?'

'Rex,' zei de man. 'T. Rex, maar voor vrienden Rex. En jij bent?'

'Roy Walker. Voor vrienden Roy.' Hij grijnsde. 'Kom je hier uit de buurt, Rex?'

'Nee. Eigenlijk komen we geen van allen waar dan ook vandaan. Mijn moeder komt uit Saginaw in Michigan, en mijn vader uit Toronto, en zo kom ik aan mijn naam, denk ik.'

'O, dus T. Rex is een Canadese naam?'

Zijn lach klonk meer als een rollende donder. 'Rex is mijn beroepsnaam. Mijn gewone naam is Albert Tillinghem. Maar dat klinkt niet hetzelfde, hè?'

Rex scheurde een blaadje uit zijn bonnenboekje en krabbelde er iets op. 'Dit is de naam van de man die je moet spreken als je werk zoekt. Ben je lopend of met de auto?' vroeg hij.

'Met de auto.'

'Als je blijft, heb je geen auto nodig. Loop Tamiami Trail gewoon uit en ga op Venice Boulevard linksaf. Na ongeveer vijftig meter kom je bij een park met caravans. Er hangt een spandoek boven de ingang met het opschrift HANRATTY'S CIRCUS erop. Dat zijn wij. Vraag daar naar Finn, dan brengen ze je naar hem toe. Finn is de man die de boel runt. We noemen hem de baas. Hij kan altijd hulp gebruiken. Denk eraan dat je zegt dat je zijn naam van Rex hebt, niet van T. Rex. Alleen buitenstaanders noemen me zo.'

Rex scheurde het velletje af en gaf het aan Roy.

'Dank u wel,' zei hij, en hij stak zijn hand in zijn broekzak. 'Nou, wat is de schade?' Roy had de gewoonte zijn portefeuille met twee handen vast te houden, een erop en een eronder. Voor mensen die toekeken leek het alsof de bovenste hand de onderste zover probeerde te krijgen dat hij de portefeuille dichtsloeg en wegstopte. Hij zat altijd krap bij kas en hij gaf nooit geld uit zonder erover na te denken. Hij had zich al voorgenomen Rex meer fooi te geven dan de tien procent die hij meestal gaf.

'Nee, stop maar weg,' zei Rex. 'We hebben hier niets aan je geld. Kom over een paar weken werken maar eens terug, dan mag je me op de grootste kreeft trakteren die we hier kunnen vinden.'

Roy keek naar zijn portefeuille en weer naar Rex. 'Zeker weten?'

'Jep, zo zeker als maar kan,' zei die.

Roy liet zijn portefeuille weer in zijn zak glijden en stak zijn hand uit.

'Nou, meneer Rex, dat is afgesproken. Ik zal mijn best doen om op die kreeft te trakteren.'

'Afgesproken,' zei Rex, die voelde hoe stevig Roy zijn hand vastpakte.

Finn had hem meteen aangenomen.

Hij werd een goede circusknecht: hij zette de tenten op, voerde de dieren en maakte de hokken schoon, waste Nehru en alle andere olifanten. Elke week pakte hij een emmer sop en een grote bezem, het soort dat werd gebruikt om ziekenhuisvloeren mee aan te vegen, en schrobde hij de olifanten. Had Roy vol ironie over zijn leven nagedacht, dan had hij dit als boetedoening kunnen beschouwen voor alle vlekken die hij in de Bronx op de muren had gemaakt. Maar dat deed hij niet. Het wassen van de olifanten, vooral Nehru, was een van zijn leukste taken geworden.

De laatste tijd was hij ook een van de vangers geweest die onder het net stonden tijdens de hoofdattractie: de Amerikaanse gebroeders Arroyo. De Arroyo's, Leonard en Ernesto, waren net afgezwaaid uit dienst in Vietnam. Voor hun act beklommen ze hun negen meter hoge ladder naar de nok, waar Ernesto een Amerikaanse vlag onder zijn lycra shirt vandaan haalde. Hij rolde die dan uit zodat iedereen hem kon zien, terwijl Leonard aan de overkant een saluut bracht. Het publiek ging dan uit zijn dak. Het gaf het toch al flitsende trapezenummer van ongeëvenaarde waaghalzerij een extra gewaagd en patriottisch tintje. Het was mooi door de exacte timing.

De broers hingen aan hun voeten aan twee tegenover elkaar hangende trapezes. Leonard greep zijn trapeze, zwaaide naar voren en liet dan los. Hij vloog naar voren in een salto of twee, voordat hij als een kanonskogel viel, maar wel met zijn armen uitgestrekt naar Ernesto. Ernesto, die zijn voeten nog om de trapeze had gehaakt, zwaaide dan precies op tijd naar voren om Leonard in de lucht op te vangen, waar ze elkaar bij de elleboog grepen en hun handen naar elkaars polsen lieten glijden, waarna ze samen volmaakt synchroon zwaaiden, klaar voor een volgende vlucht.

Een fractie van een seconde maakte het verschil tussen vangen en de dood. Zelfs het net onder hen was geen garantie voor veiligheid. Als je er verkeerd op terechtkwam, kon het een gebroken nek tot gevolg hebben, of erger. Als een van hen viel, was Roy er om hun val te breken. De Amerikaanse gebroeders Arroyo legden hun leven in zijn handen; toen Roy eens een keer een paar minuten te laat was voor een repetitie, greep Leonard zijn schouder vast en zei: 'Hé, ik heb Vietnam niet overleefd om hier te pletter te vallen, man. Begrijp je wat ik bedoel?' Roy balde zijn vuisten. Als hij iets in zijn handen had gehad, dan zou hij dat Leonard zeker naar het hoofd hebben gegooid. Zijn gezicht verstrakte en zijn hart ging tekeer, maar hij slikte eens goed en zei niets. Hij wist dat hij zich hier moest beheersen.

Nu was het opgehouden met regenen. Toen Roy zijn caravan uit kwam, waren de veertien Engelse dwergkeesjes al in hun elegante tutu's aan het oefenen, met hun voorpoten door de lucht zwaaiend en hun achterpoten die dansten op een onhoorbare chachacha. Lucy, de fietsende chimpansee, ploeterde op haar Schwinn-driewieler over het terrein. De acrobaten oefenden hun piramide van zeven personen, de piramide die door de Duitse koorddanser Karl Wallenda was ontworpen. Deze specifieke act, die Wallenda had ontworpen met bovenaan een vrouw op een stoel, had een treurige geschiedenis. Ongeveer tien jaar daarvoor was de piramide in Detroit opgevoerd en had een acrobaat een fout gemaakt waardoor er drie mannen op de grond vielen. Twee overleden aan hun verwondingen en de derde, de zoon van Karl Wallenda, raakte verlamd in zijn onderlichaam. Sindsdien was de piramide van zeven zelden opgevoerd, maar Dave Hanratty, de eigenaar van het circus, wilde de act in de volgende show hebben, als een symbool van het feit dat het leven doorgaat. Hij dacht ook dat het niet slecht voor de kaartverkoop zou zijn.

Meneer Hanratty had Roy persoonlijk gevraagd of hij bij die act vanger wilde zijn, en dat was heel wat. Terwijl Roy door het kamp slenterde, werd er overal naar hem geknikt of gezwaaid: de clowns, de dwergen, de speler van het stoomorgel, de olifantendompteur. En natuurlijk Carmen, de trapezeacrobate, die de eenvoudigste zin nog verleidelijk kon laten klinken. Ze groette hem met een fluwelen: 'Hallo meneer Vang-me-dan-als-je-kan.'

De gedachte flitste door zijn hoofd: als Gail hem nu maar eens kon zien, een man die alom werd gerespecteerd, gebruind en gespierd met lang haar en aanzienlijke verantwoordelijkheden. Wat zou ze daarop te zeggen hebben?

14

'Wat was de naam ook weer?'

'Walker. Gail Walker.'

De baliemedewerker van het hotel ging met zijn vinger langs een lijst namen en tikte intussen met een potlood tegen zijn voorhoofd.

'Het spijt me, maar ik kan geen Walkers op de lijst ontdekken. Kan er misschien onder een andere naam zijn geboekt?'

'Ik ben hier met de RMAA-conferentie. Misschien is er onder Mandor geboekt. Avalon Mandor,' zei Gail, en ze probeerde vriendelijk te klinken.

'Avalon. Interessante naam,' zei hij, terwijl hij met het gummetje tegen zijn wang draaide.

'Aha, ja, daar staat hij: Avalon Mandor. Een assistente met kind. Assistente...' Hij keek op. 'Zou u dat kunnen zijn?'

Gail had zichzelf niet echt als assistente gezien. Ze had het tegen Thelma en Delores verteld en het laten klinken alsof ze Avalons gelijke was, als ze niet al aan het hoofd stond van de RMAA. Maar in werkelijkheid had Gail zich, sinds de taxi was gestopt voor dit hotel dat zo geel was als Westies Play-Doh, met zijn torentjes, bogen en wuivende palmbomen, overrompeld gevoeld door de afmetingen en de weelde van het geheel. Die ene keer dat ze in New York bij Saks Fifth Avenue was gaan winkelen, had ze het gevoel gehad dat ze op verboden terrein was – dat ze eigenlijk in Alexander's thuishoorde. Dit hotel, met de mannen in hun gesteven, blauwe uniformen, die hun handen naar haar bagage uitstaken, die haar mevrouw noemden en haar een prettig verblijf toewensten, gaven haar hetzelfde gevoel – dat iedereen zich afvroeg wat een vrouw als zij dacht dat ze hier te zoeken had. Daarom gaf ze toe: ja, ze kon best Avalon Mandors assistente zijn.

'We hebben een kamer voor u en de kleine,' zei hij met een blik omlaag naar Westie. 'In deze eh... tijd van het jaar, vooral met die eh... conferentie, zijn we erg vroeg volgeboekt. Het is een wat eh... bescheiden kamer, maar wel gezellig. En u zit maar op een paar minuten lopen van het strand. Kamer 101.'

Gail nam de sleutel aan. 'Klinkt prima,' zei ze, verrast door de scherpe klank van haar stem. Ze nam Westie op haar ene arm en hun tassen in de andere en zei dat ze zelf haar kamer wel kon vinden, dank u wel. De kamer was half in de kelder en half boven de grond, zodat er een streep licht over de bovenkant van het raam liep. Hij was donker en klein, en de muren trilden licht door het voortdurende ronken van de generator. Op het smalle bed lag een lichtgele deken die vol zat met van die bolletjes wol waar je aan kunt zien dat de deken veel is gebruikt. Naast het bed stond een opvouwbaar canvas kinderledikantje. Er hingen geen schilderijen aan de muur. Er zat alleen een paarse vlek van iets wat was geknoeid of gegooid. Wijn misschien. En er stond een opvouwbaar metalen bagagerek en een bekrast houten nachtkastje met een leeslampje.

'Ze hebben me echt op mijn plaats gezet,' zei Gail tegen Westie, terwijl ze op de muur zocht naar een knopje waar ze de leeslamp mee aan kon zetten. Westie zat aan het voeteneind van het bed, met zijn knuffeldolfijn in zijn armen. Hij was moe en had honger, en hij had sinds ze zes uur geleden bij Weeki Wachee waren vertrokken alleen met Otto en Dorph gepraat.

Weeki Wachee, dacht ze. Ik heb een dochter die zeemeermin is bij Weeki Wachee. En ze doet het goed. Verdomd goed. Dat gekke Thelma-mens met die kikkerogen bleef maar zeggen hoe getalenteerd mijn eigen dochter was, alsof ik dat zelf niet kon zien. Delores wordt volwassen, als ze even geen vreselijke puber is. Maar ze is wel echt lief voor Westie. Toen ik zo oud was als zij, was ik al moeder. Nou, hier zit ik dan, in Boca Raton, voor een modetijdschrift. Het kan raar lopen.

Volgens Avalon was mode in Amerika een serieuze aangelegenheid. Het ging erom hoe mensen eruitzagen. Nee, om hoe mensen eruit wílden zien. Dat was het belangrijkste. Het tijdschrift *Cool* liet vrouwen weten wie ze konden zijn. Als ze een beetje beter hun best deden, als ze meer hoe-zeg-je-dat hadden... Zelfvertrouwen. Avalon zei dat de modellen in de tijdschriften eruitzagen zoals lezeressen eruit wilden zien. Ha, alsof dat ooit zou gebeuren. Natuurlijk zeiden ze dat nooit tegen de lezeressen. Ze wekten de indruk dat iedereen die daar zin in had honderd dollar voor een paar sandaaltjes kon neertellen, of die doorkijkjurk van een triljoen dollar kon dragen. Ze noemden alles 'een echte opkikker': komkommermaskers, superstrakke spijkerbroeken, wenkbrauwen epileren. Daar kikker je van op. Het was *big business*, en daar was zij, Gail Walker, middenin beland. Gail Walker heeft zelfvertrouwen, jawel, zeker weten. Wat zou ze anders in een resort in Boca Raton doen op de vooravond van een van de grootste RMAA-conferenties in de geschiedenis van accessoires?

Ze opende haar koffer en begon haar kleren naast Westie op het bed uit te spreiden. Net toen ze haar nieuwe fluwelen broek met soulpijpen aan het bewonderen was, ging de telefoon. Ze liet hem twee keer overgaan, zodat het niet leek alsof ze op een telefoontje zat te wachten.

'Hoi-lo,' zong ze, terwijl ze zichzelf in de spiegel tegen de badkamerdeur bekeek. 'O, Avalon. Hoe is het?' Ze rechtte haar rug en trok haar buik in.

'Vreselijk,' zei Avalon, en ze klonk uitgeput. Gail sperde haar ogen bezorgd open toen Avalon verder ging: 'Kun je over een half uur in de lobby zijn? We hebben een diner met adverteerders. De uitgever en ik zouden erbij zijn, maar haar vlucht heeft vertraging. De inkoper verwacht meer dan mij alleen. De uitgever maakt me af als ik het verknal. Ik weet dat het veel gevraagd is, maar kun je komen? Kun je het aan?' Aan beide kanten van de lijn viel er een stilte. Beide vrouwen dachten verschillende versies van hetzelfde onderwerp. Gail had nog nooit een adverteerder ontmoet. De enige persoon van het tijdschrift die Gail ooit had gesproken, was Avalon. Wat zou ze zeggen? Zou ze zich gepast kunnen gedragen? Zou iemand geloven dat ze voor het blad werkte of zou het snel duidelijk worden dat ze de schoonmaakster was?

'En mijn zoon dan? Wat doe ik dan met Westie?' vroeg Gail, die probeerde de spanning uit haar stem te weren.

'O, maak je over hem maar geen zorgen,' zei Avalon. 'Het hotel heeft een babysitservice. Ik heb al geregeld dat ze hem over een kwartier komen halen. Ze geven hem te eten, waarschijnlijk hamburgers. Er zijn ook nog andere kinderen.'

Gail wist niet of ze Westie wel wilde achterlaten. 'Ik weet niet of ik dat wil,' zei ze. 'Dat hij met vreemden meegaat.'

'O, gekkie,' zei Avalon. 'Alle grote hotels hebben een babysitservice. Daar zijn ze gewend om met nieuwe kinderen om te gaan. Dat komt wel goed, echt.' Avalon kon soms zo attent zijn.

'De mensen met wie we eten zijn van Timex,' zei Avalon. 'Ze werken al jaren voor het blad. We ontmoeten de accountmanager van het agentschap uit Atlanta en twee van haar creative designers. We moeten dus in het gesprek laten merken dat uurwerken onmisbare accessoires zijn. Maak je niet druk. Ik heb gehoord dat die vrouw echt een giller is. Ontspan je en maak er een leuke avond van. Je bent een engel dat je het wilt doen. Oké, ik moet me gaan omkleden. Ik zie je over een half uur in de lobby.'

Gail hing op, schoof haar opgevouwen kleren opzij en ging naast Westie op het bed zitten. 'Ik kan het niet,' zei ze hardop. Op zulke momenten, als ze zich zo ontzettend bang en eenzaam voelde, moest ze terugdenken aan andere momenten in haar leven waarop ze zich hol en leeg had gevoeld van de eenzaamheid. Toen haar moeder was gestorven. Toen Roy was weggegaan. Toen Delores was weggegaan. Op die momenten werd ze overweldigd door het gevoel dat ze niet meer kon. De gedachte alleen al bezorgde haar kriebels. Ze streek haar haar uit haar gezicht en bekeek de mooie kleren die op het bed lagen. Ze zou de groene fluwelen broek aandoen, die ze nog had van een modeverhaal voor oud en nieuw. Niets opzichtigs – een witte zijden blouse van dezelfde gelegenheid en een paar gouden oorringen dat een van de redacteurs onder haar bureau moest hebben laten vallen.

Gail werd altijd vrolijker als ze zich omkleedde. Het gaf haar het gevoel steviger in haar schoenen te staan. Westie zou het leuk vinden met andere kinderen van zijn leeftijd te spelen. Hij was de laatste tijd te veel onder volwassenen geweest. Ze zou het diner vanavond wel doorkomen. Ze hoefde alleen maar zichzelf te zijn en eraan te denken dat ze het over uurwerken had. Alles zou goed gaan. Ze glimlachte bij het idee dat ze daar was, het toonbeeld van de opkikker die mode je kon geven. Ze knuffelde Westie, waarbij ze ervoor zorgde dat haar haar niet in de war raakte. 'Weet je wie er zo komt, schatje?' zei ze zo opgewekt als ze maar kon. 'Over een paar minuutjes komt een lieve mevrouw van het hotel je ophalen om te gaan spelen. Net alsof Helene komt, alleen zijn er nu andere kinderen bij. Je krijgt hamburgers en misschien mag je wel een filmpje kijken. Lijkt je dat niet leuk?'

Een vleug patchouli dreef onder Westies neus langs. Hij probeerde hem weg te zwaaien, maar patchouli blijft hangen. Hij klemde Dorph in zijn armen en stak zijn duim in zijn mond, wat hij alleen maar deed als hij zichzelf wilde troosten.

Een half uur later liep Gail de lobby van het hotel in. Haar bruine plateauzolen klepperden op de marmeren vloer. Daar was Avalon. Haar krullen waren boven op haar hoofd vastgezet als een bos houtkrullen. Ze had een strakke roze-wit geruite, strapless jurk aan. Gail had Avalon nog nooit buiten het kantoor gezien. Ze zag er volslagen anders uit: mooier, zelfverzekerder en langer. Ze stond bij een gezette vrouw die zo te zien achter in de twintig was. In 1973 toupeerde niemand zijn haar, maar die vrouw stond daar met een omvangrijke toeter die met haarlak was vastgezet. Ze had een dieprode minirok aan en een roze zijden blouse met onthullend decolleté, en blijkbaar maakte ze zich er niet druk om dat haar kleding haar zware bovenbenen en bleke boezem niet verhulde. Nog voor ze iets gezegd had, was ze al een giller. Avalon legde haar hand op de arm van de vrouw. 'Crystal Landy, mag ik je voorstellen aan mijn collega Gail Walker.'

Crystal Landy stak haar hand uit. 'Het is een waar genoegen om je te leren kennen. Ik vind jullie blad geweldig. Ik ben natuurlijk niet zo'n couturelezer, maar ik krijg een kick van wat jullie in New York stijl noemen.' Haar dunne rinkelarmbanden maakten het geluid van losgeld toen ze Gail de hand schudde.

Omdat ze het woord 'couture' nog nooit had gehoord, forceerde Gail een glimlach toen ze Crystal een hand gaf en dacht na over wat ze kon zeggen. 'En jij hebt zeker stijl,' zei ze, blij dat ze die hindernis weer achter de rug had.

Tijdens het diner zat Gail tussen Crystal en een van de jonge ontwerpers, die Jeremy heette. Jeremy leek zijn gedachten en ogen bij iets anders dan de andere drie te hebben, dus eerst deed vooral Crystal het woord. Ze zei dat ze in Florida was opgegroeid, in het noordelijke Gainesville. Haar familie woonde er nog, maar ze ging er zelden langs. 'Gainesville is niet groot genoeg voor mijn moeder en mij.' Toen wendde ze zich tot Gail en vroeg haar naar haar familie.

'Nou, ik heb een dochter van zeventien en een zoontje van bijna drie,' zei Gail. Tot zover ging het goed. Ze vroeg Crystal: 'En jij? Ben jij getrouwd? Heb je kinderen?' Crystal bloosde en er trok een sombere uitdrukking over haar gezicht. 'Ik ben verloofd geweest. Mijn verloofde is in Vietnam omgekomen.'

De tafel viel stil, en Gail zag dat Crystal niet wist waar ze moest kijken. Gail zei het eerste wat in haar opkwam. 'Je verloofde is als een held gestorven. Mijn man is er bijna drie jaar geleden met de auto vandoor gegaan, en ik heb nooit meer iets van hem gehoord. Niet de dapperste man die ik ooit heb ontmoet.' Crystal besefte dat Gail haar te hulp schoot en ook al vond ze de manier waarop merkwaardig, toch lette ze erop dat ze haar de rest van de avond in de gesprekken betrok. 'En,' zei ze, terwijl ze zich naar Gail omdraaide, 'wat voor accessoire doe jij?'

Gail was op die vraag voorbereid. 'Ik doe vooral schoenmode, je weet wel, schoenen, laarzen, sandaaltjes. Maar ik werk ook met uurwerken, omdat dat een onmisbaar accessoire is.' Gail ving een glimp op van de knol van een horloge om Crystals linkerpols. 'Ik zie dat jij een Rolodex om hebt. Dat is op zich al een statement, vind je niet?' vroeg ze, met zichzelf ingenomen, ondanks het feit dat ze het dure horloge met een adressensysteem had verward.

'Dat is het zeker,' zei Crystal met een lachje. 'Bovendien bespaart het me het gesjouw met een telefoonboek.'

Gail lachte mee, hoewel ze geen idee had wat er te lachen viel.

'En wat is jouw statement?' vroeg Crystal. 'Wat draag jij waar jouw persoonlijkheid het meest uit spreekt?'

Gail maakte snel een inventaris op, van de plateauzolen tot de oorbellen. 'Ik moet zeggen dat mijn grootste statement schuilt in wat ik niet draag.' Ze dacht aan de trouwring die ze tijden geleden in de la achter haar ondergoed had weggestopt. Ze dacht aan het lichtblauwe schoonmakstersuniform met de witte boord en het donkerblauwe insigne boven de rechter-borst; haar witte veterschoenen met hun dikke spekzolen; de kliko die ze als een wolk goedkope parfum met zich meezeulde. Ze voelde zichzelf verdwijnen.

'Neem nou mijn dochter. Dat is pas een meid met een state-ment,' zei ze opgewekter. 'Die draagt elke dag een zeemeerm-innenstaart. Echt, volgens mij moet die zo onderhand echt een zeemeermin zijn.'

'Dat is raar. Waarom draagt ze een zeemeerminnenstaart?' vroeg Crystal.

Iedereen aan tafel draaide zich om naar Gail.

'Ze werkt voor die tent waar ze die zeemeerminnenshows doen, Weeki Wachee.'

'Krijg nou wat, die heb ik op tv gezien,' zei de jonge Jeremy, alsof iemand hem net wakker had geschud. 'Die hebben toch een parodie op *The Godfather* gedaan?'

'Ja, dat was met Kerstmis,' viel Avalon in. 'Ze hadden een show die *The Merfather* heette. Het hing overal aangekondigd.'

'Mijn dochter had de hoofdrol. Ze speelde Connie, de doch-ter van Don Corleone.'

'Wacht eens, ik heb over haar gelezen,' zei Crystal. 'Hoe heet ze ook weer?'

'Delores. Delores Taurus.'

'Juist,' zei Crystal. 'En de kranten hadden het erover dat De-lores Taurus zich als een vis in het water voelt.'

'Zeemeerminnen... wauw!' zei Jeremy. 'Die lokken toch schepen op de klippen en veroorzaken orkanen en meer van dat soort coole verhalen. Het zijn echte verleidsters.'

'Stel je voor,' zei Crystal. Ze trok een wenkbrauw op en glim-lachte naar Gail.

Avalon zag de twee vrouwen praten. Ze zag hoe hard Gail haar best deed en dat ze iets had dat mensen openhartiger maakte en op hun gemak stelde. *Misschien kan ik haar een ech-*

168

te baan bij het tijdschrift bezorgen, dacht ze. Er zijn wel gekkere dingen gebeurd. Na het eten liep Avalon mee naar Gails kamer. 'Je hebt het vanavond fantastisch gedaan,' zei ze. 'Ontzettend bedankt. Als ik ooit iets kan terugdoen...'

Gail draaide zich om en begon te lachen. 'Kom nou! Ik heb mijn dochter gezien; ik heb Boca Raton gezien. Dat heb jij al gedaan.'

'Serieus,' zei Avalon. 'Jij bent de enige daar die ooit aardig voor me is geweest, laat staan dat iemand me ooit heeft geholpen. Ik ben je ontzettend dankbaar.'

15

'Er is een orkaan in aantocht die nu boven de Golf van Mexico hangt. Voor morgen worden stortbuien verwacht en wind met orkaankracht. Het wordt een natte ontvangst voor Bebe Rebozo, de vriend van president Nixon, die in de stad is voor een zakelijke bespreking. Rebozo is hier in Tampa geboren op 17 november 1912.' Delores hield haar hoofd schuin en sperde haar ogen open, waarbij ze recht in de camera keek toen ze het over Bebe Rebozo's geboortedag had.

Het was augustus, en ze deed nu al vier maanden televisiewerk. Het programma had de hoogste kijkcijfers gehaald, met als resultaat dat Alan Sommers was gevraagd in het voorjaar de National Association of Broadcasters Convention toe te spreken. Al snel daarna haastten plaatselijke nieuwsprogramma's door het hele land zich om hun presentatie op te leuken en een persoonlijkheid van hun verslaggever te maken.

De afgelopen week had Delores Wally, de meteoroloog uit Miami, vaker dan anders aan de telefoon gehad. Hij had haar verteld over weersystemen en hielp haar koudefronten en andere patronen herkennen. Vandaag keken Delores en Wally naar satellietbeelden van witte orkaanwolken die zich boven de Golf samenpakten. De wolken wervelden in een cirkel rond als een groep dansende witte engelen. De foto's waren onweerstaanbaar mooi, en Sommers liet ze elke avond zien. Bij elke opname kwamen de wolken dichterbij en werd de dans van de engelen woester, tot de hemel de kleur kreeg van een zweetplek en de golven hoger en woester werden en grote vlokken schuim op de kust spuwden.

Wally had uitgelegd dat niet precies te voorspellen was wanneer en waar een orkaan aan land kwam. Nadat ze over de Bahama's was gewalst, zo'n honderdzestig kilometer van het Amerikaanse vasteland vandaan, raasde de orkaan die Claudia werd genoemd met ruim zestig kilometer per uur over de Golf van Mexico. Tegen de tijd dat ze bij de kust van St. Petersburg aan land kwam, hadden de windvlagen hun felheid verloren. Het water stond maar anderhalve meter hoger dan normaal, en verwacht werd dat de wind tegen de ochtend een snelheid van slechts vijftig tot zestig kilometer per uur zou bereiken.

Delores leerde snel, en hoewel iemand anders haar verslagen schreef, gebruikte ze de informatie die zij van Wally kreeg. Tijdens het nieuws van zes uur kwamen er telegrammen binnen met het bericht dat de orkaan van een categorie één was afgezwakt naar een flinke storm. Toch werd mensen aan de kust geadviseerd te evacueren, mocht de windsnelheid toenemen en de storm weer verhevigen.

Sommers stond voor de telex terwijl updates over Claudia over het papier ratelden. Als deze storm nu eens tot volle wasdom kwam en een echte orkaan werd, dan zou dat het soort verhaal zijn waarmee hij echt beroemd zou worden. De grote namen in New York, de mannen van de zender, zouden kijken. Ze kenden hem als de man die een zeemeermin in een badkuip had gezet en hadden zijn kijkcijfers omhoog zien schieten. Leuk – hij had iets nieuws bedacht. Dit was zo'n verhaal waarvoor je naar je onderbuikgevoel moest luisteren, op het juiste moment snel moest kunnen beslissen, ook al druiste het tegen alle logica in.

Er raasden woorden door Sommers hoofd, en ze kregen het tempo van de telex. Nu of nooit. Nu of nooit. Nu of nooit. We moeten iets hebben wat pakt. Wat spettert. Oké, we hebben een kolkende zee. Palmbomen die krom buigen in de wind. Mooi. Mooi. Doe er iets mee. Het haar van de verslaggever dat om het gezicht wappert. Leuk. Een nevel van zeewater in het gezicht. Oké. Wiens gezicht? Aantrekkelijk gezicht. Een mooi lichaam is ook meegenomen. Een doorweekt, mooi lichaam. Briljant. Al mijn verslaggevers zijn mannen. Krijg nou wat. Ik weet het. We sturen het weermeisje. Onze zeemeermin. Jeeeemig. Hallo, Walter Cronkite! Nu hebben we alleen nog een orkaan nodig.

Delores zat nog op de rand van het bad – ze had haar aandeel net afgesloten – toen ze Sommers achter de cameraman rond zag hangen. Hij staarde haar hongerig aan. Niet zoals de andere mannen haar aanstaarden – daar was ze aan gewend geraakt. Toen ze net uit het water wilde stappen en een badjas wilde aantrekken, kwam Sommers naar voren. 'Kom maar,' zei hij, terwijl hij de badjas voor haar openhield. 'Je deed het vanavond geweldig, zoals altijd.'

'Bedankt.'

'Er is een behoorlijke storm op til. Ze zeggen dat het een echte orkaan kan worden.' Hij kruiste zijn vingers en hield ze voor haar omhoog. 'Luister, ik zal er niet omheen draaien. Dit kan een mooi verhaal voor me worden. Voor ons allemaal. Ik heb een topper nodig die naar Belleair Beach gaat en het verslaat. Ik denk dat jij er geknipt voor bent, juffrouw... of heb je liever mevrouw... Taurus. Ik bedoel, het is precies in ons straatje: weer, water. Veel water. Wat denk je? Een belangrijk verhaal, een mooie kans. Als je dit goed doet, dan zijn de grote jongens niet meer van je weg te slaan. Iedereen kijkt. Dit kan je kans zijn om van de vissenkom in het heetst van het vuur te komen. Stel je voor, wat een opwinding. Of liever: opstorming.'

'Stel dat de storm braaf gaat liggen, dan hoef ik niets te verslaan.' Delores sloeg onmiddellijk een hand voor haar mond. Het was de eerste keer dat ze in zijn bijzijn een weerwoord had.

Hij wierp het hoofd in de nek en liet een bulderlach horen, die al zijn rattentanden toonde. 'Ze is mooi, heeft hersens en bovendien heeft ze ook nog gevoel voor humor. Fantastisch.'

Abrupt hield hij op met lachen. 'Wat denk je? Doe je mee of niet?'

'Ja. Oké, ik doe het.'

'Zo mag ik het horen,' zei hij. 'Je bent een meid met *cojones*. Ik zal je vertellen wat je gaat doen...' Hij schetste het beeld: het haar, de outfit, de stormachtige achtergrond. 'Op dit moment hebben we niet echt met de omstandigheden van een orkaan te maken, maar dat kan in een oogwenk veranderen.' Hij knipte met zijn vingers. 'Dus je zult er iets van moeten maken, als je begrijpt wat ik bedoel.' Hij riep de cameraman en de producent die met Delores zou meegaan, en Chuck Varne, de nieuwslezer. 'Gebruik daar je fantasie. Ik wil wind en regen en het hele verhaal. Oké, jongens? Kom op, we gaan een orkaan binnenhalen!'

Delores kleedde zich om en liep met de anderen naar buiten. Ze stak haar paraplu op, in de veronderstelling dat die al snel door de wind binnenstebuiten zou worden gekeerd, maar dat gebeurde niet. Ze stapte voor in het busje en ging naast Armando zitten, de stagiair, die achter het stuur zat. Achter haar zaten Doug Perry, het aanstormend producerstalent, en Bo Quince, de cameraman die langer dan wie ook voor de zender werkte. Armando had de ruitenwissers in de snelste stand gezet; ze maakten een schrapend geluid over het glas.

'Het is niet zo erg,' zei hij.

'Ja, misschien wordt het erger,' zei Delores.

Bo haalde zijn schouders op, alsof hij wilde zeggen: niets nieuws onder de zon.

Boven het gekraak en geruis over de zenderontvanger op het dashboard uit werd de stem van Sommers een extra aanwezigheid in de auto. 'Waar zitten jullie nu?' vroeg hij.

'We zijn net het Watergate-complex in gereden,' grapte Doug. 'Nog iets nodig, baas?'

'Grappig, hoor,' kaatste Sommers terug. 'Ik wil weten hoe laat jullie aankomen, zodat we weten wanneer we jullie moeten inplannen.'

Oude Bo sprak duidelijk in de radio: 'Hé Al, met Bo. Het regent echt hard, maar dit kun je met de beste wil van de wereld geen orkaan noemen. Weet je zeker dat je dit live wilt doen?'

Sommers reageerde: 'Het kan me niet schelen of het miezert. Alles wijst op de komst van een orkaan, dat is ons verhaal. Snap je me?'

Doug weer: 'Helemaal.'

Toen Sommers weer iets zei, was het met een mondvol eten. Hij kauwde op de woorden en slikte ze in, zodat niemand hem kon verstaan. 'Vijgenkoekjes,' zeiden Bo en Doug tegelijkertijd.

'Kan iemand ontploffen omdat hij te veel vijgenkoekjes heeft gegeten?' vroeg Delores.

'Als Sommers ontploft, blijven alleen zijn puntschoentjes over,' zei Doug. 'Denk je dat hij ook puntvoeten heeft?'

'Heeft iemand ooit zijn voeten gezien?' vroeg Delores.

'Ik wel,' zei Bo. 'Maar daar kan ik het in gemengd gezelschap niet over hebben.'

Ze bleven gekheid maken, behalve Armando, die ongeveer dertig kilometer per uur reed en zo diep over het stuur gebogen zat dat hij er bijna bovenop lag. Af en toe boog Delores zich naar hem toe en fluisterde ze: 'Je doet het goed,' of: 'We zijn er bijna.'

Toen ze dichter bij Belleair Beach waren, kwamen ze een politieagent tegen die een hand opstak en hen aanhield. Hij stak zijn hoofd door het raampje en zei tegen Armando: 'We adviseren alle kustbewoners te vertrekken, voor het geval dat.' Doug liet zijn perskaart zien. 'Oké, ga je gang,' zei de agent, en hij wuifde hen door. Toen ze bij Belleair aankwamen, waaide de wind en stoof het zand en liepen er nieuwsgierige kijkers op het strand die wilden zien hoe de orkaan aan land kwam. Bo begon meteen zijn camera op te stellen. Armando stond achter hem met een statief en Doug stond terzijde naar instructies van Sommers te luisteren. 'Zorg ervoor dat je het meisje in beeld houdt,' beval hij. 'Neem haar close-up. Ik wil wapperende haren zien en wuivende palmen. Ik wil een orkaan voelen. Is dat te veel gevraagd?'

Delores bevestigde haar microfoon en keek toen naar Doug voor verdere instructies. 'Knoop je jas dicht,' zei hij tegen haar. 'Laat je haar los, doe het een beetje in de war.' Delores hield haar hoofd ondersteboven en schudde het. Toen ze weer overeind kwam, zag het er warriger uit. 'Prima,' zei Doug, die toen in zijn microfoon tegen Sommers riep: 'Het haar is goed.' Toen zei hij tegen Bo dat hij de camera op Delores' gericht moest houden. 'Het moet lijken alsof ze de enige op het strand is. Neem de mooiste shots die je kunt krijgen.' Toen zei hij tegen Sommers: 'Mooi schuim van de zee, bomen wuiven. We kunnen beginnen.' Terwijl hij naar Sommers luisterde, keek hij naar Bo en Delores. Met zijn wijsvinger maakte hij een rondje in de lucht en tikte tegen zijn voorhoofd. Delores vond het een opluchting dat ze niet de enige was die vond dat Sommers getikt was.

Doug had tegen haar gezegd dat ze gewoon moest zeggen wat ze zag. 'Probeer een beetje gespannen te klinken,' zei hij. 'Maak het zo dramatisch mogelijk. Als je even niet weet wat je moet zeggen, kijk dan naar mij, dan help ik je wel.' Dus dit was de echte verslaggeving, dacht ze. Het was leuk. Eigenlijk niet zo moeilijk; je zei gewoon wat ze zeiden dat je moest zeggen. Er stonden behoorlijk wat schuimkoppen op de golven en het woeste water was prachtig, maar ze vond het net een doodgewone regenachtige dag. Maar omdat Sommers had besloten dat het een verhaal was, werd het opeens een verhaal. Grappig.

'Doug,' fluisterde ze, omdat ze niet wilde dat Sommers het hoorde. Ze trok haar schouder op en hield haar handen, alsof ze wilde zeggen: wat nu?

'Zeg waar je staat en dat heel West-Florida met ingehouden adem afwacht welke koers orkaan Claudia zal volgen,' fluisterde Doug. 'Praat over de dreigende windvlagen en de ziedende zee. Nee, de félle windvlagen en kólkende zee, voilà. Vergeet de eventuele evacuatie van de kustplaatsen niet. De politie is op volle sterkte aanwezig. Nou ja, er is minstens één agent, maar er komen er vast nog meer. Ga je gang. Je zult het fantastisch doen.'

In de studio zat Chuck Varne aan zijn presentatietafel te wachten tot hij het liveverslag vanuit Belleair Beach moest aankondigen. Varne was al vanaf begin jaren zestig nieuwslezer en had eerbied voor de meesters van het vak: Edward R. Murrow, Eric Sevareid, Charles Collingwood. Met tegenzin gaf hij toe aan de grillen van zijn generatiegenoten, maar hij probeerde op subtiele manieren – de perfect gevouwen, witlinnen pochet die hij elke dag in zijn borstzak had, zijn stalen brilletje (hij weigerde contactlenzen te dragen) – de integriteit van Murrow en zijn collega's aan WGUP-nieuwsdienst uit te dragen. Toen hij Delores' liveverslag aankondigde, zei hij: 'Zo meteen horen we onze eigen zeemeermin zingen, live vanuit Belleair Beach, met nieuwe informatie over orkaan Claudia.' De verwijzing naar een zingende zeemeermin was afkomstig van het gedicht van T.S. Eliot, 'The Love Song of J. Alfred Prufrock', waarin een regel luidt: *I have heard the mermaids singing*. Niemand zou het begrijpen of er iets om geven, dacht Varne. Maar het was zijn manier om een lange neus te maken naar iedereen. Wie het laatst lacht, lacht het best, en daarmee kwam hij vaak de dag weer door.

Iedereen in de studio werd stil toen ze keken naar Delores die met haar verslag begon: 'We staan hier in Belleair Beach. Heel

West-Florida wacht met ingehouden adem af welke koers orkaan Claudia zal volgen.' Ze klonk een beetje als een klein meisje in een toneelstuk van school, maar met wat aanwijzingen van Doug was ze in staat haar stem iets levendiger te laten klinken. 'Op dit moment zijn er felle windstoten en zien we een kolkende zee.' Ze deed de truc met haar ogen, en Doug gaf haar een knipoog. Natuurlijk had ze geen idee dat Sommers net in zijn oor had gezegd: 'Ze doet het goed. Ze is niet zo dom als ze eruitziet.'

Delores praatte geanimeerd verder: 'De politie is op volle sterkte aanwezig en maant de inwoners van kustplaatsen te vertrekken. Het water is prachtig groen-zwart...'

Juist op dat moment zag ze iets uit haar ooghoek. Het was een klein jongetje dat in de branding speelde. Doug maakte malende gebaren met zijn armen om aan te geven dat ze sneller moest praten. Ze was er weer bij. 'De golven beuken op de kust, en om me heen kunt u zien...' Weer zag ze iets uit haar ooghoek. Het jongetje was weg, en in plaats daarvan zag ze een volwassen man met zijn armen staan zwaaien en schreeuwen. Hij rende het water in. Anderen renden achter hem aan. Ze wist onmiddellijk dat het jongetje door een golf was meegesleurd. Zonder erbij na te denken, gooide Delores de jas van zich af en rende ze het water in. Ze zwom tegen het tij in en dook onder de golven door.

Niemand in de studio had enig idee wat er aan de hand was. Even staarden ze naar een leeg scherm, en toen begon Sommers te weeklagen: 'O mijn god, o mijn god.' Alleen Chuck had de tegenwoordigheid van geest om te zeggen: 'Er is iets gebeurd in Belleair Beach. Blijf kijken hoe dit drama afloopt.'

Doug schreeuwde in Chucks oortje: 'Ze ligt in het water. Ze is achter een kind aan gegaan dat verdrinkt. Ze ligt in het water. We houden de camera op haar gericht.'

Chuck verstarde zichtbaar. 'Dames en heren, we hebben te

maken met een buitengewone situatie. Onze verslaggeefster is in zee gedoken om een klein kind te redden, dat door het water is meegesleurd...'

De lucht bulderde in de lege microfoon. Een zwiepende camera bleef gericht op Delores, die naar de plek zwom waar een klein stukje van het jongetje te zien was geweest.

'Zo te zien zwemt ze tegen de getijdenstroom in...' ging Chuck verder.

De getijdenstroom trok aan haar, maar ze wist dat ze er niet tegen moest vechten en onder de golven moest blijven, waar het minder chaotisch was. Ondanks het prikkende zout kon ze haar ogen openhouden. 'Zwemmen, Westie, zwemmen.' De woorden trokken door haar heen en gaven haar rust. Ze was zo ver gezwommen dat de golven minder hoog waren. In de verte kon ze het hoofd van het jongetje zien. Hij had rood haar, waarvan tussen de golven door telkens plukjes te zien waren.

'Ze zwemt naar iets toe. Ik kan het niet goed zien, maar het zou het kleine kind kunnen zijn...'

Hier was het water bijna rustig. Ze zwom tot ze het jongetje met haar rechterhand onder zijn kin kon grijpen. Toen strekte ze haar linkerarm over zijn borstkas uit en verankerde ze haar greep onder zijn rechteroksel. Ze had deze reddingsgreep niet meer gedaan sinds ze hem in de Bronx had geleerd, maar het voelde alsof ze het iedere dag deed. Het t-shirt van het jongetje schoof omhoog, en ze voelde zijn ribbetjes in haar hand. 'Zwemmen, Westie,' zei ze in zijn oor. 'Blijf bij me en zwem.' Ze hoorde het jochie huilen, dus ze wist dat hij bij kennis was. Ze deed de schaarslag en liet zich door het tij meevoeren, wetend dat het haar op een gegeven moment wel dicht bij de kust zou brengen.

'Ze lijkt het kind te hebben bereikt...'

Ze bleef boven water en hield het jongetje stevig vast.

'... en trekt het nu terug naar de kust...'

Ze had niet beseft hoe moe ze was tot ze eindelijk de kust bereikte. Toen ze probeerde op te staan, zwalkte ze op haar benen.

'Ze is op het zand in elkaar gezakt...'

Mensen die hadden staan toekijken schoten te hulp.

'... overal komen mensen vandaan om haar te helpen. Ze heeft het kind nog steeds vast. Ongelooflijk.'

Armando herinnerde zich dat ze een oude grijze deken achter in de wagen hadden, die ze gebruikten om verlichtingsmateriaal mee in te pakken. Hij rende erheen, pakte de deken en wikkelde hen tweeën erin.

'Ze moet het ijskoud hebben en in shocktoestand verkeren. Iemand heeft zojuist een deken om haar en het kind geslagen...'

Het water liep iedereen over het gezicht. Tranen, zout water – wie kon het verschil zien? De vader van het jongetje ging op zijn hurken naast Delores zitten en sloeg zijn armen om haar heen. Aan de manier waarop zijn lippen verstrakten toen hij sprak was te zien hoe ontsteld en dankbaar hij was. Maar door de golven en de wind was hij moeilijk te horen.

'... de man die naast de twee zit blijkt de vader van de kleine jongen te zijn. We horen niet wat hij zegt, maar hij is duidelijk overmand door de emoties als gevolg van wat zich hier heeft afgespeeld.'

Het jongetje stak zijn armen uit naar de man, die het optilde. Met het kind veilig in zijn armen liep de vader snel weg van de menigte, voordat Doug zijn naam en leeftijd kon vragen.

'We weten niet hoe het kind en zijn vader heten, en misschien zullen we dat nooit te weten komen. Maar zij zullen de naam Delores Taurus zeker niet vergeten.'

Voor een man die prat ging op zijn eigen onverstoorbaarheid was Chuck zichtbaar aangedaan. Wie een kleuren-tv had, zag de blos op zijn wangen. Zijn afgesnoerde keel was voor iedereen te horen.

'Dit is zo'n moment van livetelevisie waarop zelfs degenen

die alles al hebben meegemaakt even sprakeloos zijn. Ik ben...
nou ja, ik ben perplex. Over enkele minuten zijn we er weer met
meer informatie over orkaan Claudia.'

Toen het rode lichtje op de camera uitging, hielp Armando
Delores overeind en sloeg hij de deken om haar heen. Hij legde
zijn hand op haar onderrug en hielp haar naar de bus te lopen.
Achter in de bus ging ze op de vloer liggen, en hij ging naast
haar zitten. 'Je moet droge kleren hebben,' zei hij, en hij trok de
blauwe Disney-sweater uit die hij onder zijn regenjack aan had.
'Hier, trek dit aan, en sla de deken om je middel.'

Zijn gebaar deed haar beseffen waar ze was, en ze moest er
zelfs om lachen. 'Je geeft me altijd kleren,' zei ze.

'Denk je niet dat het zo beter is dan andersom? Ik wacht buiten terwijl jij je omkleedt.'

'Allemachtig,' riep Doug. 'Dat was ongelooflijk. En we hebben het allemaal op tape staan.' Toen drong de ernst van het hele voorval tot iedereen door.

Op de terugweg naar de studio was het een hele poos stil.
Toen begon Doug: 'Kun je je voorstellen hoe Sommers de hele
tijd in die schoentjes van hem op en neer staat te springen?'
vroeg hij. 'Hij moet door het lint zijn gegaan. Ik verwed er ik
weet niet wat onder dat ik weet wat hij tegen Delores zegt als we
terugkomen.' Hij imiteerde Sommers' staccato dictie: 'Delores,
schatje, dat was fantastisch. Fan-tás-tisch! Ze zullen er in New
York van smullen. Wat een inspiratie, geniaal eigenlijk, dat ik je
erheen heb gestuurd. Dat moet je toegeven.'

Ze lachten allemaal, op Bo na. Hij staarde door het raampje,
alsof hij niets had gehoord. 'Ik dacht dat je er geweest was. Jij en
dat arme, kleine jongetje. Ik zweer het je, ik dacht echt dat je het
niet zou halen.' Het was weer stil geworden in de bus, alleen het
voortdurend roffelen van de regen was te horen. Delores zat
naast Armando voorin. Hij keek naar haar gezicht en zag het
vertrekken toen het jongetje werd genoemd. Hij stak zijn hand

uit en kneep in de hare; een zacht, snel kneepje. Zijn hand was warm, en ze vond zijn aanraking geruststellend. Ze was vervuld van een verlangen zich om hem heen op te krullen. Ze sloeg haar armen om zich heen, vastbesloten om die drang te weerstaan.

Toen ze eindelijk weer in de studio waren, hield Delores de deken strak om zich heen gewikkeld, omdat ze zich ervan bewust was wat voor aanblik ze bood met haar natte haar in de war, op blote voeten en in een veel te grote Mickey Mouse-sweater. Ze namen de lift naar de zevende verdieping, en toen de deuren opengingen, stonden Sommers en Chuck daar op hen te wachten. Chuck had zijn pak nog aan, omdat hij altijd een pak aan had. Hij stak zijn hand uit om die van Delores te schudden, maar ze hield de deken met beide handen vast. Hij stak zijn handen in zijn zakken en sprak in volmaakte stembuigingen. 'Je hebt er wel een opmerkelijk optreden van gemaakt, jongedame,' zei hij. 'Je beschikt over verbluffend veel moed en vastberadenheid.'

Sommers leek een lilliputter, zoals hij achter hem stond, in een T-shirt en een spijkerbroek. Delores zag de spanning op zijn gezicht aan de manier waarop zijn wenkbrauwen op en neer dansten. Hij stak zijn hand uit en kneep in Delores' arm. Op blote voeten was ze even groot als hij. 'Het spijt me zo dat we je dat hebben aangedaan,' zei hij, zonder zijn gebruikelijke uitbundigheid. 'Ik was in alle staten, juffrouw Taurus. Ik kneep hem behoorlijk, dat kan ik je wel vertellen. Ik was echt bang.' Zijn stem werd dik van emotie, en hij wendde zich af. Door zijn katoenen T-shirt heen zag Delores hoe klein zijn schouderbladen waren en hoe dicht ze bij elkaar stonden, als de vleugels van een vlinder. Ze ging hem er niet aardiger door vinden, maar ze zag hoe kwetsbaar hij was. Hij ging verder: 'Maar je was ontstellend goed.' Doug rolde met zijn ogen, als om te zeggen: Zie je wel! Sommers ging door: 'Ik weet dat ik soms een beetje... nou, je weet hoe ik kan zijn. Maar je was echt ontstellend goed. En als ik zeg dat New York er blij mee zal zijn, is dat nog heel zacht uitgedrukt. Voor jou is dit nog maar het begin.'

Delores was te moe om aan wat voor nieuw begin dan ook te denken. Ze kon alleen maar aan Westie en Thelma denken, en het zijdezachte water van de Springs. De orkaan zou morgen pas toeslaan, dus er was nog tijd genoeg om naar huis te gaan. Ze vroeg aan Armando: 'Denk je dat je me naar Weeki Wachee kunt terugbrengen?' Sommers knikte en stak zijn duimen naar hem op.

Zodra ze in de bus stapten, leunde Delores tegen Armando aan en viel ze in slaap. Hij dacht aan wat hij gedaan zou hebben als hij die avond in haar schoenen had gestaan, en aan de zeelucht die nu in de bus hing.

Overal ter wereld voeren reddingszwemmers doorlopend dit soort acties uit, meestal in absolute anonimiteit. Maar een live tv-uitzending was nog een nieuw fenomeen, en plaatselijke zenders versloegen openingen van supermarkten en wedstrijden waarbij ingevette varkens moesten worden gevangen, alleen maar om op te scheppen met hun nieuwe apparatuur. Daardoor werd het verhaal over het jongetje dat werd gered door het weermeisje van tv onmiddellijk het nieuws van de dag, gedeeltelijk door het dramatische aspect ervan, maar vooral omdat de held een meisje was, en niet zomaar een meisje, maar de geliefdste zeemeermin van Florida.

Later kreeg het verhaal mythologische aspecten. Doug vertelde het met nadruk op zijn eigen koelbloedigheid onder druk, en beweerde dat Sommers tegen Delores had gepiept: 'Dat was fantastisch. Fantastisch!' Chuck Varne vergeleek het met het verslag van Murrow op Trafalgar Square, met vallende bommen en loeiende sirenes. En Sommers vertelde het alsof hij een heldenepos had geregisseerd: de wind raasde met honderdvijftig

kilometer per uur over het strand; het water had drie meter hoger dan normaal gestaan; het jongetje was halfdood geweest.

Maar wat er werkelijk was gebeurd, was waar genoeg om zijn
weg te vinden naar huiskamers door het hele land.

16

Dave Hanratty wist wat orkanen waren, en had zelf de Grote Orkaan in 1935 meegemaakt. Hij begreep dat orkanen slecht nieuws waren voor iedereen die zich op hun pad bevond, en dat vooral circussen kwetsbaar waren. Er moesten dan dieren in veiligheid gebracht worden en er moet materiaal gezekerd worden. In circussen wemelt het ook van de mensen voor wie gevaar aan de orde van de dag is. Probeer een degenslikker of de levende kanonskogel maar eens wijs te maken dat een orkaan sterk genoeg is om een boom te ontwortelen of het dak van een huis te blazen. Dat risico namen ze dan. Ik berijd de storm, kom maar kijken, zeiden ze dan, of verstop je maar in een ton. Dan had je de caravans. Hij vond het niks om in een caravan te zitten als er een fikse wind opstak. Daarbij vergeleken was de rups op de kermis een rit in een buggy. En de herrie – het kraken, bonzen en rammelen ervan.

Hanratty was ook een man die begreep hoe hij zijn investering moest beschermen en zijn verliezen kon beperken. Voor dat doel had hij drie jaar daarvoor een afspraak met Rex gemaakt. Hij betaalde ervoor om stormluiken voor alle ramen te laten zetten en betaalde de rekeningen van de verzekering als Rex de troep in het Reuzencafé liet schuilen als het echt hard dreigde te gaan regenen of waaien. Op die manier zat iedereen onder één dak en kon hij ze in het oog houden. Het café had ook een telefoon en een klein televisietoestel, en bij het circus had niemand er een, alleen Hanratty.

Hij was een melancholieke, zwaargebouwde man met hangwangen die bijna van zijn gezicht vielen. Hij droeg altijd een hoed en een colbertje, zelfs op de warmste dagen, omdat hij volwassen was geworden in een tijd waarin heren van stand zich zo kleedden. De ironie dat hij een beroep had waarin iedereen om hem heen meestal halfnaakt was, ontging hem niet. Het gaf de aura van macht en respect die hij had gecultiveerd juist extra glans. Hij had een smak geld verdiend in de circusbusiness. Hij was in het langgerekte Florida begonnen met slechts een wagen en wat zielige griezels – dat laatste was nu uit zijn biografie gewist en bijna ook uit zijn geheugen.

Hij had er talent voor aan te voelen wat de mensen leuk vonden en hun aandacht vast te houden. Bovendien wist hij mensen in te huren wier durf en kundigheid geen grenzen kenden. Van het begin af aan mengde hij zich nooit onder zijn personeel. Ze wisten niets over hem, behalve dat hij ontzaglijk rijk was, en dat hij hen gedurende hun dienstverband praktisch bezat. Zo kwam het dat ze op de middag voordat orkaan Claudia de stad zou binnen razen, inpakten wat ze aan kostbaarheden bezaten, hun caravans afsloten en met chimpansee Lucy aan de hand naar het Reuzencafé liepen, zoals Hanratty hun had bevolen.

Nu de jaloezieën dicht waren en de stormluiken voor de ramen zaten, was het benauwd in het café. De trainers hadden nog maar een paar uur daarvoor hun olifanten en leeuwen naar de dierenverblijven gebracht, en hun doordringende geuren vermengden zich met de andere: de kamferlucht van het smeersel waar de jongleurs hun gewrichten mee insmeerden, de weëige lucht van de Franse eau de cologne waarmee Carmen, de acrobate, zich elke ochtend rijkelijk besproeide; de scherpe geur van versgezette koffie en de vettige zweem van oud bakvet. Het was een bouquet dat sterk genoeg was om je ogen te doen tranen en je maag van streek te brengen.

Hanratty zette zijn hoed af en hield zijn jasje dichtgeknoopt. Hij wachtte tot iedereen een plaatsje had gevonden, ging toen voor in het café staan en tikte met een theelepel tegen een drinkglas. 'Dames en heren, het spijt me dat ik u even moet onderbreken,' zei hij, 'maar volgens de weerberichten van de nationale weerdienst is er een kanjer van een orkaan op komst, en ik vond het verstandiger dat we die voorlopig binnen betonnen muren afwachten. Meneer Rex is zo vriendelijk geweest iedereen gratis taart en koffie aan te bieden, dus laten we het ervan nemen en bidden om een goede afloop.' Hanratty boog het hoofd alsof hij een groep wilde voorgaan in een moment van stilte, maar voordat iemand 'In de naam van...' had kunnen zeggen, liet Sichey de clown een lepel op zijn neus balanceren en was Leonard Arroyo op zijn handen op een van de tafels gaan staan.

Roy zat stil achter in het café en schraapte het schuim van zijn taart af, waarna hij de zoete citroenvulling oplepelde. Hij begreep nooit waarom mensen dingen boven op eten goten of spoten. Eten was eten; waarom zou je het willen verfraaien met slagroom of die belachelijke Franse jus? Gail had ook altijd een lepel Breyers-vanillesaus op een stuk appeltaart geschept en het dan taart *à la mode* genoemd. Het veranderde niets. De appeltaart bleef appeltaart; zij bleven ook dezelfde mensen. Dat hele Franse gedoe irriteerde hem vroeger mateloos. Als hij er nu aan terugdacht, werd hij nog boos. Daarom concentreerde hij zich snel op zijn gratis taart en nam nog een stuk.

Naarmate de middag vorderde, werd de troep stiller, verzadigd door taart, de hitte en de beperkte bewegingsruimte van het café. Af en toe legde iemand zijn hoofd op tafel om even in te dommelen. Rex zat in een hoek bij de dwergen, en ze kwamen de tijd door met het vertellen van moppen. Zelfs Lucy, die heen en weer had gerend, iedereen had omhelsd en haar nepgrijns had gelachen, was nu bij haar trainer op schoot gekropen.

Ze hadden weinig anders te doen dan naar de berichten op de radio luisteren of naar het flakkerende zwart-witbeeld op tv kijken.

Roy liep rond om de benen te strekken en keek toevallig op om te zien wat er op tv gebeurde. Kennelijk was er net een of andere verslaggever de zee in gerend. Dat was interessanter dan wat hij eerder die middag had gezien, en hij liep naar de tv toe. Ieders aandacht werd getrokken door het geluid van slechts de wind die de microfoon in blies. Toen zei de nieuwslezer, Chuck Varne, iets over de verslaggever die in het water sprong om een jongetje te redden. De camera leek om te vallen. Dit was niet het soort gelikte camerawerk dat ze van het nieuws gewend waren. Roy werd een beetje zeeziek als hij ernaar keek.

Een poosje was er alleen grijs water te zien, tot het beeld van een meisje, met haar arm om een jongetje, scherp begon te worden. Roys hart sloeg een slag over. Hij wendde zich van de tv af en knipperde een paar keer, alsof zijn ogen hem bedrogen. Maar nu was het beeld van het meisje en het jongetje scherp genoeg. Zijn ogen vertelden hem de waarheid. Roy wist niet wat hij moest doen: het uitschreeuwen, de tv aanraken, zich stil houden. Voorlopig bleef hij zitten kijken met de anderen.

Hanratty liep naar de tv toe en zette het geluid harder. Toen Chuck Varne uiteindelijk iets zei over 'WGUP's eigen Delores Taurus', haalde hij een pen uit zijn vestzak en schreef iets op een papieren servetje. Hanratty praatte tegen niemand in het bijzonder. 'Torres. Delores Torres,' zei hij. Hij sprak het met een Spaans accent uit. 'Ik heb haar weleens gezien. Die meid is een natuurtalent.' Roy stond op het punt hem te corrigeren. Walker, wilde hij zeggen, ze heet Delores Walker. Maar hij hield zich in.

Tot nu toe was het leven voor Roy behoorlijk rechttoe rechtaan geweest. Hij was jong getrouwd, had een paar kinderen gekregen; zijn huwelijk liep spaak en daarom was hij vertrokken.

Tsjak, tsjak, tsjak, niets ingewikkelds aan. Complicaties of het soort mensen dat hun leven erdoor liet beheersen, daar kon hij niets mee. Voorlopig was deze filosofie – als je het zo kon noemen – hem prima van pas gekomen. Hij had een goede baan; men mocht hem graag. Maar zelfs hij moest toegeven dat het zien van Delores op tv zijn innerlijk leven op zijn kop zette.

Ze bleven de hele nacht in het café. Vroeg in de ochtend viel er een hevige regenbui en huilde de wind om het café. Wanneer het lawaai heel heftig werd, krijste Lucy terug, alsof ze een of andere dierlijke uitdaging beantwoordde. Niemand sliep veel. Toen de taart midden in de nacht opraakte, maakte Rex havermoutpap en nog een kan koffie, die zo bitter smaakte dat de clowns elkaar ermee gingen bespugen. Al snel werd het een spelletje wie het verst kon spugen, en gingen er anderen aan meedoen. Eigenlijk was het geen eerlijke strijd, omdat Lola Lavalip, de vuurvreetster, een duidelijke voorsprong had. Tegen het begin van de dag begon Carmen, de acrobate 'Here Comes the Sun' te zingen. Rex viel met zijn holle bas in. De dwergen zongen met hun piepstemmen mee, net als Lavalip, hoewel haar stem zo schor was dat je hem amper kon horen. Al snel was iedereen aan het zingen en werkten ze hun favoriete nummers van de Beatles af: 'Help!', 'Rocky Raccoon' en 'Yesterday'. Zelfs Hanratty zat met zijn vingers op tafel te trommelen en mimede het refrein van 'Yellow Submarine' mee. Alleen Roy zat er stil bij. Hij kauwde op een strootje en staarde de verte in. Toen het zingen was afgelopen, kwam Carmen naar hem toe. 'Hallo mooie jongen, wat kijk jij somber vandaag. Heeft een van de leeuwen je tong afgebeten?'

'Nee, ik ben gewoon moe,' zei hij.

'Nou, straks zijn we dit konijnenhol uit en kun je die mooie spiertjes van je een goeie oppepper geven. Kop op,' zei ze, en ze kneep even in zijn arm. Ze liep weg, met haar heupen wiegend op een manier die Roy vreemd vond voor dat uur van de dag.

Het nieuws op tv meldde dat de storm ging liggen en naar de Golf van Mexico wegtrok. Hanratty stond op, nog steeds in zijn colbert en met zijn hoed op. Hij sloeg weer met een lepel tegen een glas. 'Decorum. Alstublieft, mag ik u om decorum verzoeken? We kunnen hier nu weg, maar weest u alstublieft voorzichtig als u naar uw wagen gaat. Houd de dieren vastgebonden of in de kooi tot de geluiden minder extreem zijn en we zeker weten dat ze niet zullen schrikken en zullen uitbreken. U heeft goed meegewerkt en ik stel uw geduld zeer op prijs.' Hanratty sprak hen altijd toe alsof hij het tegen een groep fiscaal juristen had. Niettemin kwamen ze bij zijn woorden overeind. Ze juichten, slaakten kreten en stoven zo snel ze konden naar buiten, behalve Roy, die aan zijn tafeltje bleef zitten.

Toen het café leeg was kwam Rex naar hem toe. 'Wat een puinhoop,' zei hij, en hij keek naar de vuile borden op en onder de tafels. Overal lag citroenschuim en er lagen plassen koffie van de spuugwedstrijd. 'Het ziet eruit alsof de mensen gevangen hebben gezeten en Lucy de baas is geweest.'

'Ja, het is inderdaad een puinhoop,' zei Roy, die voor het eerst rondkeek. 'Ik zal je wat vertellen, Rex, ik help je opruimen als jij me advies kunt geven.'

'Dat lijkt me een eerlijke ruil,' zei Rex, en hij trok een stoel bij. Het leek wel alsof Rex op een paddenstoel zat. Hij had zijn knieën praktisch naast zijn oren en hij moest zich vooroverbuigen om te luisteren naar wat Roy te zeggen had.

Roy vertelde hem alles: hoe slecht het thuis was gegaan en dat hij het gevoel had gehad dat hij gek zou zijn geworden als hij was gebleven; dat hij was weggegaan bij zijn vrouw en twee kinderen; dat hij naar het zuiden was gereden, en nu kwam alles weer terug. Hij vertelde dat hij Delores de avond daarvoor op tv had gezien en dat hij voor het eerst zag dat ze iets deelden. Een lichamelijke band, zo zag hij het. Hij zou hetzelfde hebben gedaan – tegen de getijdenstroom in zwemmen – als het had gemoeten. Ze was even sterk als hij; of misschien was hij even sterk als zij. Hij vroeg zich af of hij moest proberen contact met haar op te nemen.

'Ik heb al twee jaar geen contact meer gehad met wie dan ook thuis,' zei hij. 'Maar om na al die tijd weer op te duiken, alleen maar omdat ze op tv is... Ik weet het niet. Dat lijkt me verkeerd. Alsof ik haar probeer te gebruiken of zo. Bovendien, welk... eens zien, hoe oud is ze nu?' Roy begon op zijn vingers terug te tellen. 'Welk meisje van zeventien, van wie de vader het gezin in de steek heeft gelaten, zou hem weer willen zien? Nee, laat maar, het is niet eens een vraag. Ik laat het maar zitten. Dat is het dan. Oké, Rex, laten we deze zwijnenstal eens uitmesten.' Roy stond op.

Rex legde zijn hand op Roys arm en duwde hem weer op zijn stoel. 'Wacht even. Wat jij hebt gedaan, was heel menselijk. Harteloos misschien, maar wel menselijk. Maar je kind blijft altijd je kind. Als je het geluk hebt dat er iemand op deze wereld is met jouw bloed in de aderen...' Rex wendde zich af zonder zijn zin af te maken. 'Je hebt haar één keer in de steek gelaten. Misschien was dat een vergissing en misschien zal ze je dat niet vergeven. Maar welke beschermengel je ook hebt, hij wil duidelijk dat je haar nog een keer ontmoet. Ik verwacht niet dat er een derde kans komt. Ik denk dat ik er niet meer over te zeggen heb.'

De twee mannen stonden op en begonnen zwijgend de muren en vloer schoon te maken. Toen Roy klaar was, liep hij naar Rex toe en schudde hem de hand.

'Bedankt, vriend,' zei hij. 'Ik zal je laten weten hoe het afloopt.'

Rex glimlachte zijn verlegen, brede glimlach. 'Roy Taurus, hè?'

Thelma had de vorige dag aan haar bureau gezeten om rekeningen te betalen. Door de voortdurende stortbuien begon alles vochtig te worden. Zelfs de facturen voelden zwaar en klam aan. Terwijl ze de rekeningen bekeek, besefte ze dat hoewel Delores meer publiek naar het park had getrokken dan de afgelopen jaren, ze amper winst maakten: de pomp moest worden vervangen, in het tapijt in het theater zat het weer. Bij dit soort bedrijven was het altijd wat.

Weeki Wachee was klein, en het entertainment werd geboden door mensen. Misschien begon dat een probleem te worden. In Orlando trokken ze hordes publiek met alle technische trucs en magie waar de mens maar over kon beschikken. En ze hadden al een dikke honderd vierkante kilometer veeteeltgebied opgekocht – dat was twee keer Manhattan, had ze gehoord. Hoe kon Weeki Wachi daar nu mee concurreren? Afwezig schreef ze een cheque uit aan de Florida Stroom Leveranciers en noemde ze 'Florida Loom Streveranciers'. Toepasselijke verdraaiing, dacht ze, terwijl ze de cheque verfrommelde en hem in de prullenbak aan de andere kant van de kamer mikte. Verdorie, gemist. Vroeger schoot ze loepzuiver – en was ze ook geen slechte kickballster en honkbalster geweest.

Ze dacht aan de grond die Disney gebruikte. Dat was vroeger land dat niet in vierkante kilometers was uit te drukken. De dennenwouden en moerassen waren onafzienbaar geweest, zonder dat iemand het bezit ervan opeiste. Het was onvoorstelbaar geweest dat het ooit anders zou zijn, totdat er perfecte rechthoeken van beton verschenen op die vertrouwde stukken land, en toen schoten overal de winkelcentra uit de grond, met meer tapijthandels en goedkope schoenenzaken dan iemand ooit nodig zou kunnen hebben. Maar omdat ze de oudste was probeerde Thelma geen verhalen te vertellen die begonnen met: 'Vroeger...'

Niemand kan zeggen dat ik niet modern ben, dacht ze, terwijl ze cheques uitschreef aan *Cosmopolitan* en *Mademoiselle* om het abonnement van de meisjes met een jaar te verlengen. Ze had haar normen ten aanzien van seks al bijgesteld en tegen zichzelf gezegd: wat wil je als je een stel jonge meiden uitdagende pakjes geeft en ze onder water met hun staart laat wiegen? Ze kon altijd redelijk goed inschatten wie van de meisjes seks had en wie niet. Ze wist dat Blonde Sheila en de priester te pas en te onpas als konijnen tekeergingen, maar wat kon ze ertegen doen? Het waren eigenlijk haar zaken niet, tenzij een van haar meisjes zwanger werd.

Ze begreep zelfs de commerciële waarde van datgene waar Sommers mee bezig was. Het weer was een veilig verhaal zonder controversiële aspecten. Nu die Watergate-affaire speelde, was het weer tegenwoordig het enige waarover je kon praten zonder ruzie te krijgen. Natuurlijk was het wat plat om een meisje in een minuscuul pakje in een badkuip te zetten, maar gewaagd leek tegenwoordig in te zijn. Bovendien leidde het de mensen af van de cynische toestand die in Washington aan de gang was. Ze betwijfelde of iemand het achter haar zocht dat ze dat allemaal begreep.

Verdorie, wat was ze vandaag chagrijnig. Kennelijk was ze de enige niet. Waarom zou de deejay op de radio anders 'In The Wee Small Hours of the Morning' draaien terwijl het pas vijf uur 's middags was?

Het volgende liedje dat hij draaide was er een dat ze echt goed vond: Janis Joplin met 'Piece of My Heart'. Thelma kende de volledige tekst uit haar hoofd en lalde met de radio mee. Ze voelde een soort affiniteit met Janis, misschien omdat ze iemand leek van wie de wereld de buitenkant had veroordeeld, maar die haar innerlijk nooit een kans had gegeven. Thelma had het verschrikkelijk gevonden toen Janis op zevenentwintigjarige leeftijd was overleden.

Toen Thelma was uitgezongen, keek ze op haar horloge.

Twee voor zes – tijd voor het nieuws van zes uur. Ze zette de radio uit en de tv aan, waarna ze doorging met het uitschrijven van cheques. Zodra ze de aankondiging 'Ons weermeisje Delores Taurus brengt u het laatste nieuws over orkaan Claudia, live uit Belleair Beach' hoorde, legde ze haar pen neer. Nu is ze te ver gegaan, dacht ze, en ze belde Sommers op zijn privélijn.

'Waar denkt u mee bezig te zijn door haar voor zo'n verhaal op pad te sturen?'

Sommers had producer Doug Perry aan de andere lijn en probeerde twee gesprekken tegelijk te voeren.

'Dat verhaal is een topper,' zei hij. 'Ze was de uitgelezen keuze. Doug... de bomen, de wind. Alsjebliéft!'

'Ze is geen verslaggever, meneer S. Ze is niet eens een weermeisje.'

'U bent van streek. Nee, jij niet, Doug. Maak het haar wat meer in de war.'

'U kunt mensen niet op die manier in gevaar brengen.'

'Doe niet zo raar, ze redt zich wel. Ze is niet zo dom als ze eruitziet.'

Thelma was nog aan de lijn toen Delores haar microfoon liet vallen en in zee sprong. 'O, jezus. Je bent een eikel!' schreeuwde ze door de telefoon naar hem. 'Ben je helemaal gek geworden?'

'Neem haar zo dichtbij als je kunt,' zei Sommers tegen Doug. Vervolgens tegen Thelma: 'U zou een primeur nog niet herkennen als hij je in het gezicht likte, wel juffrouw F? Doug, waar is die meid, verdorie? Zoek dat meisje!'

Zijn stem kreeg een paniekerige klank die Thelma nog razender maakte.

'Het kan me niet schelen of je kijkcijfers hoger zijn dan die van *All in the Family*. Als dat meisje ook maar één haar is gekrenkt, dan beloof ik je dat ik jou en die belachelijke organisatie van je die zich televisiezender noemt zal laten vervolgen en je elke cent die je waarschijnlijk niet waard bent zal aftroggelen.'

'Ik zie haar niet,' zei Sommers, en zijn stem klonk kleintjes. 'Waar zit ze toch? O, mijn god, juffrouw F., ik zie haar niet, u wel?'

Ze staarden beiden in stilte naar het lege scherm. Sommers zag haar als eerste. 'Goddank, daar is ze.' Toen riep hij tegen Doug: 'Ja, perfect! Hou hem op het meisje en het kind gericht. Zoom op hen in. Mooi! Mooi!'

Thelma zag dat Delores en het jochie weer in beeld kwamen. Net als de camera bleef ze op Delores en het kind geconcentreerd. Ze staarde naar Delores tot die weer veilig terug was op het strand. Al die tijd hield ze de telefoon in haar ene hand, terwijl ze haar andere hand tegen het beeldscherm gedrukt hield.

Ze hoorde Sommers aan de andere kant van de lijn ademen – zwaar en onregelmatig. Toen Delores haar laatste slagen zwom en het zand op strompelde, zwegen ze. Pas toen Armando de deken om hen heen sloeg, zei Sommers weer iets. 'Wat zeg je me daarvan? Goed gedaan, Doug.'

'Ik kan alleen maar zeggen dat ik dolblij ben dat ze het hebben gered,' zei Thelma.

'Ik zal eerlijk zijn, ik zat hier peentjes te zweten,' zei Sommers. 'Soms denk ik dat ik echt een eikel ben. Maar het is goed afgelopen.'

'En als het niet goed was afgelopen?'

'Daar hoeven we ons het hoofd niet over te breken,' zei hij. 'Ons probleem is nu dat we een goudmijn in handen hebben. Begrijpt u dat? Ik bedoel groter dan Mark Spitz.'

'Mark Spitz?' vroeg Thelma, die kringetjes door de kamer liep.

'Ja, let op mijn woorden. Ze wordt enorm.'

Weeki Wachee bij nacht ziet eruit alsof het licht van de verbeelding is uitgeschakeld. Zonder de zon verliezen de rode bougainvilles en de lavendelblauwe waterhyacinten hun gloed. Het amfitheater en de buitenpaviljoens zijn slechts schimmen, en zelfs de heldere, bodemloze Springs kun je aanzien voor een plasje water; een vijver zelfs. Vanaf de grote weg was alleen de lamp in Thelma's kantoor te zien, en met alle regen die die avond was gevallen leek die hoogstens op een zwak twinkelende ster. Je zou er zo langs rijden als je niet wist dat het daar lag, na het stoplicht rechts.

Sommers had gezegd dat Delores en Armando weer onderweg waren naar het park. Thelma maakte zich zorgen dat Armando de afslag zou missen, dat hij zou verdwalen en in paniek zou raken, en was er iets ergers dan een bange jongeman die in een hoosbui als deze rondreed? Ze kon maar beter haar kaplaarzen en poncho aantrekken en buiten op hen gaan wachten. Dat was het verstandigst.

Het half uur daarna stond Thelma voor het park. De wind blies zo hard dat ze zich af en toe aan een telefoonpaal moest vasthouden om zich staande te houden. De regen sijpelde door haar kleren en doorweekte haar tot op het bot. Het water in haar laarzen stond bijna tot haar enkels. Ze overwoog ze te legen, maar waarom zou ze die moeite nemen? Ze zouden toch meteen weer vollopen.

Twee keer stopte er een auto langs de kant van de weg. De eerste keer was het een man die met een klein hondje op schoot achter het stuur zat en vroeg: 'Dametje, heeft u een probleem?' Toen ze 'O, nee, hoor. Het gaat prima' zei, had hij geantwoord: 'Op een avond als deze hier buiten staan lijkt me niet zo prima. Tenzij je levensmoe bent.' De tweede keer wilden een vrouw en een eeneiige tweeling weten of ze wilde meerijden. 'Nee, dank u,' zei Thelma. 'Ik sta alleen maar op iemand te wachten.' De vrouw leek haar niet te horen. 'We hebben nog plaats voor één persoon. Waar moet u heen?' vroeg ze. Vier ogen, rond en glanzend als deksels van soepblikjes, schitterden haar vanachter de vrouw tegemoet. 'Dank u,' zei Thelma, nu harder. 'Ik sta alleen op iemand te wachten.' De vrouw riep terug: 'Oké, dan niet' en reed weg. De vier ogen staarden door het achterraam naar buiten.

Toen Thelma eindelijk WGUP-bus de weg af zag hotsen, begon ze met haar armen te zwaaien en rende ze naar de kant van de weg. Ze dacht er zelfs over om haar capuchon af te doen zodat Delores en Armando haar zouden herkennen. De bus minderde vaart. Ze zag Armando's bange, vermoeide gezicht en ze bedacht dat er in Florida eigenlijk geen rijbewijzen afgegeven mochten worden aan zulke jonge mensen. Ze rende voor hen uit naar de parkeerplaats om ervoor te zorgen dat hij die kon vinden. Toen Delores uitstapte, op blote voeten en met een laagje zeezout op haar gezicht, kreeg Thelma de ongebruikelijke neiging haar armen uit te steken en haar te omhelzen.

Natuurlijk deed ze het niet. 'Jij moet naar de warmtekamer om de kou uit je botten te laten trekken,' zei ze tegen Delores. 'En jij, jongeman,' riep ze boven de wind uit. 'Je kunt in dit hondenweer echt niet terug rijden naar Tampa. Jij blijft vannacht hier. Je mag op de bank in mijn kantoor slapen.' Terwijl ze het kantoorgebouw in renden, merkte ze de tengere bouw van de jongen op en bedacht dat hij makkelijk in een van haar T-shirts en joggingbroeken zou passen. 'Ik haal wel een deken en lakens,' zei ze, toen ze binnen waren. 'Nu trekken jullie die natte kleren uit voordat jullie een longontsteking oplopen.' Bevelen geven had Thelma haar gevoel voor orde en autoriteit teruggegeven. Die gevoelens begreep ze.

Later die nacht lag Thelma wakker. Ze luisterde naar de donderende geluiden van orkaan Claudia. Ze dacht aan alles wat die dag was voorgevallen en hoe bang ze was geweest. Ze bedacht dat ze haar leven zo had ingericht dat ze angst had buitengesloten. Ze wiebelde met haar tenen tegen de zachte, schone lakens en genoot van de warmte en droogte van haar flanellen pyjama. Ze dacht aan Delores en aan al haar meisjes, die veilig onder haar dak lagen te slapen. Vanuit een plekje in haar binnenste, ze kon niet zeggen waar, hoorde ze een vertrouwde raspende stem. '*Take it*,' zei de stem. '*Take another little piece of my heart.*'

17

Delores had amper de energie gehad om het zout van haar gezicht te wassen en haar tanden te poetsen. Zelfs toen, terwijl ze onder de dekens kroop, werd ze nog omgeven door de smaak en de geur van de zee, en toen ze in slaap viel, worstelend met haar lakens, lag ze weer in het water tegen de stroming te vechten.

Als Delores in de Springs zwom, schoten er vaak een paar dolfijnen langs haar heen. Meestal kwamen ze zo dichtbij dat ze een rond zwart oog zag dat haar bekeek. Een keer streken haar vingers over een van de dolfijnen, en hoewel het maar even was, vergat ze nooit meer hoe sterk en glad hij aanvoelde, als marmer. Het oog van die dolfijn was vol leven en de omhoog krullende lijn van hun glimlach bezat een subtiele humor. Als er van een dier gezegd kon worden dat het uitdagend was, of zelfs flirterig, dan was die dolfijn daar een van de uitdagendste flirten van de natuur. Delores fantaseerde vaak hoe het zou zijn om de rugvin van een dolfijn vast te pakken en zich te laten meetrekken. Er was een dolfijn die ze dacht te herkennen als een dier dat vaker kwam, en ze bedacht dat het buitengewoon irreëel was te denken dat hij op een dag naast haar zou komen zwemmen en zou wachten tot ze zou zijn opgestapt.

Terwijl ze die nacht in haar droom door de golven dook, kreeg ze een fijnere droom. Ze zat op de rug van een dolfijn, de dolfijn die ze dacht te kennen. Ze hield zich vast aan zijn rugvin en ze vlogen sneller door het water dan de vogels boven hun hoofd vlogen. Ze zwommen langs de kust naar New York om Westie te zoeken. Ze was zich ervan bewust dat ze in het water werd voortgestuwd door een kracht die buiten haarzelf lag. Het voelde als vallen in het niets, wat je vaak in dromen hebt. Ze werd er duizelig van, maar opgelucht en vol vreugde gaf ze zich eraan over. Ze wenste dat het nooit zou ophouden, maar dat gebeurde opeens wel. De dolfijn verdween, en toen ze hem ging zoeken, vond ze in het slijk tussen het zeewier alleen maar een klein visje dat glinsterde als zilverpapier. Ze hield het in de kom van haar handen en tegen haar borst. Het visje spartelde en glibberde, maar ze wist het bij zich te houden. Uiteindelijk werd het visje steeds kleiner, tot er slechts een paar waterdruppels van waren overgebleven. Ze probeerde de dolfijn steeds weer voor zich te zien, maar haar onderbewuste produceerde slechts een paar natte zandkorrels. Toen ze de volgende ochtend wakker werd, was ze droevig gestemd, maar ze kon er de vinger niet op leggen waarom dat was. 'Jij hebt vannacht behoorlijk liggen woelen,' zei Molly. 'Wat heb je gedroomd?'

Delores haalde haar schouders op. 'Je weet wel. Gewoon, over water en zo.'

Die ochtend aan het ontbijt wist iedereen van Delores' redding van het jongetje. Iemand had de voorpagina van de *Tampa Tribune* op de deur van de eetzaal geplakt. De kop PLAATSE-LIJK WEERMEISJE VERRICHT HELDHAFTIGE REDDING was met rode markeerstift omcirkeld. De kok, een kolos van een man die Curtis Brauschweiger heette, maakte meestal gruttenpap en gebakken aardappelen voor het ontbijt. Die ochtend had hij zich uit de naad gewerkt om voor deze gelegenheid een lading pannenkoeken met bosbessensaus te maken. Net voor ze wilde gaan zitten, werd ze naar Thelma's kantoor geroepen. Haar moeder was aan de telefoon.

Deze keer klonk haar 'hallo' niet zo joviaal als anders. 'Ik heb net over je gelezen in de *Daily News*,' zei haar moeder. 'Er staat een foto bij en zo, maar het is moeilijk te zien of jij het bent.'

'Dat ben ik,' zei Delores.

'Ik weet niet of het het slimste is wat je ooit hebt gedaan, maar het klonk wel heel dapper,' zei haar moeder. Toen sprak ze zachter. 'Lieverd, ik vind het vervelend om de feestvreugde te bederven, maar ik bel over Helene. Ze is niet meer. Ze is twee dagen geleden gestorven. Drie weken geleden zorgde ze nog voor Westie. Daarna hebben we hier in het gebouw om beurten voor haar gezorgd. Ze was heel zwak, maar ze vocht als een leeuw. En kun je je de grote wereldbol in haar huiskamer nog herinneren? Westie speelde graag met dat ding. Hij staat nu naast onze tv. Goh, arme Helene. Arme Westie. En ik? Ik zit in de penarie; ik probeer iemand te vinden die voor hem kan zorgen.'

Delores hoorde dat haar moeders stem afgeknepen klonk, alsof ze bijna ging huilen.

'Mam, hoe is het met Westie? Weet hij wat er is gebeurd?'

'Hij weet dat Helene voorgoed weg is. Maar ach, iedereen in zijn leven is voorgoed weg, dus dat is voor hem niet zo bijzonder.'

Delores had er een hekel aan als haar moeder zo'n steek onder water gaf.

'Jee, ik wou dat ik iets voor je kon doen.' Nog terwijl ze de woorden uitsprak, smaakten ze naar zure melk.

'Je kunt niet veel doen, tenzij je iemand weet die kan babysitten.'

Delores zei niets.

Haar moeder ging verder: 'Ik verveel me geen moment hier, dat moet ik wel zeggen.'

'Zeg tegen Westie dat ik van hem hou en dat ik hem snel kom opzoeken, oké?' zei Delores.

'Tuurlijk. Doe ik. Hij is vandaag beneden, bij de familie Heller. Daar hebben ze een meisje van zijn leeftijd. We zien wel. Oké, dag schat.'

'Dag mam.' Delores hing op. Ze voelde zich schuldig en geïrriteerd tegelijk. Arme Westie, Arme Helene. Ze had zelfs met haar moeder te doen, hoewel het echt een domper op de feestvreugde zette.

Delores kwam weer in de eetzaal, waar ze zag dat Blonde Sheila een plekje voor haar aan tafel had vrijgehouden. 'Hij heeft je gisteravond gezien,' zei Blonde Sheila, die haar ogen hemelwaarts rolde.

'Wie heeft me gezien?' vroeg Delores.

'Hij.' Sheila was de laatste tijd soepjurken gaan dragen. Haar lichaam was heilig, een gift waar zuinig mee omgesprongen moest worden. Achter haar rug om had Enge Sheila tegen de anderen gezegd: 'Heilig, ja hoor. Haar lichaam is zwanger.'

Lester zat aan de andere kant naast Delores. 'Was je bang?' fluisterde hij.

'Alles gebeurde zo snel dat ik geen tijd had om bang te zijn.'

'Ik vond het ontzettend moedig van je,' zei hij schor. 'Ik weet niet, maar niet iedereen zou zoiets doen. Ik weet niet eens of ik het zou hebben gedaan. Mijn vader zegt dat het het moedigste is wat hij een meisje ooit heeft zien doen.'

'Ik denk dat niemand weet hoe hij zal reageren tot er iets gebeurt,' zei Delores. 'Je denkt niet aan dapper zijn of iets dergelijks. Je doet het gewoon.'

Lester dacht daarover na en wilde net iets anders gaan zeggen, toen Helen op haar stoel ging staan en 'For She's a Jolly Good Fellow' inzette. De anderen vielen in, behalve Sharlene en Adrienne, die midden in het liedje de eetzaal binnenkwamen. Vanochtend zagen ze er wel heel erg stemmig uit. Sharlenes haar was nog nat van de douche. Ze had de gewoonte gekregen om een paar passen achter Adrienne te lopen, met hangende schouders en gebogen hoofd, alsof haar haar de weg wees. Adrienne had oude, groene sandalen aan die tegen de grond klepperden. In haar mondhoek zat een sluimerende koortslip. Geen van beiden keurde Delores een blik waardig.

Adrienne keek zelden iemand aan. Toen ze Delores voor het eerst in vertrouwen nam over haar twirling-debacle, had ze gezegd: 'Als mensen je eenmaal in je gezicht hebben uitgelachen, blijf je denken dat ze je achter je rug uitlachen. Het is moeilijk om je niet belachelijk te voelen.' Delores had willen antwoorden: 'Ik weet wat je bedoelt. Ik heb altijd het gevoel dat ik op het punt sta door de mand te vallen.' Maar dat was in de tijd dat ze zich nog uitgaf voor een dochter van ouders die zelf op de planken stonden, iemand met 'een beetje Frans bloed', dus ze liet Adrienne haar vernedering alleen dragen en zei niets. Daardoor was Adrienne op haar hoede voor Delores; ze nam aan dat haar stilzwijgen een vorm van afkeuring was.

Nu was alles nog erger geworden. Delores was populair, en Adrienne had ervaren dat de populaire meisjes het onbarmhartigst oordeelden. Het waren per slot van rekening de cheerleaders die de vreselijke bijnaam 'Vonkje' hadden bedacht. Als Adrienne niet naar Delores keek, dan deed Sharlene het ook niet. In een hoek van de eetzaal zaten ze zich met z'n tweeën met hun pannenkoeken te wentelen in hun wrok.

Thelma Foote ging met de anderen staan en zong 'For She's a Jolly Good Fellow'. Die ochtend was ze wakker geworden van de telefoon. Ze had met een geërgerd 'Met Thelma Foote' opgenomen. Een mannenstem had gezegd: 'Met Roy Walker. Ik ben de vader van Delores.' In eerste instantie had ze gedacht: o, nee, niet nog een. 'Wat kan ik voor u doen?' had ze gevraagd. Maar dit was niet het moment om Delores' vader ter sprake te brengen.

Ze zong verder met de rest, en toen ze uitgezongen waren, klapte ze in haar handen om hun aandacht te vragen. 'Oké, eerst een applausje voor kok Braunschweiger die zulke verrukkelijke pannenkoeken heeft gebakken.' Iedereen klapte, en Helen stak twee vingers in haar mond en floot hard en snerpend.

'En een daverend applaus voor Delores Taurus, die helemaal in de geest van Weeki Wachee haar moed heeft getoond en ons allemaal beretrots heeft gemaakt.' Weer klapte iedereen, behalve Adrienne en Sharlene. 'O, en laten we Delores' handlanger, Armando Lozano, niet vergeten.'

Armando had nog steeds het t-shirt en de joggingbroek aan die Thelma hem de avond daarvoor had gegeven. Zijn zijdezachte haar zat in de war, en hij keek de eetzaal in met de toegeknepen ogen van iemand die net wakker is. 'Armando loopt stage bij wgup,' vertelde Thelma verder. 'Hij is tijdens Delores' krachtproef de hele tijd bij haar geweest en heeft haar gisteravond laat nog hierheen gebracht. Hij is strikt genomen geen zeemeerman, maar hij heeft wel meermannenbloed in de aderen. Laten we hem hartelijk welkom heten.' De meisjes knikten naar Armando en bekeken hem eens goed. Hij had volle lippen die uitnodigden tot kussen en een gladde, karamelkleurige huid. Het was een lekker ding, en ze hadden zelden een lekker ding in hun midden gehad. Lester zag de glimlach die Armando en Delores uitwisselden. Het ging heel subtiel, maar hij zag dat Delores ervan moest blozen en dat ze daarna naar de grond keek. Lester bekeek Armando. Hij had een leuke kop, zeker, maar hij had magere armen en een smalle borstkas. Lester bedacht tevreden dat Armando nooit in staat zou zijn twee minuten lang zijn adem in te houden.

'En dan nog iets,' zei Thelma. 'Vandaag is het park gesloten vanwege orkaan Claudia. Dat wil zeggen dat jullie je tijd naar believen kunnen besteden. Er is geen corvee en geen repetitie.' De meisjes rammelden met hun lepel tegen hun glas en slaakten kreten als 'Leve Claudia!'

Thelma sloeg haar armen over elkaar, zette een voet tegen de muur en leunde achterover. Ze kon niet naar de meisjes en Lester kijken zonder te zien wat er verbeterd kon worden. Sharlene moest iets aan haar haar doen. Lesters gezicht vervelde door te veel zon. Blonde Sheila liep nog steeds rond met die domme nonnenglimlach op haar gezicht en de houding van iemand die heel nobele gedachten had. Dan had Thelma liever de ordinaire Blonde Sheila met haar domme onderbroekenlol en haar obsessie met de maagdelijkheid van anderen.

Als ze ooit een zeemeerminnenversie van *Hello, Dolly* zouden doen, zou Helen geknipt zijn voor de hoofdrol. Geen remmingen. In tegenstelling tot die Adrienne. Mijn hemel, wat een potje maakte die ervan: altijd een halve tel te laat, en zo terneergeslagen – helemaal het verkeerde imago voor een Weeki-meisje. Delores moest haar pony bijknippen. Ze had enorme voeten, maar waarschijnlijk kon ze daardoor ook zo hard zwemmen.

Die gedachten dwarrelden door Thelma's hoofd als snippers papier op de wind, en ze bleven om de steen heen hangen die haar terneerdrukte. Thelma wist uit eigen ervaring dat er in het leven altijd een moment is dat een scheiding creëert van voor en na. Voor Thelma was dat moment gekomen toen Ann Blyth de hoofdrol in *Mr Peabody and the Mermaid* had gekregen en zij niet. Terwijl Thelma Delores met de meisjes zag praten en blikken op Armando zag werpen, besefte ze dat dit haar laatste momenten 'voor' waren. Ze zou Delores vertellen over het telefoontje van haar vader en zijn wens haar weer te ontmoeten, en de wereld die ze zorgvuldig had opgebouwd en tot een geheel had gemaakt, zou net genoeg uit balans raken om ervoor te zorgen dat wat nu in evenwicht was, zou instorten.

Iemand moest een grap hebben verteld, want ze lachten en riepen dingen over en weer waar ze nog harder om moesten lachen. Thelma zou wachten tot het rustiger werd en haar dan apart nemen. Ze zou haar voorbereiden door te zeggen: 'Ik ben vanochtend gebeld door iemand die jou kent. Je hebt hem al een poosje niet gezien, maar hij zou je graag weer eens spreken. En heel toevallig werkt hij ook nog hier in de buurt.' Delores zou het meteen weten.

Thelma voerde haar plan uit. Ze vroeg Delores met haar mee te gaan naar haar kantoor en bood haar een stoel aan.

Delores staarde haar aan en herhaalde wat ze had gezegd: 'Iemand die mij kent heeft jou gebeld?' zei ze, in een poging de logica erin te ontdekken. 'Ik heb hem al een poosje niet gezien, maar hij wil me graag spreken? En hij werkt hier in de buurt?'

'Precies,' zei Thelma. 'En je hebt vast wel een idee over wie ik het heb.'

'En ik heb helemaal geen idee over wie je het hebt.'

'Je hoeft me niet na te bouwen, jongedame.' Thelma's stem klonk nu bits. 'Ik geef alleen maar een boodschap door.'

'Sorry. Ik heb de laatste tijd nogal veel verrassingen gehad. Ik heb er wel genoeg gehad. Ik wil alleen maar normaal zijn, hoewel ik intussen niet meer weet wat normaal is.'

'Het is je vader.'

'Wat is mijn vader?'

'Degene die heeft gebeld. Hij werkt in de buurt, in Venice. Hij heeft je gisteravond op tv gezien, en hij wil hier naartoe komen en je spreken.'

Delores blies haar wangen op. 'O jee. Wat moet ik daar nu weer mee?'

'Hem spreken, denk ik. Het is je vader.'

'Wat doet hij hier in Venice?'

'Ja, dat is het hem juist,' zei Thelma. 'Hij werkt bij Hanratty's Circus.'

'Het circus? Nou, dat is ook grappig,' zei Delores. 'Dat is echt grappig.'

Ze begon te lachen. Thelma's aandacht werd weer getrokken door Delores' gebit: ze had grote tanden die schots en scheef in haar mond stonden. Niets wat een orthodontist niet kon rechtzetten, dacht ze.

Delores lachte nu zo hard dat er zich vlekken ter grootte van flinke kevers over haar borst verspreidden. 'O lieve help, het circus,' zei ze, en ze veegde de tranen van haar wangen. 'Ik weet niet wat ik moet zeggen. Ik kom er nog wel op terug.'

Delores liep Thelma's kantoor uit en ging naar het amfitheater. Binnen rook het naar natte wol, en het was er zo leeg als een wenskaartenwinkel na Kerstmis. Ze ging op een bank zitten en staarde naar de Springs achter het plexiglas. De storm had de bodem omgewoeld, en het water was nu niet kristalhelder, zoals gebruikelijk, maar bruin en troebel. Ze dacht aan alles wat er de afgelopen dagen was gebeurd en kreeg weer dat gespannen gevoel in haar maag.

Ze had de laatste tijd het gevoel buiten zichzelf te treden. Ze was niet helemaal weg, maar soms hoorde ze haar stem en vroeg ze zich af wie er praatte. Ze kon zich niet herinneren dat ze gisteravond het besluit had genomen de zee in te rennen en dat kind te redden. Hij was er geweest, en toen zij ook, en alles wat ze nog wist was het water. Zelfs nu kon ze zich nog elke golf herinneren en de kracht van de stroming.

Ze bleef naar het troebele water staren en begreep dat ze naar de plek moest waar ze precies wist wie ze was. Zonder de moeite te nemen zich om te kleden liep ze naar de monding van de Springs. Ze liet zich het water in glijden en begon te zwemmen, deze keer met de stroming mee. Het was kouder dan anders, en ze werd zich bewust van de rommel die langs haar heen dreef: een adressenboekje, een witte kniekous, een hartvormig kussen. Ze vroeg zich af of deze uit woede waren weggegooid, of gewoon waren verloren. Dachten de mensen die die dingen hadden laten vallen dat ze hun spullen nooit meer zouden terugzien? Zouden ze verbaasd zijn te horen dat ze door de storm weer boven water waren gekomen? Soms gebeurde het dat dingen die je voorgoed kwijt dacht te zijn ineens op de meest onverwachte plekken opdoken. Zoals vaders die verdwenen en dan ineens opdoken als circusmedewerker.

Delores zwom tot haar botten pijn deden van de kou. Ze

vroeg zich af waar de dolfijnen en schildpadden heen gingen als het stormde, en ze hoopte tegen beter weten in dat er een naast haar zou komen zwemmen. Ze wilde ook een teken dat het goed met ze ging, maar ze rilde nu van de kou en kon niet langer in het water blijven. Ze liep het water uit en zag iets wat zich bijna onopgemerkt langs de waterlijn verplaatste. Een rots, dacht ze, en keek toen nog eens. Het was een schildpad die schuilde onder een peperstruik. Ze dacht dat het de schildpad was die ze Westie noemde. Terwijl ze naar de slaapkamer terug rende, kregen haar voeten in de modder een zompige cadans: kwijt, terug, kwijt, terug, kwijt, terug. Het geluid ervan, de gedachte erachter, gaf haar hoop.

Toen ze zich had omgekleed en haar haar had gedroogd, ging Delores weer naar Thelma in haar kantoor. 'Ik wil mijn vader wel spreken,' zei ze. 'Ik ben benieuwd wie hij nu is. Echt, de man die ik heb gekend, had niets wat de indruk wekte dat hij ooit in een circus zou gaan werken. Maar, oké, waarschijnlijk had hij van mij ook niet verwacht dat ik hier terecht zou komen. En mijn moeder! Nou, je hebt mijn moeder ontmoet. We waren thuis geen van allen wat we nu zijn. Maar ik heb een vraag: als ik naar hem toe ga, wil je dan met me meegaan?'

'Natuurlijk wil ik met je meegaan.'

'Dank je,' zei Delores. 'Dat zou fijn zijn. Het is toch wel een beetje eng.'

Thelma veronderstelde dat dit niet het moment was om Delores te vertellen dat ze door nog iemand was gebeld, deze keer door een heel beleefde heer, ene David Hanratty, de directeur van Hanratty's Circus. Ook hij wilde de 'getalenteerde juffrouw Torres' spreken.

18

Roy Walker was te zenuwachtig om stil te zitten. Hij ijsbeerde door zijn caravan. Zo moesten de dieren zich voelen, dacht hij: alleen maar kunnen wachten, nergens heen kunnen. Roy was geen echte dierenliefhebber. Hij had nooit een hond gehad, of zelfs maar een vis, en hij vond mensen die zich overdreven aan hun huisdier hechtten een beetje raar. Hij had niet verwacht dat hij iets bijzonders zou voelen voor de circusdieren, behalve dan dat ze meededen aan een klus die geklaard moest worden. En toch wakkerden Lucy en Nehru medeleven en beschermingsdrift in hem aan, wat meer was dan hij voor de meeste mensen voelde. Het raakte Roy dat Lucy zich totaal niet bewust was van haar eigen malle oren en brede glimlach. Ze sprong op de meubelen, omhelsde je met die lange vingers van haar en wist altijd een lach uit je los te krijgen. Roy was met pinda's in zijn zakken gaan rondlopen, zodat hij ze altijd bij de hand zou hebben. Zodra Lucy Roy zag aankomen, kwam ze met haar slingerloop naar hem toe, haar knokkels over de grond slepend. Dan zwaaide ze zich omhoog en sloeg ze haar armen om zijn been, net hoog genoeg om een hand in zijn zak te kunnen steken en de lekkernij eruit te halen. Hoe kun je daar nu niet om lachen?

Maar op dit moment had Roy geen zin in Lucy's gretigheid. Hij was bang voor de gevolgen van zijn telefoontje van die ochtend, en hij had behoefte aan geruststelling. Nehru de olifant vroeg niet om aandacht zoals Lucy dat deed. Ze liet Roy gewoon bij zich toe. Hij liep naar Nehru's kooi en staarde langs de poot van het dier omlaag. Er zat een grote, roestige beugel omheen, die vastzat aan een stalen kogel die ruim tweehonderd kilo moest wegen. Hoewel ze de matriarch van de groep was, zag Nehru er afgemat en gelaten uit, alsof ze het had opgegeven ooit te kunnen uitbreken en te leven zoals ze hoorde te leven. Roy kende dat gevoel. Hij opende de deur van de kooi. De geur van stro en rottende aardappelen kroop tot achter in zijn keel toen hij opkeek in Nehru's schrandere oog.

Droefenis is zo oud als de tijd en even onstuitbaar, mijn vriend.

Roy sprak deze woorden niet uit, maar de gedachte leek tussen hen heen en weer te gaan.

Roy graaide in zijn zak en vond een paar pinda's voor Nehru. Nehru werkte ze met haar slurf naar binnen en boog toen haar schouder en hoofd, zodat Roy achter haar oor kon krabben. Zo brachten ze de rest van de ochtend door; in een stilzwijgende saamhorigheid.

Het telefoontje kwam even na twaalven binnen in Hanratty's kantoor. Hanratty nam op en hoorde Thelma tot zijn verbazing naar Roy Walker vragen. 'Juffrouw Foote,' zei hij. 'Wat een aangename verrassing. Maar, als ik vragen mag, waarom belt u nu Roy Walker, terwijl ik degene ben die u vanochtend heeft gebeld?'

Thelma schatte de situatie snel in en antwoordde: 'Waarschijnlijk heeft hij me ergens anders voor gebeld.'

'Dat kan ik me niet voorstellen,' zei Hanratty.

'Ik weet zeker dat dat wel in orde zal komen.'

'Vreemd. Maar nu ik u toch aan de lijn heb, hebt u tijd gehad om over mijn voorstel na te denken?'

'Om u de waarheid te zeggen, meneer Hanratty, is juffrouw Taurus uitgeput. Ik dacht dat ik dat beter morgen pas met haar kon bespreken.'

'Ja, dat begrijp ik,' zei hij. 'Dan praten we er morgen verder over.'

'Absoluut,' zei Thelma. 'Zou u nu meneer Walker aan de telefoon willen roepen?'

Hanratty trof Roy bij de olifantenkooi aan. 'Ik heb ene Thelma Foote aan de telefoon,' zei hij, de intimiteit tussen Roy en Nehru negerend. 'Ze zou je graag willen spreken.' Hanratty was veel te beleefd om te vragen waar Roy Thelma Foote van kende, maar hij wist wel hoe hij informatie kon loskrijgen uit mensen die er niet zo gul mee waren. Als een gesprek stilviel, had hij niet de neiging om het weer vlot te trekken. Hij liet de stilte zo lang als nodig was tussen hem en de ander in hangen. Uiteindelijk zou de ander dingen zeggen die hij normaal gesproken niet zou zeggen, alleen maar om de ongemakkelijke stilte te vullen.

Zo ging het ook met Roy Walker, ook al weigerde hij zijn baas aan te kijken. Hanratty wachtte. Roy voelde zweetdruppels in zijn nek omlaag rollen. Even dwaalden zijn gedachten af. Waarom zweette hij zo in zijn nek als hij nerveus was? Hij moest iets zeggen. Hanratty keek hem aan. Hij kon daar niet zomaar staan zweten. Daarom zei hij datgene wat het zwaarst op zijn gemoed drukte, wat hij helemaal niet met zijn baas had willen bespreken. 'Ik wil u wat vragen, meneer. Denkt u dat mensen van nature vergevingsgezind zijn?'

'Ik denk dat mensen van nature een beschermingmechanisme hebben,' zei Hanratty. 'Als het in hun belang is om te vergeven, dan doen ze dat. Als dat niet zo is, zijn ze wraakzuchtig. Ik weet bijna zeker dat vergevingsgezind zijn geen aangeboren eigenschap is.'

'Ik heb Thelma Foote gebeld omdat het mijn dochter was die we gisteren op tv hebben gezien – Delores Torres of hoe ze zich tegenwoordig ook noemt. In het echt heet ze Delores Walker. Ik ben ruim twee jaar geleden bij mijn gezin weggelopen, en tot gisteravond had ik geen idee waar mijn dochter was of wat ze

deed. Ik heb vanochtend die zeemeerminnentent gebeld en juffrouw Foote gevraagd of ik Delores kon spreken. Ik denk dat ze
terugbelt met een antwoord. Dat is het. Dat is het hele verhaal,'
zei hij, terwijl hij met een zakdoek zijn nek droogwreef.

Weer daalde er een wolk van stilte tussen hen neer. Als Roy
Hanratty had aangekeken, dan zou hij gezien hebben dat deze
de ogen had van een man wiens brein op topsnelheid werkt.

Deze keer was het Hanratty die de stilte verbrak. 'Misschien
is er een manier waarop we elkaar van dienst kunnen zijn,' zei
hij op zijn efficiënte manier. 'Ik heb haar op het nieuws gezien.
Ze heeft een ongepolijst talent en beseft nog niet half waartoe ze
allemaal in staat is. Ik kan haar helpen. Dat zou jou natuurlijk
ook goed uitkomen.'

'Eerlijk gezegd weet ik niet eens of mijn dochter me wil spreken. Het lijkt me beter als ik die horde eerst neem en we daarna
verder praten.'

Terwijl hij naar Hanratty's kantoor rende, dacht Roy aan het
gesprek dat hij net met zijn baas had gevoerd en aan de open-
hartigheid ervan. Hij dacht aan Nehru's kop en aan het feit dat
zijn dochter een beroemd artiest was. Hoewel Roy Walker niet
bepaald een optimist was, bedacht hij in een verblindende flits
wat alle optimisten altijd denken: dat alles mogelijk is.

Intussen was Thelma Foote, die had moeten wachten terwijl
meneer Hanratty Roy ging halen, zo geërgerd geraakt dat ze een
paar keer bijna had neergelegd. 'Naast al mijn andere taken ben
ik ook nog de secretaresse hier,' zei ze hardop tegen niemand.
'Ik weet zeker dat Dick Pope bij Cypress Gardens niet de koppelaar zou uithangen van een zogenaamde circusartiest en zijn
verloren gewaande dochter. Ik heb wel iets beters te doen.' Tegen de tijd dat Roy de telefoon oppakte, klonk de ergernis in
haar stem door. 'Ik heb geen tijd om te praten,' zei ze, 'maar ik
moest u zeggen dat uw dochter u wil spreken. Kom morgen om
twaalf uur naar Weeki Wachee. Dan heeft ze pauze. Vraag aan

de hoofdingang of ze u naar mijn kantoor willen brengen. Daar zullen Delores en ik op u wachten.'

Roy was dankbaar dat hij niet helemaal uit het leven van zijn dochter was verdwenen en accepteerde de uitnodiging zonder na te denken over hoe hij erheen zou gaan of wat hij zou aantrekken. Hij was bang dat ze hem niet zou herkennen. Hij was afgevallen en had minder haar. De laatste keer dat ze hem had gezien, was hij woedend geweest. Nu werd hij niet meer elke ochtend boos wakker. Hij hield van zijn werk en van de verantwoordelijkheden die erbij kwamen kijken. Was daardoor zijn uiterlijk veranderd? Zou ze het merken? Zou het haar iets kunnen schelen?

Zijn gedachten draaiden op topsnelheid: Hanratty zou me een lift kunnen geven. Nee, ik zou de eerste keer dat ik haar zie alleen moeten zijn. Maar als meneer Hanratty erbij is, is het misschien makkelijker. Hoe dan ook, het zal ongemakkelijk kunnen worden. Nee, het wórdt ongemakkelijk. Ik bof nog als het alleen maar ongemakkelijk wordt. Hmm, misschien vraag ik toch of meneer Hanratty me wil brengen.

Delores ging douchen en liep daarna naar de anderen. De meesten hingen languit op verspreid staande banken. Adrienne en Sharlene zaten in kleermakerszit op de grond. Sharlene keek neer op iets, en haar haar hing als een tent om haar hoofd. Op de radio zong Johnny Cash 'A Boy Named Sue'. Buiten trok de regen geleidelijk weg, en de lucht had de gele kleur van een genezende blauwe plek. Delores perste zich op de bank tussen Armando en Molly in. Haar armen raakten de hunne, en ze voelde de warmte van hun lichamen. 'Je ruikt lekker,' zei Armando. 'Prell-shampoo,' zei ze.

Ze brachten de ochtend door met muziek luisteren en elkaar over hun verleden vertellen. Armando vertelde hun dat zijn ouders uit Cuba kwamen en dat zijn moeder elke keer als hij zei dat hij eens naar Cuba wilde tranen in haar ogen kreeg. Ze wuif-de dan afwerend haar handen voor haar gezicht en zei: 'Daar praten we niet over. We gaan daar nooit meer naar terug.' Molly vroeg of er iemand ooit in het buitenland was geweest. Uitgerekend Sharlene keek op en zei: 'Ik ben eens in Windsor in Ontario geweest, maar dat zal wel niet meetellen.'

Enge Sheila zei dat ze, toen ze een jaar of twaalf was, met haar ouders een week naar Sint Maarten was geweest, maar dat ze eerder naar huis hadden gemoeten omdat haar vader een zeldzame bacteriële infectie had opgelopen die shigella heette. En Delores zei dat als ze mocht kiezen waar ze naartoe wilde, dat ze dan naar Frankrijk zou gaan. 'Mijn moeder zei altijd dat ze een beetje Frans bloed had,' zei ze. 'Maar dat was alleen maar omdat ze van lever hield en de Fransen volgens haar ook van lever houden.'

Voor ze het wist had ze hun alles verteld: over haar moeder en het modetijdschrift, over Westie en zijn oppas die net was gestorven, en over haar vader die ruim twee jaar geleden was verdwenen – hoewel ze het niet kon opbrengen het laatste nieuws over het circus te vertellen. 'Ik ben niet wie jullie eerst dachten dat ik was,' zei ze, en ze lette op hun reactie. 'Maar nu wel. Nu ben ik dat wel.'

'Jezus, denk je dan dat wij zijn wie we beweerden te zijn?' vroeg Enge Sheila. 'Je denkt toch niet echt dat ik ooit nog naar de universiteit van Florida ga, hè? Ze zouden me niet eens toelaten, al zou ik het willen. Ze hebben tegen mijn ouders gezegd dat ik een alcoholprobleem had. Dat was zachtjes uitgedrukt.' Ze rolde met haar ogen.

'Als je iets over drankproblemen wilt horen: mijn pa was elke ochtend al een eind heen voordat hij naar zijn werk ging,' zei Blonde Sheila. 'Voordat ik hier kwam, heb ik mijn moeder met een jongen uit de buurt in bed betrapt. Het was een hippie van negentien.'

En toen liet Lester van zich horen. 'Toen mijn vader hoorde dat ik hier als zeemeerman was aangenomen, gaf hij me een mep in mijn gezicht. Maar ik ben toch gekomen.'

Molly wierp Adrienne een blik toe. 'En jij dacht dat je problemen had,' zei ze, doelend op de act met de vlammende twirlingbaton op de footballvelden van Zephyrhills High.

Het was alsof ze één groot gezin vormden, zoals ze daar samen op de bank op een regenachtige dag elkaar hun geheimen vertelden. En die middag zaten ze in elk geval allemaal in hetzelfde schuitje: kinderen die volwassen problemen hadden gehad.

Later op de middag keek Armando op zijn horloge. 'We kunnen maar beter weer naar de studio gaan,' zei hij tegen Delores. 'Sommers zal wel denken dat we zijn verdronken. Alweer.'

'Moet jij niet even iets anders aantrekken voor we gaan?' vroeg ze.

Armando was vergeten dat hij nog steeds Thelma's trui en joggingbroek aan had. 'O jee, ik vraag me af of ik nog wel kleren heb,' zei hij. 'Misschien kan ik wel een meermanpak aan.'

'Dat lukt niet. Je bent te mager.'

Armando spande zijn spieren en zei met zware stem: 'O ja? Nou, ik heb meer bijzondere eigenschappen dan je achter mij zou zoeken.'

Delores lachte. Hij was niet bepaald een ruige bink. Dat vond ze wel leuk aan hem.

'Kom op, Muhammed Ali, we gaan kleren voor jou zoeken.'

Ze liepen over het gras naar Thelma's kantoor. Thelma zat in haar stoel, met haar rug naar hen toe en haar schoenen op de vensterbank.

'Klop, klop,' zei Delores.

Thelma draaide zich om in haar stoel. Ze had de ontspannen uitdrukking op haar gezicht van iemand die diep in gedachten verzonken was.

'Ik denk dat ik weet wat jullie komen doen,' zei ze, en ze haalde Armando's pasgewassen broek en trui uit een la. Het was niet genoeg dat ze koppelaar en secretaresse was. Nu moest ze ook nog wasvrouw spelen. Thelma nam aan dat deze inspanning, net als zoveel van haar andere inspanningen, onopgemerkt en ongewaardeerd zou blijven. Maar toen ze hem de kleren gaf en zei: 'Alsjeblieft, jongeman, die zul je nodig hebben,' boog Armando zich over haar heen en kuste haar boven op haar hoofd. 'Je bent een engel,' zei hij. 'Een engel uit de hemel.'

Het was lang geleden, een heel leven geleden, dat iemand Thelma boven op haar hoofd had gekust. Een 'engel'? Haar lach klonk geschrokken. 'Zo zouden de meeste mensen me niet omschrijven.'

'Dan kennen de meeste mensen jou niet,' zei hij.

Thelma knipperde met haar ogen en keek Armando aan alsof hij in een vreemde taal had gesproken. Ze wist niet of hij echt zo aardig was, of dat hij een meester was in het hielen likken.

Armando rende weg om zich om te kleden. 'Aardige jongen,' zei ze, en ze knikte alsof ze het met zichzelf eens was.

In de bus op weg naar de studio zetten Armando en Delores de radio aan, en net op dat moment begon Roberta Flack haar nieuwe hit 'Killing Me Softly' te zingen. Toen ze bij het stuk kwam over *strumming my pain with his fingers* richtte Armando zijn oor op de radio. 'Niet bepaald een tekst voor jeugdige luisteraars, vind je wel?' vroeg hij. Delores legde haar hand op zijn been en hield hem daar tot ze bij WGUP waren. Zo'n dag was het.

Als Alan Sommers van slag was geweest door de gebeurtenissen van de dag daarvoor, had hij zich snel hersteld. Hij droeg de laatste tijd een gouden ketting om zijn nek. Die middag had hij ook zijn overhemd twee knoopjes verder open gelaten dan anders en hij rook naar aftershave. 'Hé, schoonheid,' zei hij toen hij Delores zag. 'Hoe gaat het in de reddingsbusiness? De pers zit me de hele dag op de hielen. Poeh, al die publiciteit. We staan op de kaart. Op de wereldbol. In de stratosfeer!' Hij vroeg Armando: 'Heb je lekker geslapen, vriend?' Hij knipoogde. 'Dat zal best.' Van het ene moment op het andere liet hij zijn plagende toon varen. 'Mensen,' riep hij naar de technici, 'luister even. We hebben nog drie kwartier. Ik wil dat het vanavond vlekkeloos gaat. Dit is geen lokale tv meer. De hele wereld kijkt.'

Ongeveer op dat moment liep Roy naar het Reuzencafé. Hanratty zat er aan de bar met een kop thee en een tosti. 'Nou, meneer Walker, ik heb het zeldzame genoegen om twee keer op een dag van uw gezelschap te mogen genieten,' zei Hanratty, terwijl hij zijn mondhoeken depte met een servet. 'Komt u bij me zitten?'

Roy ging op de kruk naast hem zitten. 'Ik spreek haar morgen om twaalf uur,' fluisterde hij. Hij klonk als een man die werd afgeluisterd. 'Ik dacht, misschien wilt u met me meegaan.'

Hanratty was sluw genoeg om te weten dat Roy zonder hem Weeki Wachee niet kon bereiken. 'Wat vriendelijk van u,' zei hij. 'Misschien wilt u met me meerijden.'

'Ja, dat zou heel fijn zijn. Dank u.'

Rex kwam naar hen toe en nam Roys bestelling op: limoen-roomtaart en een glas melk.

Net als in een film keken de drie mannen tegelijkertijd op hun horloge en staarden ze naar de televisie.

'Het wordt moeilijk om het spektakel van gisteren te evenaren,' zei Rex. Ze knikten alle drie en zagen de camera inzoomen op een ernstige Chuck Varne. Alsof hij hen had afgeluisterd, opende Chuck de uitzending met de woorden: 'Gisteravond waren we getuige van een buitengewoon moedige daad van iemand van ons eigen wgup-nieuwsteam. Weermeisje Delores Taurus was uitgezonden om verslag te doen van de schade die orkaan Claudia had veroorzaakt. Ze stond bij de oceaan op Belleair Beach toen ze een jongetje zag dat door de woeste golven werd meegesleurd. Juffrouw Taures heeft zonder aarzelen haar microfoon laten vallen en is het hulpeloze kind achterna gezwommen, vechtend tegen het natuurgeweld. Vanavond laten we u de beelden zien van die beangstigende momenten die, gelukkig voor iedereen, afliepen met een overwinning op de zee.'

Weer keken ze naar Delores' reddingsactie, en hoewel ze wisten hoe het zou aflopen, lieten Hanratty en Roy hun bord even met rust en slaakte Rex een zucht van opluchting toen Delores en het jongetje eindelijk op het strand aankwamen.

'Dames en heren,' zei Varne, 'dit is nog nooit vertoond op televisie: het liveverslag van een wonder dat zich voor uw ogen voltrekt. Voor sommigen van ons is dit de reden dat we bij de televisie werken.' Varne was ontroerd door zijn eigen woorden, en hij moest zijn keel schrapen voor hij verderging. 'En vanavond hebben we een exclusief interview met Lee Alexander, de vader van het jongetje dat Delores Taurus uit de klauwen van orkaan Claudia heeft gered. We zijn zo bij u terug.'

Toen Chuck weer in beeld kwam, zat er een graatmagere man naast hem. Lee Alexander had gemillimeterd haar en een grote adamsappel die op en neer wipte wanneer hij slikte. De camera zoomde in op het gezicht van de man toen Chuck verderging: 'Terwijl Delores Taurus de zee in zwom om zijn zoontje van zes te redden, stond Lee Alexander versteend van angst en wanhoop toe te kijken.' Chuck zweeg even, terwijl ze het beeld van Lee Alexander lieten zien, die op het strand naar de redding stond te kijken. Zijn armen waren inderdaad voor zijn borst gekruist en hij stond voorovergebogen, alsof hij wilde voorkomen dat zijn ingewanden naar buiten zouden komen. Chuck vervolgde: 'Dankzij de heldhaftige inspanningen van onze eigen Delores Taurus is de kleine Danny veilig en zit hij vanavond naar zijn vader op tv te kijken. Lee Alexander, welkom in de studio.'

Alexander staarde in de camera en slikte krampachtig. 'Welkom,' zei hij.

Iedereen op de set was bang dat dit een lastige zou worden – iedereen behalve Chuck, die er ervaring mee had mensen woorden in de mond te leggen.

'Meneer Alexander, het moet verschrikkelijk zijn geweest te moeten toekijken hoe uw zoontje de zee in werd gesleurd. U moet zich onvoorstelbaar ellendig hebben gevoeld. Kunt u ons vertellen wat u toen voelde?'

Lee Alexanders mond was gortdroog en zijn tong plakte tegen zijn verhemelte. 'Het voelde als het einde van de wereld...' (slik) '... alsof mijn leven voorbij was. Mijn familie en ik zijn zo dankbaar. Echt, meer kan ik niet zeggen.'

Tranen sprongen in zijn ogen. Zijn mond vertrok toen hij probeerde niet te huilen. De camera smulde ervan. Chuck, die werd overmand door de rauwe emoties van livetelevisie, pinkte een traan weg. 'Meneer Alexander,' zei hij met krakende stem, 'wij van W G U P en de mensen in Tampa leven mee met uw blijdschap. We wensen de kleine Danny en de rest van de familie Alexander veel geluk.'

Lee Alexander, met zijn springerige adamsappel, knikte naar Chuck op een manier die duidelijk maakte dat deze bezoeking wat hem betrof voorbij was.

Het was nu kwart over zes, tijd voor reclame. 'Straks,' zei Chuck, 'hebben we het laatste nieuws over orkaan Claudia, en daarna het weer door onze eigen heldin Delores Taurus.'

Roy en Hanratty rechtten hun rug. Rex, die niet wist dat Roy Hanratty over Delores had verteld, deed alsof er niets bijzonders aan de hand was.

Na de reclame kwam Delores in beeld. 'Morgenochtend zal het opklaren en tegen de middag is de zon weer helemaal terug, met achtentwintig graden – goed nieuws voor Roy Walker in het circus in Venice.'

Niemand in het Reuzencafé keek de anderen aan. Roy greep de bar met beide handen vast en dacht dat, als hij hier alleen zou zitten, hij op en neer zou springen en zijn vuist triomfantelijk in de lucht zou steken. Maar omdat hij niet alleen was, bleef hij stil zitten en schraapte hij het laatste restje taartbodem van zijn bordje. Rex ving Roys blik en knipoogde naar hem. Toen het weerbericht was afgelopen, verkondigde Hanratty dat Delores Taurus 'het helemaal had', voordat hij zijn tanden in de rest van zijn tosti zette.

19

Roy werd die ochtend vroeger wakker dan anders. Normaal gesproken liep hij vijftien keer om zijn bed heen, stapte dan in zijn kleren, ging de dieren voederen, hun hokken uitmesten, om daarna terug te komen en te douchen. Hij kleedde zich altijd routinematig aan en droeg bijna altijd hetzelfde: een kaki short, een wit t-shirt en bruine leren sandalen. Hij zag eruit zoals hij eruitzag, en in de spiegel kijken, daar schoot hij niets mee op. Maar toen hij deze ochtend zijn taken had volbracht en zijn oefeningen had gedaan, nam hij wat meer tijd om te douchen en zorgde ervoor dat alle zeep uit zijn haar was gespoeld.

Het koude water bracht zijn gedachten op gang. Delores was een schoonheid geworden. Hij had het niet verwacht. Hoe zou hij tegen haar praten? Wat zouden ze zeggen? Zou hij haar vertellen dat hij zich op zijn gemak voelde bij de dieren? Proberen uit te leggen hoe gevangen hij zich had gevoeld en waarom hij was weggegaan? Zich verontschuldigen? Hij kon maar beter voorzichtig zijn. Ze was duidelijk een slimme meid – dat had hij ook niet verwacht – en hij wilde het niet riskeren dat hij banaal klonk. Hij wilde haar laten weten dat hij tevreden was met zijn leven, gelukkig zelfs.

Hij stapte onder de douche vandaan en sloeg een handdoek om zijn middel. De spiegel tegen het metalen badkamerkastje was ongeveer zo groot als een etensbord, net groot genoeg om zijn hele gezicht eens goed te kunnen bekijken. Hij stak zijn tong uit, trok zijn lippen op en bestudeerde zijn tanden en tandvlees. Hij was het spleetje tussen zijn voortanden helemaal vergeten, zoals mensen met sproeten vergeten dat die sproeten er zijn. Hij liet zijn tong eroverheen gaan en hield hem daar even. Hij boog zich naar de spiegel toe en keek naar zijn haargrens. Had hij altijd zo'n hoog voorhoofd gehad of trok zijn haargrens terug? De rest van zijn haar viel in manen in zijn nek; misschien moest hij het in een staartje doen. Nee, dan zou hij net zo'n hippie lijken. Nu wenste hij dat hij Carmen zijn haar had laten knippen, zoals ze al zo vaak had aangeboden, in plaats van het zelf te knippen. Hij keek naar zijn ogen. Hoe kon hij nu niet hebben gezien dat ze klein en grijs waren en dat er wallen onder zaten?

Aan mijn ogen, dacht Roy, kun je mijn leven beter aflezen dan aan de rest. Hij had de neiging mensen niet aan te kijken, iets wat er, achteraf bezien, voor zorgde dat hij ontwijkend en onzeker overkwam. Hanratty. Dat was een man wiens blik de jouwe vasthield. Zijn ogen dwongen aandacht af en gaven hem een ferme en krachtige uitstraling. Dat zou Roy onthouden. Hij liet zijn hand over zijn buik gaan. Geen vetkussens. Dat was zijn enige sterke punt: zijn figuur. Hij woog geen grammetje te veel, en met al zijn oefeningen en het inspannende werk dat hij deed was hij sterk als nooit tevoren. Door de hele dag buiten in de zon te werken was zijn huid ook prachtig goudbruin, de kleur van pindakaas, geworden.

De vraag wat hij aan zou trekken, was snel beantwoord. Hij zou het schoonste witte t-shirt aandoen en een redelijk nieuwe spijkerbroek. Natuurlijk zou hij de Yankees-pet opzetten. Waarschijnlijk kende ze die nog wel. Raar om je zo druk te maken over de indruk die je op je dochter maakte, terwijl hij moest toegeven dat hij haar de eerste dertien jaar van haar leven amper een blik waardig had gekeurd. Gail had hem eens een egocentrische rotvent genoemd. Destijds had hij geen flauw idee gehad waarom ze dat zei.

Als kind was hij heen en weer verhuisd van het ene ongast-vrije familielid naar het andere. Ze hadden geen van allen de be-hoefte of neiging gehad hem regels op te leggen. En toen was hij Gail tegengekomen, die ook uit een liefdeloos nest kwam. Ze hadden bij elkaar de mogelijkheid herkend om de cirkel te doorbreken. Toen ze vier maanden later zwanger raakte van De-lores, hadden ze besloten deze baby te laten komen en te trou-wen. Hij zou naar de vakschool gaan en elektricien worden. Iedereen zei dat hij er aanleg voor had. Ze zouden een gelukkig gezinnetje vormen. Maar toen Delores was geboren, hadden ze het krap. Roy ging van school af en nam een baantje in een krui-denierswinkel. Gail had geen energie voor seks, en ze had ook geen zin als hij er zin in had. Hoe meer ze van de nieuwe baby ging houden, hoe driftiger hij werd. Toen hij wegging, zat er nog steeds een vlek op de slaapkamermuur van de kop koffie die hij er tegenaan had gegooid toen ze een keer thuiskwam met een schortje van drie dollar voor de tweejarige Delores.

Aan die dingen dacht hij terwijl hij zijn gezicht insmeerde met scheerschuim. Hij herinnerde zich dat Delores op de dek-sel van de wc kwam zitten om geboeid toe te kijken hoe hij zich schoor. Soms deed hij wat schuim op haar wang en 'schoor' hij het met de botte kant van het mes weg. Dan voel-de ze met haar vingers over haar gladde wang en ging ze haar moeder vertellen dat papa haar had 'geschoren'. Zie je wel, er waren wel goede herinneringen. Hij hoopte dat zij ze ook zou onthouden.

Toen hij klaar was deed hij wat Aqua Velva op.

Om precies tien uur stond Roy in Hanratty's kantoor. Hanrat-ty had gezegd dat hij niet het risico wilde lopen dat ze in het verkeer vast kwamen te zitten. 'Een afspraak om twaalf uur is een afspraak om twaalf uur,' had hij tegen Roy gezegd. Hanrat-ty had een tweedkostuum aan met bijpassend vest, een geel overhemd met gouden manchetknopen in de vorm van een hoge hoed. Naast elkaar zagen de twee mannen eruit als tegenpolen, als Skit en Skat, de twee clowns van het circus. Skit was slank en droeg sjofele kleren. Hij 'verraste' Skat altijd door hem met een rubberen hamer op zijn hoofd te slaan en water in zijn gezicht te spuiten. Skat was dik en lomp en droeg een gestippelde vlinderdas en een veel te groot vestzakhorloge. Hoewel hij duidelijk slimmer en beter gekleed was dan Skit, kon Skat nooit aan de strapatsen van de meer beweeglijke clown ontkomen. Roy vond het beter de vergelijking met Skit en Skat niet te noemen, maar hij wist zeker dat Hanratty het zelf ook wel had gezien.

Het tweetal nam plaats in de Chevy Impala van Hanratty. Hanratty reed langzaam, met beide handen aan het stuur. Hij boog zijn lichaam almaar naar voren en weer terug, alsof het de auto daarmee kon voortstuwen. Ze zeiden niets, behalve toen Hanratty aan Roy vroeg: 'Heb je al bedacht wat je gaat zeggen?' En Roy antwoordde: 'Ik heb nooit geweten hoe ik dat moest doen. Ik denk dat als het zover is, ik gewoon zeg wat in me opkomt.'

Terwijl de twee mannen reden, was het laatste deel van Delores' ochtendshow aangebroken, een reprise van een van hun klassieken, *The Wizard of Oz*. Ze speelde de Boze Heks van het Westen; Blonde Sheila was Dorothy. Contra-intuïtief casten noemde Thelma het. Dolores zou maar een half uur hebben om haar heksenmake-up te verwijderen en zich voor te bereiden op de ontmoeting met haar vader. De logistiek van het geheel zat haar dwars, maar dat was misschien maar goed ook, want het leidde haar af van haar zorgen.

Niets kon Thelma van haar zorgen afleiden. Het vooruitzicht meneer Hanratty en Roy te ontmoeten bezorgde haar niets dan ergernis. Beoordeeld worden, beleefd converseren en doen alsof ze een man tolereerde die zijn gezin in de steek had gelaten.

Thelma had haar leven zo georganiseerd dat ze dergelijke omstandigheden kon vermijden. Ze had ontdekt hoe ze met Alan Sommers moest omgaan, maar dat was meer dan genoeg wat vreemdelingen betrof. Ze zat in de onderwatercabine van waaruit ze de show regisseerde en piekerde over wat er stond te gebeuren. Even liet ze haar blik afdwalen naar de linkerkant van het toneel, waar het kasteel van de heks stond. Er was iets niet in orde. Rechts boven de kasteelpoort zat een blauwige, moskleurige vlek, iets wat er nog nooit had gezeten. Thelma kneep haar ogen halfdicht; langzaam drong het tot haar door wat ze zag. 'Die godvergeten algen,' riep ze. Haar woorden zouden binnenskamers zijn gebleven als de microfoon niet aan had gestaan. Nu kon iedereen die onder water was precies horen wat ze zei.

Ze waren net op het punt waarop Dorothy water over de Boze Heks zou gieten, waardoor die zou verdwijnen. Thelma's stem galmde door de tank, en Blonde Sheila, die de naam van de Heer ijdel hoorde gebruiken, vergat hoe ze onder water moest blijven en schoot naar het oppervlak. Zonder Dorothy die haar in het water moest oplossen, kon de Boze Heks niets anders doen dan naar de zijkant zwemmen en hopen dat Blonde Sheila weer zou terugkomen. Thelma had geen idee wat er aan de hand was. 'Sheila,' riep ze, 'hou je adem onder controle en kom naar beneden. Delores, waar ga jij nu heen? Naar het midden, nu meteen!'

Alles viel voor Thelma's ogen in duigen. Blonde Sheila probeerde zich onder water te werken, maar haar concentratie was dusdanig verstoord dat het niet lukte. Terwijl ze naar het oppervlak dreef, deed ze een schietgebedje: 'Heer, weet alstublieft dat ik het niet was die Uw naam ijdel gebruikte. Vergeeft U het Thelma Foote alstublieft. Als ze algen ziet, slaat ze door.'

Dolores wist niet wat ze nu moest doen en zwom naar het midden, waar ze wachtte tot Thelma iets zou bedenken. Thelma riep om het doek en de muziek. 'Somewhere Over the Rainbow' weerklonk en het verbaasde publiek klapte beleefd, terwijl iedereen zich afvroeg wat hij had gemist.

Thelma staarde naar de lege tank voor haar. Omdat 'Jingle Shells' en 'Mr Peabody and the Mermaid' altijd in haar gedachten waren blijven rondspoken, had ze onbewust gewacht tot het nog een keer zou gebeuren.

Terwijl Thelma treurde over haar mislukking, zat Delores in de warmtekamer te rillen met Molly, die de Laffe Leeuw had gespeeld. 'Die stomme Blonde Sheila ook,' zei Molly. 'Omdat zij het licht heeft gezien, hoeft nog niet iedereen zich te bekeren.'

'Ik heb met haar te doen,' zei Delores. 'En met die arme Thelma. Over hard werken gesproken – zij krijgt iedereens ellende over zich heen.'

'Maar Thelma roept dat over zichzelf af.'

'Ja, maar ga eens na, Molly. Als zij dit allemaal niet deed, wie zou het dan doen? Ik vind dat ze niet genoeg wordt gewaardeerd hier.'

'Dus Thelma is je nieuwe boezemvriendin?'

'Nee, maar ze bewijst me nu een gigantische dienst.'

'O, en jij bewijst haar zeker geen gigantische dienst?'

'Nee, ik bedoel niet beroepsmatig. Op het persoonlijke vlak bewijst ze me een dienst.'

'Wat doet ze dan?'

'Dat vertel ik je als je zweert het niet door te vertellen,' zei Delores zachtjes.

Molly trok een kruis over haar borst. 'Ik zweer het.'

Delores vertelde haar over haar vader en de ontmoeting van die middag. 'Ik bedoel, ik heb hem ruim twee jaar niet gezien of gesproken. Ik weet niet eens of ik hem nog wel herken. En wat zeg je dan van het circus?'

Molly begon te lachen. Ze sloeg haar hand voor haar mond

om haar lach in te houden, maar het was te laat. 'Ik lach je niet uit, Delores, maar eerlijk, dat verzin je toch niet.'

Door het incident tijdens *The Wizard of Oz* was Thelma zo van slag dat ze overwoog de ontmoeting met Hanratty en Roy af te zeggen. Maar ze luisterde naar haar gezond verstand. Het meisje moet haar vader spreken, dacht ze. Die Hanratty is een zakenman van formaat, iets waar ze hier een schreeuwend gebrek aan hebben. Misschien is dit de bewuste buitenkans, en die krijg ik niet zo vaak.

Opgekikkerd door haar eigen peptalk wreef Thelma talkpoeder in de vuile plekken op haar schoenen en trok een schoon kaki uniform aan. Ze borstelde haar haar achter haar oren en schoot een windjack aan dat net van de wasserij kwam. Tijdens deze ontmoeting was ze manager en agent. Makkelijk, altijd makkelijk als je wist wat je rol was. Ze was de eerste die bij haar kantoor aankwam. Ze schoof drie stoelen naar elkaar toe, zodat ze naar haar bureau gericht stonden. Het zou de ontmoeting vorm en hiërarchie geven, en het zou duidelijk maken dat alle discussie via haar moest lopen.

Tegen twaalf uur had ze alle paperassen van haar bureau gehaald. Een paar weken geleden was er een fotograaf van *National Geographic* langsgekomen die wat foto's van de zeemeerminnen had willen maken. Een van de opnames was van Delores die onder water zichzelf in een handspiegel bekeek en haar haar borstelde. Haar haar lag als zeewier in het water uitgespreid, en Delores had een zelfingenomen, enigszins uitdagende glimlach op haar gezicht. Lester had de foto uitvergroot tot posterformaat ('Een goede foto voor lastminutereclame, mocht het eens nodig zijn,' zo zei hij) en nu hing Thelma hem op achter haar bureau, zodat niemand hem over het hoofd kon zien. Om één minuut voor twaalf kwam Delores aan in een gebloemde wikkelrok, een witte katoenen blouse met afhangende schouders en een paar strokleurige espadrilles. Met haar natte haar, dat in een

paardenstaart was samengebonden, zag ze er gezond en levens-
lustig uit, als een meisje dat tot op de laatste druppel van het leven geniet en er geen moment van wil verspillen. Thelma vroeg
zich af of haar vader het zou zien.

Om precies twaalf uur klonk er een stevige roffel op de deur.
'Binnen,' zei Thelma, nauwelijks in staat het ongeduld uit haar
stem te weren. Eerst kwam Hanratty binnen. Hij nam zijn hoed
af en boog diep. 'Hoe maakt u het? Ik ben Dave Hanratty. Juffrouw Foote, neem ik aan?' zei hij. Hij greep Thelma's hand en
keek haar in de ogen. 'Neemt u mij niet kwalijk, maar ik had me
iemand voorgesteld... eh... Hoe zal ik het zeggen? Een minder
modern persoon. Wat een aangename verrassing.'

Toen richtte hij zich tot Delores. 'En u moet de dappere Delores Torres zijn.' Hij sprak het nog steeds op zijn Spaans uit.

'Taurus. Het is Delores Taurus,' zei ze, en ze probeerde haar
hand los te trekken uit zijn stevige handdruk. Zijn ogen boor-
den zich in de hare, maar ze werd afgeleid door een geur, een bekende, scherpe dropgeur. Sen-Sen, de ademverfrissende drop-
jes. Haar vader. Ze rook hem voor ze hem zag. Daar stond hij,
met zijn handen gevouwen voor zich, alsof hij op het punt
stond iemand een voetje te geven, en met naar opzij schietende
ogen, als altijd. Ja, dat wist ze nog – dat en hoe waterig ze vaak
waren. Hij zag er anders uit, ook al had hij nog steeds die af-
tandse oude Yankees-pet op. Sterker. Duidelijk bruiner. Meer
ontspannen, misschien.

Roy Walker nam zijn dochter in zich op. Was ze altijd zo in-
drukwekkend geweest? Ze was mooi, hartverscheurend mooi,
met haar kracht en zelfvertrouwen. Alle ogen waren op hem gericht, terwijl zijn stilzwijgen de kamer vulde. Delores doorbrak
het moeilijke moment door haar gezicht vlak voor het zijne te
houden en langzaam met haar hand te zwaaien. 'Hé, weet je
nog wie ik ben?'

'Ben jij familie van Delores Walker?' vroeg hij.

'Wie wil dat weten?'

'Haar vader.' Hij kromp ineen toen hij het zei, en wist niet zeker of hij nog het recht had om haar als zodanig op te eisen. Hij zette zijn pet af en boog zijn hoofd. Ze zag de kale plek. Die had er vroeger niet gezeten.

Thelma sloeg met vlakke hand op haar bureau. 'Oké, zo is het genoeg,' zei ze, omdat ze er geen begrip voor kon opbrengen dat Roy zijn dochter niet in de ogen kon kijken. 'We willen geen van drieën tijd verspillen, dus laten we het hebben over de reden dat we hier allemaal zijn. Hanratty, je lijkt me een doelgericht man. Wat brengt je naar Weeki Wachee?'

Hanratty schraapte zijn keel en schoof op zijn stoel naar voren. 'Twee dagen geleden hebben we, net als iedereen in deze omstreken, met acute fascinatie zitten kijken naar juffrouw Taurus – heb ik het goed uitgesproken? – terwijl ze haar heldhaftige reddingsactie uitvoerde. Nu ben ik al bijna dertig jaar circusimpresario en ik heb een fijn gevoel ontwikkeld om talent en charisma te herkennen. Het was me onmiddellijk duidelijk dat juffrouw Taurus in grote mate over beide beschikt. Op dat moment was ik me er niet van bewust dat haar vader bij mij in dienst was – wat een geweldig toeval. Toen meneer Walker me vertelde dat juffrouw Taurus zijn dochter was, kwam het meteen bij me op dat er een potentiele symbiotische relatie is tussen Hanratty's circus en Weeki Wachee Springs. Het leek bijna voorbestemd, als je in dergelijke dingen gelooft. Maar goed, eerst dacht ik dat juffrouw Taurus een van de Hanratty-acts zou kunnen worden, maar dat leek me te weinig body hebben. Met al die trucs die ze in Orlando uithalen, vroeg ik me af: wat kunnen wij nu eens brengen dat zij niet kunnen bieden? Hoe kun je een pretpark aftroeven waar miljoenen dollars in zijn gestoken, met alle moderne foefjes en trucages die er maar te koop zijn? En het antwoord kwam, zuiver en eenvoudig. Mensen, echte dieren: alles wat we doen, is echt.'

Hanratty wist wanneer hij even moest zwijgen, wanneer hij zijn stem moest verheffen, hoe je een publiek moest bespelen. Zelfs de doorgaans prikkelbare Thelma Foote kon haar ogen niet van hem afhouden.

'We zijn ons bewust van de talenten van juffrouw Taurus, maar haar vader, meneer Walker, heeft ook z'n sterke kanten. Ik heb hem bezig gezien met de dieren, vooral met de olifanten, en ik kan u vertellen dat hij een heel persoonlijke en bijzondere band met ze heeft. Juffrouw Foote, u hebt onder water een enorm succesvolle attractie ontwikkeld. Zou het geen geweldig idee voor uw park zijn om ook een spektakel te brengen?'

Thelma liet haar vingers over haar lip gaan en zei toen: 'Meneer Hanratty, uw idee heeft potentie. Maar mijn eerste zorg betreft de meisjes. Ik zou niets willen doen waar hun show bij in het niet valt.'

'Natuurlijk niet,' zei Hanratty met een knik.

'Aan de andere kant,' vervolgde ze, 'is alles wat bekendheid en omzet genereert altijd welkom.'

'Mag ik u iets vragen? Hoe diep is Weeki Wachee Springs?'

Delores en Thelma keken elkaar niet-begrijpend aan.

'De Springs zijn op het diepste punt vijftien meter,' antwoordde Thelma.

'Mooi,' zei Hanratty, en toen zweeg hij even. Voordat hij zijn idee op tafel legde, maakte hij met iedereen oogcontact. 'Zoals u allemaal weet, zijn olifanten dol op zwemmen. Ze besproeien zichzelf met hun slurf. Het is een natuurlijk koelsysteem voor ze, omdat het water in hun huidplooien blijft zitten en daar langzaam verdampt. Maar er is nog iets. Ze zwemmen met hun mond onder het wateroppervlak en gebruiken hun slurf als een soort snorkel. Er zijn zelfs mensen die geloven dat de olifant verwant is aan de lamantijn. Wat een toeval, nietwaar?'

Thelma hoorde de opwinding in Hanratty's stem groeien, en ze werd er onrustig van. Ze begon te plukken aan een plekje op haar windjack waar een foutje in het weefsel zat.

Hanratty richtte zijn blik op Roy, die naar zijn handen keek, die hij tegen elkaar wreef. Hij was zich er niet van bewust geweest dat zijn baas had gezien wat voor relatie hij met Nehru had.

'Ik weet zeker dat we met onze creatieve gaven iets kunnen bedenken om de olifanten en de zeemeerminnen in het water bij elkaar te brengen op een manier die publiek uit de hele staat trekt, uit het hele land zelfs.'

Delores rolde met haar ogen. Eerst moest ze van die eikel van een Sommers in een badkuip op televisie, en nu wilde deze malloot haar met olifanten laten zwemmen. Dat zou dus echt niet gebeuren.

Na een poosje zei Thelma: 'Olifanten en zeemeerminnen. Echt, meneer Hanratty, ik vind het te vergezocht. Zelfs voor een circusimpresario.'

Roy keek op en staarde naar Hanratty's schouder, terwijl hij zei: 'Nehru is bijna veertig. Het zou wel heel veel gevraagd zijn haar dat te laten doen.'

Toen zei Delores: 'Ik ben degene die met de olifant het water in moet. Kan het iemand iets schelen wat ik ervan vind? Ik ben niet dol op olifanten. Ik vind ze zelfs een beetje eng. Ik blijf liever onder water en laat de olifanten liever op het land.'

Hanratty sloot zijn ogen. 'U ziet het niet voor u, hè?' zei hij, en hij klonk gepijnigd.

Het was waar. Alleen Hanratty beleefde plezier aan vergezochte mogelijkheden.

'Snapt u het niet?' vroeg hij. 'De zeemeermin – half dier, half mens – en de olifant, het grootse en grootste dier uit het dierenrijk. In z'n omvang alleen al is hij mythisch. Het onderbewuste zal de magie ervan erkennen; alleen doffe en cynische geesten zullen zich ervan afwenden.'

Thelma liet haar kin op haar duimen rusten en hield haar

handen voor haar gezicht, als in gebed. Hanratty's frustratie was tastbaar. Meestal was zij degene die mogelijkheden zag waar anderen te lui of onwillig voor waren. Het raakte haar hoe bevlogen hij vertelde. Zij en Hanratty waren uit hetzelfde hout gesneden: hij was een echte showman. Dat ambieerde zij wel, maar haar echte talent lag erin dat ze een echte zakenvrouw was en een goede manager. Ze dacht aan Alan Sommers, die vergeleken hierbij een lichtgewicht was. Sommers was marketingman, iemand die begreep wat commercieel handig was. Maar Dave Hanratty, die had het. Ze besefte dat ze tot op de dag van vandaag nog nooit iemand als hij had ontmoet.

Roy ging helemaal op in de zorgen om zijn baan. Hij kon voor de dieren zorgen en doen wat er in het circus gedaan moest worden. Maar Hanratty had het over een optreden, een optreden waar misschien mensen uit het hele land naar kwamen kijken. Hij zou met zijn dochter samenwerken, met wie hij lange tijd geen woord had gewisseld. Hij had nu al dingen gedaan die zijn stoutste dromen overtroffen. Wat kon er nog meer van hem gevraagd worden? Wat kon hij nog meer van zichzelf vragen?

Maar Delores was in de ban geraakt van Hanratty's woorden en begon te zien wat hij zag en ze begreep de bekoring ervan. Was ze een paar momenten daarvoor nog sarcastisch geweest, nu sprak ze alsof ze uit een droom ontwaakte. 'Er zouden niet alleen olifanten en zeemeerminnen zijn,' zei ze. 'Er zijn schildpadden en dolfijnen en...' Ze zweeg even, en maakte voor zichzelf de zin af. 'Dit kan het meest fantastische worden wat hier ooit is vertoond!'

Thelma stelde zich de krantenkoppen voor en de foto's die erbij zouden staan. Er zou meer belangstelling zijn, net als na *The Merfather*. Misschien zou ze eindelijk het amfitheater kunnen laten verbouwen, of de pomp laten vervangen. Na al die jaren dat ze had gevochten om Weeki Wachee overeind te houden, zou deze vreemdeling, die zomaar binnen was komen lopen, het park voorgoed op de kaart kunnen zetten. Als ik sentimenteler was geweest, dacht ze, zou ik gaan huilen. Maar er waren praktische zaken waar over nagedacht moest worden.

'Stel dat dit mogelijk zou zijn,' zei ze. 'Hoe kunnen we de olifanten onderdak bieden? Waar zijn ze als ze niet zwemmen?'

Hanratty wuifde met zijn hand, alsof hij kruimels terzijde schoof. 'Dat zijn details waar we ons nog over zullen buigen. De echte vraag is: hoe maken we dit zo spectaculair mogelijk?'

Hanratty's Circus had tien olifanten. Roy wist dat, omdat Nehru het dominante vrouwtje van de groep was, de andere olifanten haar zouden volgen. Toen schoot hem een gedachte te binnen, even lachwekkend als Lucy zelf. Hij had de roekeloze en aanbiddelijke chimpansee vaak op een van de olifanten zien rijden. Plotseling zag hij een vloot van olifanten, dolfijnen, lamantijnen en zeemeerminnen voor zich. Als Noach een ark in centraal Florida zou neerzetten, dan zou die hier staan, hier zou het gebeuren. Hij besefte dat Hanratty iedereen aanmoedigde zijn grenzen te overschrijden. Alles was mogelijk. Voor een man die alles achter zich had gelaten omdat hij het gevoel had dat hij stikte en in de val zat, was dit even opwindend als een landing op de maan.

Ze zaten elkaar in stilte aan te kijken en zich mogelijkheden voor te stellen die ze zich geen van allen ooit hadden voorgesteld.

Delores keek naar het vloerkleed en sloot haar ogen. Toen Hanratty in zijn handen klapte, sprong ze bijna uit haar vel van schrik. 'Inderdaad, nu begrijp je me!' riep hij. 'Heb je bij Disney ooit zoiets gezien? Of waar dan ook ter wereld? Ik denk van niet.'

Nog dagdromend liepen ze achter elkaar Thelma's kantoor uit. Roy Walker was degene die de stilte verbrak toen hij tegen zijn dochter zei: 'Dit is nog eens wat anders dan de Bronx.'

Later op de avond, toen Roy naar het Reuzencafé ging voor een kop koffie en een stuk taart, vroeg Rex hoe het was gegaan met zijn dochter. Roy kauwde terwijl hij erover nadacht, en slikte toen heftig. 'We hebben eigenlijk niet echt gepraat. Hanratty kwam met een of ander fantastisch plan om de zeemerminnen en het circus te combineren, en we waren er allemaal zo van ondersteboven dat het gesprek eigenlijk nergens anders over ging. Voor we het wisten, moesten ze een show doen en gingen wij weer terug, en dat was het dan. En het vreemde is, Rex, dat zij en ik misschien wel gaan samenwerken.'

'Soms gaat het meer om doen dan om praten,' zei Rex. 'Als je met haar gaat samenwerken, nou, dan kun je haar laten zien wie je bent, dan kun je elkaar weer leren kennen.'

Toen Molly aan Delores vroeg hoe het met haar vader was gegaan, zei Delores dat hij kleiner was dan ze zich had herinnerd. 'Toen ik klein was, was hij heel opvliegend, en maakte hij altijd ruzie met mijn moeder. Ik vond hem toen eng en hij leek veel groter. Eigenlijk is het een klein mannetje met veel spieren. Hij deed verlegen tegen me. Hij zei niets, zelfs niet toen ik iets doms zei als "Hé, weet je nog wie ik ben?" Maar toen kwam die man die zijn baas is, meneer Hanratty, met een verbluffend idee, en we werden er helemaal door in beslag genomen. Zelfs Thelma.'

Delores vertelde Molly over de olifanten en de zeemerminnen in het water. Toen zweeg ze even. 'Ik heb eens nagedacht, en je moet zweren dat je het niemand zult vertellen. Ik hoop stiekem dat Westie er op een of andere manier deel van kan uitmaken. Misschien kan hij een poosje hierheen komen, of zo. We zouden hem kunnen leren zwemmen. Hij zou aan de show kunnen meedoen. Mijn moeder klaagt er altijd over dat het zo moeilijk is om in haar eentje een kind op te voeden. Wie weet? Misschien vindt ze het wel een goed idee.'

Molly had de hele tijd dat Delores aan het woord was niet

opgekeken van het overhemd dat ze aan het strijken was. Zelfs toen Delores zei: 'Je vindt zeker dat ik onzin uitkraam, hè?' Molly hield haar blik strak op het overhemd gericht. 'Niet echt,' zei ze.

20

Toen het telefoontje van haar moeder kwam, was Delores buiten bij de Springs met de olifanten aan het werk. De afgelopen drie maanden had Wulf, de olifantendompteur, de olifanten geleerd in formatie stroomafwaarts te zwemmen: Nehru voorop, twee achter haar en drie achteraan. Ondanks hun omvang waren de olifanten enthousiast te water gegaan, soms spoten ze water met hun slurf. Ze hadden geleerd met de zeemeerminnen om zich heen te zwemmen en leken zich er ook niet aan te storen als er af en toe een lamantijn of een schildpad in de optocht mee zwom. Om de olifanten bij de Springs onderdak te bieden, zoals Hanratty had besloten, werd een deel van het bos achter het park gekapt en werd er een olifantenverblijf gebouwd. Het zou een groot betonnen gebouw worden met ventilatoren aan het plafond en grote doorgangen, zodat het zelfs in de ergste hitte nog koel en luchtig zou blijven.

Roy volgde de vorderingen van het olifantenhuis op de voet en kon niet wachten tot het af was. Er zou zo veel ruimte zijn dat de olifanten konden rondlopen. Wat inhield dat er geen kettingen meer nodig waren. Hij trok zich Nehru's vrijheid persoonlijk aan, en hij deed zijn best om haar te laten weten dat die ophanden was.

Soms drukten de wijsheden in *fortune cookies* uit wat hij zelf niet onder woorden kon brengen. Hij stopte ze dan in zijn portefeuille of in zijn zak, en dan kon het maanden, zelfs jaren duren voor hij ze weer vond. Gisteren had hij er nog eentje in het zijvakje van zijn toilettas gevonden waarop stond: DE DINGEN DIE ONS HET DIERBAARST ZIJN, ZIJN NIET DE DINGEN DIE WE BEZITTEN, MAAR DIE WE BEHOEDEN. Dat was precies wat hij voor Nehru voelde. Natuurlijk bezat hij haar niet, maar hij vond het een eer haar hoeder te zijn.

Delores keek toe als haar vader bij de olifant was, hoe hij tegen haar aan leunde en dingen in haar oor mompelde die alleen de olifant kon horen. Nehru had een aparte houding: knieën gebogen, alsof ze naar voren zou springen. Het leek wel alsof die twee in elkaar opgingen. Vanmorgen had Delores Wulf erop gewezen. 'Ze zien eruit alsof ze elkaar geheimen vertellen,' zei ze. Wulf was Duitser en praktisch van aard. 'Ach, *nein*. Nehru is op een boot uit India gekomen. Ze was in een te kleine container gepropt, daarom staat ze zo.' Misschien had hij gelijk, maar Delores zag wat ze zag, en met een steek besefte ze dat haar vader zich bij de olifant helemaal op zijn gemak voelde.

Toen Adrienne op haar af kwam rennen, werd ze even afgeleid. Adrienne rende als een klein meisje, met haar armen wapperend in de lucht. Ze was zo buiten adem dat ze geen zin kon afmaken. 'Telefoon. Thelma's kantoor,' hijgde ze met hoge stem. Delores beklom de heuvel naar het kantoor. Het was zo'n dag vroeg in augustus waarop, als ze had geprobeerd te rennen, de zon en de genadeloze vochtigheid het haar belet zouden hebben. Tegen de tijd dat ze de telefoon in Thelma's kantoor opnam, droop het zweet over haar armen omlaag. Het laatste waar ze zin in had was een telefoongesprek.

'Hallo,' zei ze mat.

Haar moeder nam niet de moeite hallo te zeggen; ze stak meteen van wal.

'Luister, schat, je moet me helpen. Ik zou het heel fijn vinden als je hier een paar dagen heen zou komen. Ik zoek een baan en ben op zoek naar een oppas voor Westie. Het is hopeloos. Een paar dagen maar, zodat ik in elk geval iemand voor Westie kan vinden.'

'Tuurlijk,' zei Delores, die er nu al tegenop zag. 'Ik ben al tijden niet thuis geweest.'

Die avond zat Delores tijdens het eten tussen Lester en Molly in. Ze schoof haar gehaktbrood wat op haar bord heen en weer en besloot uiteindelijk helemaal niet te eten.

'Alles goed?' vroeg Molly.

'Ik weet het niet. Het zal wel,' antwoordde ze.

Er was zoveel dat nu niet werd uitgesproken. Ze had op Molly na nog niemand verteld dat de kleine, stille man die voor de olifanten zorgde haar vader was. Ze zag haar vader elke dag, en nog steeds hadden ze niets tegen elkaar gezegd. Dat was belachelijk. Als hij niet als eerste iets zou zeggen, zou zij het doen. Maar lieve help, wat moest ze dan zeggen?

Door haar gepieker had Delores niet gemerkt dat Lester haar had gadegeslagen. Ze kon de bezorgdheid in zijn stem horen toen hij vroeg: 'Wil je buiten op de rots gaan zitten? Op dit tijdstip is het daar heel mooi.'

'Goed idee,' zei ze met een blik op de klok. 'Ik heb nog een half uur voor ik naar WGUP moet. Kom op, dan gaan we.'

Ze klommen op Lesters rots en keken zwijgend toe hoe de zon onderging. De afgelopen paar weken was de temperatuur niet onder de dertig graden gekomen, en ook de luchtvochtigheid was hoog geweest. Het was het soort hitte dat onderhuids ging zitten en daar voort etterde. Delores begon op te zien tegen haar weerberichten, waarin elke avond weer kreten waren verwerkt als 'smoorheet' en 'blakerende hitte'.

Ze zwegen tot Delores hem aankeek. 'Ik heb je iets te vertellen, waarvan ik hoop dat je het voorlopig voor je kunt houden.'

'We vertellen elkaars geheimen niet door, weet je nog?' zei hij.

'Oké, daar gaat ie dan.' Ze vertelde Lester het hele verhaal over het circus: dat haar vader dat kleine, gedrongen mannetje was dat de olifantenhokken schoonmaakte.

Lester stelde zijn reactie even uit. 'Die vent met de honkbalpet? Is dat je vader?'

'Yep, dat is hem,' zei ze.

'Die wandelende spierbundel? Krijg nou wat! Ik bedoel, jij ben niet echt een spierbundel, nou ja, je begrijpt me wel.'

'Maar goed, de vrouw die altijd voor mijn kleine broertje zorgde, is gestorven,' zei Delores, en ze fluisterde toen: 'Borstkanker. En ik heb mijn moeder beloofd,' vervolgde ze, 'dat ik daarheen zou gaan en haar een paar dagen zou helpen, waar ik me niet bepaald op verheug. Behalve dan op één ding. Je moet zweren dat je niemand vertelt wat ik nu ga zeggen.' Lester knikte ernstig.

Delores vertelde hem over haar idee om Westie mee te brengen naar Weeki Wachee, voor een poosje maar. Terwijl ze praatte keek ze naar zijn gezicht om te zien of hij zou lachen, een wenkbrauw optrekken of iets zou doen waarmee hij liet merken wat hij van haar idee vond. 'Je denkt zeker dat ik gek ben, hè?' zei ze toen ze was uitgesproken.

'Nee, helemaal niet,' zei hij. 'Ik vind je de moedigste persoon die ik ken.'

'Je bent een schat,' zei ze, en ze boog zich naar hem over om hem op zijn wang te kussen. 'Vind je echt niet dat ik gek ben?'

Lester kreeg een rood hoofd. Delores dacht aan de bijnaam die Enge Sheila achter zijn rug om voor hem had bedacht: Lester de Lobster. Ze had het toen gemeen gevonden, maar er zat wel wat in.

'Nu we het toch over gek zijn hebben,' zei Lester. 'Dan weet ik er nog een. Wat dacht je ervan als ik met je meega naar New York? Ik ben er nog nooit geweest. Bovendien ben ik bijna jarig, dus dan is dat het perfecte cadeautje. Mijn vader vindt dat ik

238

mijn horizon eens wat moet verbreden. Dat zegt hij altijd. "Meerman zijn is geen beroep voor een jonge vent. Je moet je horizon eens verbreden." Naar New York gaan zou mijn horizon wel verbreden, denk je niet? Misschien vind je het wel geen goed idee. Als dat zo is, ga ik natuurlijk niet mee.' Hij wendde zijn blik af, om de afwijzing op haar gezicht niet te lezen.

'New York in augustus,' zei ze. 'Daar kan het net zo heet zijn als hier, maar daar blijft de lucht hangen, omdat hij geen kant op kan.'

'Vergeet niet dat ik van hitte hou.'

Ze herinnerde zich de eerste keer dat hij had verteld dat hij erop rekende dat de zon zijn acne zou genezen; hij had haar in vertrouwen genomen, alsof hij wist dat ze het voor zich zou houden. En toen vertelde hij haar alles over Thelma's verleden bij Weeki Wachee. Daar had ze nooit een woord van doorverteld, tegen niemand. Lester was een echte vriend. Hij stond aan haar kant en had het beste met haar voor. Ze kon niemand bedenken die haar zo'n veilig gevoel gaf als hij. Waarschijnlijk zou hij zelfs tegen haar moeder aardig zijn. Het zou nog niet zo'n slecht idee zijn hem mee te nemen. Misschien was het zelfs wel lachen.

De avond ervoor had haar moeder haar gebeld en verteld hoe goedkoop de vliegtickets in deze tijd van het jaar waren. Er was om tien voor half elf een vlucht met Delta vanuit Tampa die maar vijfendertig dollar kostte. Hoe langer ze erover nadacht, hoe meer ze dacht dat Lester weleens de perfecte buffer tussen haar en haar moeder zou kunnen zijn.

'De tickets zijn behoorlijk goedkoop,' zei ze. 'Je kunt bij ons logeren; daar heeft mijn moeder vast geen bezwaar tegen. Het is niet chic, en dat is zacht uitgedrukt.' Ze lachte kort.

'Dat zou ik leuk vinden,' zei hij.

Ze schudde haar hoofd en zei dat hij voor overmorgen de vlucht van tien voor half elf moest boeken. Ze had geen flauw idee wat er zou gebeuren als ze eenmaal in New York zouden zijn, maar ze voelde een golf van opluchting over zich heen komen, en dat was voorlopig genoeg.

Sinds haar vader vier maanden geleden was komen opdagen had Delores niet geweten hoe ze hem moest noemen. 'Papa' was te intiem; ze vond dat hij geen 'papa' voor haar was. Het was ook te raar om 'Roy' tegen hem te zeggen. Daarom had ze het opgelost door 'eh' te zeggen als ze zijn aandacht wilde trekken, tot hij besefte dat ze het tegen hem had. Op de ochtend voordat ze naar New York zou vertrekken, ging Delores naar de Springs. Haar vader en Wulf waren net de olifanten naar het water aan het brengen. Ze ging achter hem lopen en zei een paar keer: 'Eh.' En pas toen zag hij haar.

'Goedemorgen,' zei hij, en hij bleef lopen.

Ze ging naast hem lopen. 'Ik wil even met je praten, als je tijd hebt.'

Hij keek naar de grond, zette zijn zonnebril af en veegde hem aan zijn T-shirt schoon.

'Nu meteen?'

'Redelijk snel.'

'Walker, hier met die emmer. Opschieten!' snauwde Wulf. Delores kon haar vader zien verstrakken. Ze was bang dat er een scène zou volgen zoals ze er thuis zo veel had meegemaakt. Haar vader keek naar de grond en schopte tegen iets wat in het gras lag. 'Over een half uur bij de snackbar,' fluisterde hij naar Delores, voordat hij ging doen wat Wulf had gevraagd.

Dertig minuten later zat ze aan een houten picknicktafel een suikervrije cola te drinken, en kwam haar vader tegenover haar zitten. Met zijn Yankees-pet en zijn wrap around-zonnebril kon ze alleen het onderste stukje van zijn gezicht zien, maar ook zonder zijn ogen te zien wist ze wel dat hij haar niet aankeek.

'Vind je het ook niet raar dat we alleen maar over olifanten hebben gepraat sinds jij er bent?' vroeg ze.

'Waar moeten we anders over praten?' vroeg hij, met subtiel opkrullende mondhoeken.

'Je maakt een grapje.'

'Echt, ik weet niet wat ik moet zeggen.'

'Hmm.' Ze speelde met een lok haar. 'Wat dacht je van waarom je bij ons bent weggegaan?'

Hij wendde zich af en keek naar het water.

'Ik dacht dat je me zou meenemen. En toen je was verdwenen, dacht ik dat je me zou laten ophalen. En hier zit ik dan, jaren later, en ik wacht nog steeds. Je had op z'n minst kunnen schrijven, of bellen. Soms dachten we dat je misschien wel dood was. Maar het ergste was dat het ons na een poosje niet meer kon schelen.'

Hij liet zijn voorhoofd op zijn knokkels rusten. Ze zag hem slikken en hij zei een hele poos niets, alsof hij probeerde te verwerken wat ze had gezegd. Uiteindelijk keek hij op en gebaarde naar de Springs, waar Wulf met de olifanten aan het werk was. 'Nehru,' zei hij. 'Ze is lief, vind je niet?'

Delores haalde haar schouders op en dacht: Zijn we er nu al over uitgepraat?

'Het bijzondere van olifanten is dat ze heel zachtmoedig kunnen zijn, maar ook zo boos dat ze alles en iedereen om zich heen kunnen verwoesten en doden.' Hij zette zijn zonnebril af en wreef hem schoon met de onderkant van zijn t-shirt. 'Je moeder en ik hadden altijd ruzie, meestal over geld. Ze zei dat ik dom was en dat ik alles fout deed. En wat onze relátie betreft...' Hij legde zware nadruk op het woord 'relatie'. 'Nou, daarover hoef ik geen details te geven, maar als dat er niet eens is, dan kun je het gevoel krijgen dat je een nul bent, een niemand.'

Hij zweeg en gebruikte Delores' servet om het zweet van zijn voorhoofd te wissen. Ze knikte. 'Jee, wat kan die af en toe mopperen,' zei ze.

'Soms werd het me te veel,' ging hij verder. 'Wat ik dan

dacht, dat kan ik niet beschrijven, maar het was niet best. Ik was bang dat ik iets zou doen wat ik niet goed zou kunnen maken, iets heel ergs. En toen, weet je nog, die avond dat ik wegging?'

'De avond van de lever?' zei Delores. 'Hoe kan ik dat vergeten?'

'Ja. Ik ben toen het huis uit gegaan en heb een paar biertjes gedronken. Toen ben ik naar een Chinees gereden om wat te eten te halen. Het was donker buiten. Ik stond voor een rood stoplicht en er stak vlak voor me een gezin over. De vrouw had een bruine wollen jas aan. Dat weet ik nog. Het woei heel hard. Ik kon haar gezicht niet zien, maar ze was klein en volgens mij heel mooi. De mouwen van de jas waren te lang, waardoor ze nog kleiner leek. De man legde zijn arm om haar heen om haar tegen de wind te beschermen, en hij drukte haar tegen zich aan alsof ze een teddybeer was. Ze duwde een kinderwagen voor zich uit met een kindje van Westies leeftijd, en hun dochter, die iets jonger was dan jij toen, hield de hand van haar vader vast. Ze leken gelukkig, alsof ze één waren in plaats van vier afzonderlijke personen – zo vond ik het tenminste lijken.' Hij zweeg en schudde zijn hoofd. 'Ik praat te veel.'

'Jij?' Ze lachte. 'Onmogelijk.'

Hij sloot zijn ogen en sloeg zijn handen ervoor. 'Ik kreeg een heel naar gevoel. Alsof ik op het gaspedaal zou trappen en ze zou overrijden, allemaal. Ik kon voelen hoe het zou zijn, kon de hobbels onder de wielen door voelen gaan, de krakende geluiden horen. Ik werd zo bang dat ik de motor heb uitgezet. Toen het licht op groen sprong, zat ik nog steeds in de auto met de motor uit. Iedereen toeterde, en volgens mij zat ik te huilen of zo, want er stopte een man naast me die vroeg of er iets was. Uiteindelijk ben ik bij de Chinees terechtgekomen. Terwijl ik op mijn eten stond te wachten, dacht ik na over wat er was gebeurd – of juist niet was gebeurd. Ik ben heel lang in dat restaurant gebleven. Ik was te bang om weer in de auto te stappen. Daarna ben ik heel langzaam naar huis gereden. Toen ik er bijna was, had ik zo'n fantasie dat zij – je moeder – blij zou zijn me te zien, dat jullie allemaal misschien blij zouden zijn me te zien. Nou, misschien weet je nog hoe het was, het was juist het tegendeel.'

Bij de vreselijke herinnering aan die avond kromp Delores ineen. 'Ja, er werd veel geschreeuwd en met eten gegooid. Dat weet ik nog,' zei ze.

Hij knikte. 'West en je moeder huilden. Jij riep tegen ons dat we allebei gek waren. En toen heb ik een handvol eten onder je moeders neus gehouden en heeft ze mijn hand weggeslagen. Er schoten zulke slechte gedachten door mijn hoofd, dingen die ik wilde doen, dat ik tegen mezelf zei: Roy, je lijkt wel gek. Als je nu niet maakt dat je wegkomt, dan doe je iemand iets aan, of erger.'

'Je bedoelt dat je ons zou vermoorden of zo?' Delores ging overeind zitten.

'Ik zal je iets vertellen,' zei hij. 'Die avond heb ik begrepen hoe een man de grens kan overschrijden, als je begrijpt wat ik bedoel. Die mogelijkheid wil ik nooit meer zo duidelijk voor me zien.' Hij huiverde terwijl hij het zei. 'Ik moest daar weg, dus ik ben weer in de auto gestapt en begon naar het zuiden te rijden, dezelfde kant op als toen we naar Florida zijn geweest. En zo ben ik hier terechtgekomen en heb ik deze baan gevonden.'

'Maar je hebt niet eens geschreven of gebeld. Je kunt een hekel aan mama hebben, maar Westie en ik dan? Wij hadden niets misdaan.'

'Hoe had ik het aan West en jou moeten uitleggen? Jullie waren nog zo klein. Dus ik heb de laffe uitweg gekozen. Om je de waarheid te vertellen, ik heb geen hoge pet op van mezelf. Het beste wat ik kan doen is proberen het goed te maken door de manier waarop ik nu leef. Het is een rustig leven. Het bevalt me wel. Ik werk graag met dieren, en meestal laten de mensen me met rust. Ik ben niet meer zo boos als toen. Als ik schreef of belde, dan was er de kans dat ik er weer in getrokken zou worden, snap je? Dat kon ik niet aan, ik kon niet terug. Dus verstopte ik me. En kijk nu eens wat er is gebeurd?' Hij hield zijn handen op zoals mensen doen die willen voelen of het regent.

'Ja, wat er is gebeurd, is dat we een vader hadden, en dat we eraan gewend zijn geraakt geen vader te hebben. Nu duikt hij ineens op, en wat moeten we daar nu mee? Doen alsof we weer een vader hebben? O, trouwens, we noemen hem Westie, niet West,' zei Delores op vlakke toon. 'Hij loopt al en lijkt erg op jou. Was je niet een beetje benieuwd naar hoe je kinderen opgroeiden?'

'Ja, doorlopend,' zei hij. 'Maar niet genoeg om het risico te nemen.'

Daar zat hij nu. Haar vader met de gespierde armen en zijn opvliegende aard was een bange, schuldbewuste man die wat hij had gedaan probeerde goed te maken door olifantenpoep op te ruimen en naar bevelen te luisteren van mensen als Wulf.

Hij zette zijn zonnebril af en staarde zijn dochter aan. Wat voor beeld ze ook van hem had gehad, hij wist dat hij daar een dikke streep doorheen had gezet. Begreep ze wat hij wilde zeggen, vroeg hij zich af. Zou ze hem ooit vergeven? Hij kneep zijn ogen een paar keer dicht, en veegde toen met de rug van zijn hand onder zijn ogen.

'De zilveren dollars...' zei hij.

'Ja, die heb ik gevonden. Ik heb er wat van gebruikt om hier te komen. Ik heb mama er nooit over verteld. Ik heb er nog een stel over. Wil je ze terug?'

'Nee, wat moet ik er nu mee?'

'Heb je ze met opzet voor Westie en mij achtergelaten?'

'Ik wou dat ik dat kon zeggen, maar eerlijk gezegd verzamelde ik ze al jaren.'

'Waarom?'

Voor het eerst sinds het begin van hun gesprek glimlachte hij. 'Ik vond ze lekker zwaar aanvoelen. Geld moet als geld aanvoelen – iets waar je wat mee kunt, niet als een flodderig stukje papier. Ik heb ze jarenlang verzameld. Een appeltje voor de dorst. Ik denk dat die dorst inmiddels is gelest.'

'Dat zal wel,' zei ze.

Hij keek op zijn horloge. 'Ik moet gaan,' zei hij.

'Oké,' zei ze.

Ze stonden op van de picknicktafel. Ze kon het nog steeds niet opbrengen om hem papa of Roy te noemen.

'Eh, dag,' was het beste wat ze kon bedenken.

21

Tijdens de vlucht van Tampa naar New York droeg Lester een blauw pak, een wit overhemd en een rode stropdas met blauwe strepen. Toen Delores vroeg waarom hij zulke nette kleren had aangetrokken, zei Lester: 'Mijn vader zegt dat je je voor een reis per vliegtuig net zo kleedt als voor een kerkdienst.'

'Heb je weleens gevlogen?' vroeg ze.

'Nee, nog nooit. En jij?'

'Nee, dit is mijn eerste keer. Maar ik ben ook nog nooit naar de kerk geweest,' zei ze, en ze keek naar haar gebatikte shirtje en haar spijkerbroek met wijd uitlopende pijpen.

De stewardess kwam langs en bood hun een drankje aan. Lester nam warme chocolademelk en Delores een suikervrije cola.

De drankjes werden op twee aparte dienblaadjes geserveerd, met een servetje erbij en een chocolate chip cookie in een cellofaanzakje. Ze glimlachten naar elkaar als om te zeggen 'ongelooflijk' en pakten hun koekje uit. Lester nam een slokje van zijn chocolademelk, die zo heet was dat hij hem weer in de beker moest uitspugen. Toen keek hij naar de opening boven zijn hoofd waar sissend koele lucht uit kwam. Hij hield zijn beker eronder. De koude lucht blies op zijn drankje, waardoor de warme chocolademelk als een fontein over de rand spetterde. Hij kwam op Lesters gezicht en over de hele voorkant van zijn witte overhemd. Eerst keek hij verbluft, dus begon Delores zijn overhemd met haar servetje te deppen, wat haar een sliert chocolademelk op haar arm opleverde.

'Willy Wonka,' zei Lester, verwijzend naar een van zijn recente lievelingsfilms.

'Caspar Slok,' zei Delores, die zich de naam van het jongetje in de film herinnerde dat bijna in de chocolade verdrinkt en dan door een van de machines in de snoepfabriek wordt uitgespuugd.

Lester begon te lachen; Delores begon te lachen. Lester lachte nooit waar anderen bij waren, want hij bleek een soort balkend geluid te maken. Delores lachte nu eens voluit, waarbij haar overbeet te zien was.

Die lachbui was het opwindendst wat er tijdens de lucht tussen hen voorviel. Delores verdiepte zich al snel in het laatste nummer van *Teen Girl*, en Lester haalde een paperback tevoorschijn, *To Kill a Mockingbird*. Delores wierp een blik op hem en zag hoe klein de letters waren en hoe dicht ze op elkaar stonden. 'Lees je veel boeken?' vroeg ze. Hij keek op. 'Ja. Ik lees als ik niet werk.' Ze kende verder niemand die boeken las. Lester was wat haar moeder een 'rare snijboon' zou noemen. Zo zou zij hem zelf niet beschrijven, maar hij was anders – dat wel.

Later stoorde ze hem weer. 'Weet je zeker dat je het niet erg vindt om in Westies kamer te slapen? Hij is wel klein, ik bedoel, het is niet de meest luxueuze kamer ter wereld.'

'Je hebt me op de rots zien slapen. Kleiner kan die kamer toch niet zijn?'

De afmeting van de kamer was het grootste probleem niet. 'Je hebt mijn moeder nooit echt ontmoet,' zei ze.

'Nee, maar ik heb haar gezien toen ze in het park was. Ik vond haar mooi – ze leek wel een beetje op jou.' Lester staarde naar zijn boek.

Zijn opmerking stemde Delores tot nadenken. Waarom zou ze hem vertellen dat haar moeder een aanstelster was, een mopperpot en een egocentrisch mens? Laat hem dat zelf maar ont-dekken. Toen ze naar huis had gebeld om te vragen of ze Lester mee mocht brengen, had haar moeder demonstratief haar keel geschraapt. 'Wat zeg je daarvan?' zei ze. 'Mijn dochter komt thuis met een vreemde vent. Dat zal de buren echt iets geven om over te praten.' Door de manier waarop ze het zei, vroeg Delores zich af of de buren al andere dingen hadden om over te praten.

Er stond een menigte bij de gate te wachten, maar voor Delores was het niet moeilijk om haar moeder te vinden. Ook zonder haar rechte rug was ze lang. Delores zag de bovenkant van Westies hoofd naast haar en zag dat ze zijn handje vasthield. Westie was een stuk groter geworden sinds de laatste keer dat ze hem had gezien, in april. Het schoot door haar heen dat hij haar misschien niet zou herkennen. Maar zodra hij haar zag, begon hij aan zijn moeders arm te trekken en 'Dores, Dores' te roepen.

Delores rende naar hen toe en tilde Westie op. Zijn blote armen en benen waren plakkerig, en hij rook naar vanille. Ze hield hem vast tot hij zich los begon te wurmen. En zelfs toen aarzelde ze nog even voor ze hem neerzette. Ze zag het beeld van haar vader die met zijn hoofd bij dat van Nehru stond voor zich. Toen realiseerde ze zich dat haar moeder achter Westie stond te wachten tot ze werd begroet. Kussen was in de familie Walker geen gewoonte; ze hadden genetisch gesproken de neiging om voor elkaar terug te deinzen en oogcontact te mijden. Maar Delores was in een gulle bui en wilde misschien een beetje indruk maken op Lester. Dus boog ze zich naar voren en gaf haar moeder een klapzoen op de wang, met de woorden: 'Ha, mam. Leuk je te zien.'

Haar moeder sloeg, aangemoedigd door deze uiting van genegenheid, haar armen om Delores heen en noemde haar 'm'n meissie'. Toen stak ze Lester haar hand toe en zei: 'Jij bent vast Lester Pogoda. Ik heb veel over je gehoord.'

248

Ze namen een taxi naar de Bronx. Een taxi was een extravagante uitgave waar haar moeder zichzelf alleen bij bijzondere gelegenheden op trakteerde. De thuiskomst van haar dochter, die ook nog een jongen meenam, was zo'n gelegenheid. Ze zat voorin bij de chauffeur; Lester en Delores zaten achterin, met Westie tussen hen in geklemd. Gail probeerde een gesprek op gang te houden, maar elke keer als ze iets zei, riep Delores: 'Wat?' Uiteindelijk gaf ze het maar op, en gingen ze allemaal op in hun eigen gedachten.

Lester keek naar de betonnen gebouwen en besloot dat hij nu al wist dat hij niet van New York hield. De mensen op het vliegveld zagen er bleek en nerveus uit. In Florida was iedereen bruin en rood en zag je overal vrolijke gezichten. De mensen hier zagen er afgetrokken en uitgeput uit. Net als de gebouwen. En wat er aan bomen stond, kwijnde weg onder de last van verdorde bladeren. Er zat humor in de zonnige kleuren van Florida: het vlammende geel, schreeuwend koraalrood, het gloeiende groen. Hier was de humor ver te zoeken: het was net een zuil van grijs beton. Tot dusverre was New York niets voor hem.

Gail was bang dat ze zich bij Lester belachelijk zou maken. Met het tijdschrift en Watergate zou ze toch genoeg moeten hebben om over te praten, dat was het probleem niet. Ze had een mening over die dingen – het was jammer dat die aardige John Mitchell ontslag moest nemen; en Martha, wat een kletskous – maar ze was niet gewend haar mening onder woorden te brengen, vooral niet tegenover vreemden. Maar deze jongen was nog maar een jonge knul. Hij leek haar leuk en zag er niet slecht uit.

Delores keek naar haar moeder op de voorbank. Ze zag er goed uit. De make-up die ze op had, gaf haar gezicht een soort gloed, maar het was meer. Zelfs haar houding was anders. Ze stond niet meer voorovergebogen. Nu zat ze rechtop en liep ze met doelbewuste passen. Als ze de moeder van iemand anders was geweest, had Delores haar misschien mooi gevonden. Ze dacht aan haar vader, hoe veel ontspannener hij eruit had gezien, en ze vroeg zich af hoe het mogelijk was dat twee mensen elkaar het leven zo zuur konden maken als deze twee mensen hadden gedaan.

Alleen Westies gekwebbel klonk in de auto. Hij bleef zeggen: 'Dores, ik wil met de schildpad zwemmen', tot Delores tegen hem zei: 'Westie, wil je nog eens naar de Springs komen en naar de schildpad kijken?' Hij schopte alleen maar met zijn voeten tegen de achterkant van de voorbank en bleef over de schildpad praten. 'Ik heb een cadeautje voor je meegebracht,' zei Delores, en ze stak haar hand in haar weekendtas. Ze haalde er een grijs knuffeldier uit met bruine knopen bij wijze van ogen. 'Weet je wat dit is?' vroeg ze. Westie bekeek het dier. 'Babar. Hij is het grootste dier ter wereld. Hij is groter dan deze taxi, groter dan een paard. Misschien wel zo groot als een schuur.'

Westie nam de knuffel aan en kneep in zijn slurf. 'Ik ken een echte olifant. Misschien kan ik je eens aan haar voorstellen,' zei ze. Zijn ogen werden groot en rond, en hij liet zijn olifantje in de lucht dansen. 'Babar, Babar,' zei hij opgewonden.

'Delores,' haar moeder draaide zich om. 'Ga hem nu niet gek maken met die verhaaltjes. Hij heeft al een echt leven waar hij zijn handen vol aan heeft.'

'Mam, de olifanten zijn nog maar het begin, geloof me.' Ze dacht al aan het gesprek dat ze zouden voeren over haar vader en over het circus en Weeki Wachee, en ze wist bij god niet hoe het zou uitpakken.

Het appartement was kleiner en smoezeliger dan ze zich herinnerde. Niets was nieuw, behalve de globe van Helene. Niets was vervangen. Alleen de etensvlekken op de muren waren overgeschilderd. Toen ze hun tassen hadden weggezet gingen ze om de keukentafel zitten om fruitpunch te drinken, naar een recept dat haar moeder uit een tijdschrift had geknipt, en sandwiches met eiersalade. Westie zat voor hen op de grond met zijn nieuwe olifant te spelen.

'En, Lester, wat wil je in onze mooie stad gaan doen?' vroeg haar moeder op haar opgewektste toon.

Hij wilde zeggen: 'Niet zo veel, eigenlijk', maar haar stem klonk zo verwachtingsvol dat hij zich bedacht. 'Het gebruikelijke: het Empire State Building, het Vrijheidsbeeld, Macy's.' Zijn vader had voorgesteld dat hij een kijkje op Wall Street zou nemen, zodat hij misschien zou worden geïnspireerd door al die mannen die daar elke dag in hun pak naar het werk gingen. Maar dat boeide hem niet.

'Luister, ik denk dat je Orchard Beach wel leuk zult vinden. Dat is niet ver,' zei Delores. 'We zouden Westie kunnen meenemen.'

'Geen denken aan,' zei haar moeder. 'Dat wil ik niet hebben. Westie gaat niet naar dat strand.'

'Maar waarom niet, mam? Hij is gék op water.' Delores hoorde de zeurklank in haar eigen stem.

'Hoe weet je dat hij gék is op water?'

'Toen jullie die keer in Weeki Wachee waren, heb ik hem meegenomen, het water in. Hij vond het prachtig.' Ze begon over de schildpad te vertellen, en zweeg toen. 'Waarom ben je er zo op tegen dat hij leert zwemmen?'

Haar moeder klakte met haar tong en haalde diep adem. 'Dat zal ik je vertellen,' zei ze. 'Omdat één zeemeermin in de familie meer dan genoeg is. Ik heb andere plannen met Westie.'

'Zoals?' vroeg Delores pinnig.

'Iets minder goedkoops dan met zijn kont schudden in een of ander tweederangs pretpark.'

Delores schrok van haar moeders commentaar en kreeg de neiging het gemeenste te zeggen wat ze kon bedenken. Ze wilde eruit gooien dat ze begreep waarom haar vader weggelopen was, dat haar moeder een kreng was dat alleen maar aan zichzelf dacht. Ze hoorde Blonde Sheila 'kréng' zeggen, en door de nadruk op het woord klonk het extra hard en had het inhoud en gezag. Als Westie er niet bij was geweest, had ze het misschien gezegd. Nu snauwde ze terug: 'Je mag wat ik doe – wat wij doen – dan goedkoop vinden, maar ik zal je wat vertellen: ik hou van mijn werk en ik ben er goed in. Als ik in het water lig, ben ik een echt zeewezen. Dat is een eer, om een van hen te zijn, en niets wat jij zegt kan dat van me afnemen. Trouwens: gebruik je altijd woorden als "kont" waar Westie bij is?'

'Heb het lef niet om mij de les te lezen over moederschap. Ik ben er tenminste, wat ik van Westies vader en zus niet kan zeggen.'

Delores hoorde nu de stem van Blonde Sheila, en later zou ze Lester vertellen waarom ze zei wat ze nu ging zeggen.

'Ik heb contact gehad met Westies vader. Ik weet waar hij is. Ik weet nog meer trouwens. Hij heeft een heel nieuw leven. Het klinkt raar, wacht maar tot je het ziet. Maar op zijn eigen bescheiden manier probeert hij tenminste iets.'

'Heb je hem gesproken?'

'Ja, ik heb hem gesproken. Hij werkt bij mij in de buurt. In feite werkt hij met me samen.'

Haar moeder leek door Delores' onthulling over de tafel te worden getrokken. Haar gezicht werd hard en wit, en haar lichaam stortte in. Delores had zojuist de vraag beantwoord die ze zichzelf even daarvoor had gesteld. Zo maakte je elkaar het leven zuur, en onmiddellijk wenste ze dat ze haar woorden kon terugnemen.

'Het is een lang verhaal, mam,' zei ze, nu op zachtere toon. 'Je gelooft je oren niet.' Delores vertelde haar moeder over het circus, meneer Hanratty en de olifanten. Ze zei dat ze geloofde dat het haar vader speet dat hij hen in de steek had gelaten en dat hij op zijn eigen manier probeerde iets goed te maken. 'Volgens mij denkt hij dat hij nooit wordt vergeven, maar hij heeft ontzettend zijn best gedaan om me uit te leggen waarom hij het heeft gedaan.'

'Het kan me niet zo veel schelen waarom hij het heeft gedaan,' zei haar moeder. 'Maar ik vind het wel nogal raar dat hij het ene circus in de steek laat voor het andere. Ik kan je één ding over die man vertellen: je weet met hem nooit waar je aan toe bent.' Ze kreeg weer kleur in haar gezicht en ze ging rechtop zitten. Even waren moeder en dochter weer deel van één gezin. Ze lachten en maakten gekheid om de rare belevenissen van een van de gezinsleden. Toen werd haar moeder weer boos en was het fijne moment voorbij. 'Het was laf van hem om ons op die manier te laten zitten. Dat zal ik hem nooit vergeven. Als jij wilt denken dat hij probeert het goed te maken, ga je gang. Maar verwacht niet dat ik meedoe, alleen omdat jij dat doet. Je bent nu een grote meid, en ik kan je niet tegenhouden als je voor hem wilt kiezen. Maar je moet nooit vergeten dat die man, je vader, jou en je kleine broertje in de steek heeft gelaten.'

Ze keken allebei naar Westie en toen naar Lester die tegenover hen zat. Lester? Door alle opschudding van de discussie waren ze helemaal vergeten dat Lester nog in de kamer was.

'Westie,' zei Delores. 'We gaan Lester naar je kamer brengen, dan kun jij hem je speelgoed laten zien.' Toen Westie hen naar zijn berg speelgoed bracht, zag Delores meteen de poppenkastpop liggen. Hij lag in de hoek onder een stel andere poppen. Zijn rok was gekreukt en zat onder de bruine vlekken; zijn hoofd was naar de muur gedraaid. Ze raapte hem op en onderzocht hem op barsten en krassen. Het glinstersteentje van de traan was uit zijn wang verdwenen. 'Otto,' fluisterde ze. Hij lag levenloos in haar hand. Ze zette hem op haar hand. Westie liet Lester zijn speelgoedtrein zien. Delores bracht de pop naar Westie. 'Westie, jij had toch beloofd voor Otto te zorgen? Kijk nou hoe vies hij is.' Westie negeerde haar. Ze had Otto zo lang nodig gehad om de wereld aan te kunnen; nu leek niemand hem nog nodig te hebben. Toen ze hem op de berg poppen teruglegde, zag Delores dat er stofvlokken en een paar speeltjes onder Westies bed lagen. Wat een puinhoop!

Later op de avond, toen Delores en Lester het Empire State Building en Macy's hadden gezien, liepen ze de flat binnen terwijl haar moeder aan de telefoon was. Haar moeders stem, die Delores overdreven flirterig in de oren klonk, zweefde naar hen toe. 'O, Bert, je bent me er een,' zei ze, terwijl ze het telefoonsnoer om haar pink wikkelde.

O, jee, ze praat met een man, dacht Delores. Daar zat ik echt op te wachten. Waarschijnlijk lopen de mannen hier in en uit alsof ze de eerste de beste hoer is.

De ochtend daarna ging haar moeder, na met een paar potentiële babysitters gesproken te hebben, weer aan het werk in de supermarkt. Delores en Lester namen Westie mee naar het Vrijheidsbeeld. Zelfs Lester werd getroffen door de aanblik van de dame in de haven die met medeleven in haar bewegingloze ogen vreemden verwelkomde. New York was net Weeki Wachee: de mensen kwamen er omdat ze er werden geaccepteerd. Mensen die nergens anders heen konden, kwamen hier een nieuw leven beginnen en ze vormden, net als mensen bij Weeki Wachee, een familie, verbonden door het anders-zijn.

Op de ochtend van hun derde dag in New York besloot Delores Molly te bellen.

'Hoe gaat het met de repetities?'

'Best goed,' zei Molly. 'Je kent meneer Hanratty – we moeten alles honderd keer overdoen. Hoe gaat het daar?'

'Prima. Lester is super. Mijn moeder is niet veranderd, en of dat goed is mag je zelf bedenken.' Ze vertelde Molly over Westies rommelige kamer, de schuttingtaal van haar moeder en de mannen van wie ze zeker wist dat ze over de vloer kwamen. 'Laten we het erop houden dat ze voorlopig niet "Moeder van het jaar" zal worden.'

Er klonk een stilte aan de andere kant van de lijn. 'Molly, ben je er nog?' vroeg Delores.

'Ja, maar ik moet je iets vertellen. Ik hoorde dat Armando jouw werk doet.'

'Wat? In de studio?'

'Ja, hij doet het weer,' zei Molly. 'Nou ja, ik denk niet voorgoed, maar ik vond wel dat je het moest weten.'

Op een of andere manier verraste het nieuws over Armando Delores niet. Hij was eigenlijk te mooi om waar te zijn. Hij was in alles té: te knap, te beleefd, te glad. Te ambitieus.

Delores probeerde haar stem vlak te houden. 'Luister, ik moet ophangen.'

'Ja, tuurlijk. Nou, succes met Lester en je moeder.'

Later op de avond wachtte Delores op haar moeder die terugkwam van haar schoonmaakbaantje. Lester en Westie lagen in Westies kamer te slapen, dus ze waren met z'n tweeën. 'Zal ik cola voor je halen?' vroeg Delores, toen haar moeder op de bank neerplofte, haar schoenen uittrok en haar blote voeten op de armleuning van de bank legde. Haar moeder klaagde vaak dat ze hard moest werken, maar nu Delores een blik op haar rode, gezwollen voeten wierp, kon ze het zich beter voorstellen. 'Mam, weet je wat je net zo hard nodig hebt als een cola? Jij hebt een pedicure nodig. En je boft dat ik in mijn carrière als "goedkope kontschudder" heb geleerd hoe ik voeten moet behandelen. Dus ga je voeten wassen, dan pak ik mijn spullen.'

Delores haalde haar toilettas uit haar bagage terwijl haar moeder in het bad stond en koud water over haar zere voeten liet lopen. Toen ze weer de huiskamer in kwam, zat Delores haar met een cola en nagellak op te wachten. 'Ga lekker zitten en geef me die eens,' zei ze, en ze klopte op haar schoot. Haar moeder zakte onderuit en deed haar ogen dicht, terwijl Delores haar voeten inwreef met lotion.

Vreemd, die plotselinge intimiteit. Wanneer ze tweeënhalf-duizend kilometer van elkaar vandaan zaten, werd haar moeder een figuur uit een tekenfilm, die ze met een paar zinnen kon parodiëren. Maar zo dichtbij was het gecompliceerder. Ze zag dingen bij haar moeder die ze in zichzelf herkende: hoe hard ze bleef proberen, ook al leek alles tegen te zitten, hoeveel ze op elkaar leken. Ze hadden dezelfde grote, sterke voeten. Ze dacht aan haar vader, die bij het circus terecht was gekomen terwijl zij vijfenveertig kilometer verderop bij een toeristische attractie werkte, aan zijn affiniteit met de olifanten en haar eigen affiniteit met de schildpadden en de dolfijnen. Ze was op het meest basale vlak met deze mensen verbonden, maar ze wist bijna niets over hen.

Ze depte haar moeders voeten met een handdoek droog.

'Ik kan me niet herinneren dat ik ooit eerder zo ben vertroeteld,' zei haar moeder.

Delores vroeg zich af of dat waar was.

O, Bert, je bent me er een.

Terwijl ze een flesje nagellak in de kleur Pinky Pink schudde probeerde ze zo nonchalant mogelijk te klinken toen ze vroeg: 'Mam, wie is Bert?'

'O, Bert.' Haar moeder hief een hand op en liet hem weer vallen. Haar ogen waren nog steeds gesloten.

Delores wachtte. 'Nou, wie is het?'

'Gewoon een vriend.'

'Wat voor vriend?'

'Een vriend-vriend!'

'Is hij een vriend die Westie kent?'

'Ben je me aan het uithoren? Het is een vriend; meer hoef je niet te weten.' Haar moeder kwam overeind.

'Niet bewegen, anders maak je vlekken,' zei Delores, en ze greep haar bij de enkel. 'Oké, we hebben het even niet over Bert, maar hoe zit het met de oppas voor Westie? Wat doe je als wij weggaan?'

'Ik probeer hulp te vinden, wat moet ik anders? Misschien wil je vriend Lester wat langer blijven en op hem passen.'

'Grappig, hoor.' Delores ging door met lakken.

'Het zou best leuk zijn, het is wel een lieverd.'

'Ik meen het, mam. Volgens mij heb je het behoorlijk zwaar, klopt dat?'

'Dat is nog zacht uitgedrukt,' zei haar moeder, en haar ogen vulden zich met tranen. 'Westie is ontzettend lief, maar het is een dondersteen. En zonder de strakke hand van een man maak ik me zorgen...'

'Kijk eens, vind je de kleur mooi?' vroeg Delores, en ze blies op haar moeders roze teennagels.

'Mooi. Dat kun je goed, schat.'

Delores schroefde een flesje coating open. 'Luister, mam, ik heb een idee. Laat me eerst uitpraten voor je iets zegt. Omdat ik heel aardig verdien en ik op een plek werk waar altijd veel jonge mensen zijn, nou, ik dacht dat Westie misschien eens naar Wee-ki Wachee kon komen en een poosje bij mij kon blijven. Niet erg lang, een paar weekjes maar. Denk er eens over na. Hij is dan elke dag buiten; er is heel veel te doen. Hij zou nooit eenzaam zijn en er is altijd wel iemand die op hem kan passen.'

'Wat wil je daarmee zeggen, Delores?' Haar moeders stem was doortrokken van boosheid.

'Dat jij wel een beetje rust kunt gebruiken, en dat Westie misschien een poosje bij me kan logeren.' De doordringende geur van de coating vulde de kamer.

'Wat voor moeder denk je dat ik ben?' Ze trok haar voeten van haar dochters schoot en ging overeind zitten. 'Ik weet dat je daar een grote ster bent, dus misschien ben je je moeder hier wel vergeten. Laat me je geheugen even opfrissen. Mijn moeder liet me in de steek toen ik twee was. Toen ik jou kreeg was ik een tiener. Mijn man is 'm gesmeerd. Dan ga jij naar Florida om zeemeermin te worden, en je laat me alleen met je kleine broertje.

En nu wil je hém voor een poosje meenemen? En ik dan? Denkt er nog iemand aan míjn gevoelens? Tissues. Waar zijn die stomme tissues?' Ze veegde haar ogen met de rug van haar hand af.

'Hier,' zei Delores, en ze gaf haar moeder een prop watten uit haar toilettas. 'Mag ik nu iets zeggen?'

'Nee, ik ben nog niet klaar. Ik werk verdomd hard om de boel gaande te houden. Om mijn waardigheid te behouden. Ik weet dat je me elke maand geld stuurt, hartelijk bedankt. Maar eerlijk gezegd ben ik het zat dat alles om jou draait. Ik heb ook een leven.'

'Ja, nou, ik zie wat voor leven. Ik zie precies wat voor leven dat is.'

'Je ziet niets, jongedame. Je ziet precies wat je wilt zien. Als je wilt zeggen dat ik een slechte moeder ben, dan heb je geen idee van wat een slechte moeder is. Ik ben er nog, waar of niet? Ik heb ontzettend veel opgeofferd om bij dat jochie te zijn, wat meer is dan ik van jou en je geliefde vader kan zeggen.'

Als ze het gesprek nu liet ontsporen, kreeg ze het misschien nooit meer op de rails, dus hield Delores haar woede voor zich. 'Je hebt gelijk,' zei ze. 'En daarom wil ik je helpen. Het is niet voor altijd. En het zou juist een kans voor je zijn. Misschien kun je wat meer voor je vriendin van het tijdschrift werken – Avon, of hoe ze ook heet.'

'Avalon,' zei haar moeder, en ze wees naar de watten. 'Ik heb er nog wat nodig.' Ze veegde haar neus af en depte haar ogen. 'Er is wel iets. Avalon zei een paar keer dat als ik de tijd had, dat het tijdschrift dan een secretaressecursus voor me kon betalen om te leren typen en in steno te schrijven. Ze zegt dat ze meer goed opgeleide sercretariaatsmedewerkers nodig hebben. Maar dat is belachelijk. Waar heb ik het over? Laat ik een peuter bij een stel zeemeerminnen wonen, een stel mafketels? Nee, dat kan niet. Westie blijft bij mij, en daarmee uit.'

God, haar moeder was de irritantste persoon ter wereld. Ze

haalde haar het bloed onder de nagels vandaan. Delores dacht aan Dave Hanratty en aan wat hij in zo'n situatie zou zeggen. 'Als je een poosje niet voor Westie zou hoeven zorgen, zou je inderdaad zo'n cursus kunnen volgen en wat ervaring opdoen. Dan hoef je geen dom baantje meer te nemen om het geld. Dan zou je goed verdienen. Snap je? Jij hebt het dan voor het zeggen. Dit kan alles veranderen.'

Haar moeder snufte terwijl ze luisterde.

Toen ze uiteindelijk iets zei, klonk haar stem nasaal en kinderlijk. 'Daar zit wel wat in. Maar Westie bij jou laten wonen, dat slaat nergens op. Ik zal er een nachtje over slapen.' Ze gaapte. 'Het wordt al laat. Ik heb mijn schoonheidsslaapje nodig. Wil je bij me komen zitten als ik mijn haar doe?'

Delores ging op haar moeders bed zitten en keek toe terwijl haar moeder lokken haar om haar vinger krulde en ze met watergolfspeldjes vastzette. Toen ze klaar was, wikkelde ze een blauw haarnetje om het bouwwerk op haar hoofd zoals vrouwen in Rusland hun hoofddoek omdoen. 'En dan vind je mij een mafketel?' Delores kon haar lachen niet inhouden.

'Soort zoekt soort,' zei haar moeder lachend.

Delores glimlachte zwakjes. 'Denk er maar even over na, over alles waar we het over hebben gehad.'

'Ja, we praten morgen verder. Slaap lekker. Doe geen dingen die ik niet zou doen.' Ze gaf een knipoog en knikte naar de kamer waar Lester sliep. Delores rolde met haar ogen en liep naar de slaapbank in de huiskamer.

Toen ze de volgende ochtend opstond, zat haar moeder al aan de ontbijttafel, met een kop koffie in de ene hand en de Gouden Gids op schoot. Ze had het haarnetje afgedaan en de speldjes uit haar haar gedaan, maar het nog niet uitgekamd. Toen ze zich over de Gouden Gids heen boog, vielen er krullende lokken als serpentines langs haar gezicht. 'Moet je horen,' zei ze, terwijl ze naar een kleine advertentie midden op de pagina wees. GEEF JE CARRIÈRE EEN VLIEGENDE START, stond er. LEER ALLE SECRETARIËLE VAARDIGHEDEN DIE JE NODIG HEBT OM BEROEPS TE WORDEN. HET MARCIE BREITMAN OPLEIDINGSCENTRUM.

'Pak een potlood, lieverd, en schrijf dit nummer op. Deze zit volgens mij in de buurt.' Delores schreef op wat haar moeder zei en vroeg: 'Wil dit zeggen dat je een besluit hebt genomen?'

'Waarover?'

'Je weet wel, over Westie naar Weeki Wachee laten gaan en zo,' zei ze ongeduldig.

'Die hindernis nemen we wel als het zover is. Ik zal eens wat van die centra bellen, dan weten we waar we het over hebben.'

Dat was beter dan niets, dacht Delores.

'Wat doen jullie vandaag?' vroeg haar moeder, die een krul van haar voorhoofd streek.

'Mam, waarom hangt je haar er zo bij? Waarom heb je het niet even uitgekamd?'

'Weet je, soms ben ik blij dat je het huis uit bent. Ik heb geen behoefte aan de kritische opmerkingen van een grietje van zeventien. Maar als je het wilt weten, ik vind dat een man – al is het jouw vriendje daar – een vrouw niet met krullers in moet zien. Daarom heb ik de spelden eruit gehaald om toonbaar te zijn, maar toen moest ik gewoon mijn koffie hebben, dus heb ik de rest even laten zitten. Kun je daarmee leven?'

'Ik vind het prima. Alleen lijk je zo een beetje op George Washington.'

Het gesprek had heel snel in iets vervelends kunnen ontaarden, maar toen riep Westie vanuit zijn slaapkamer. Delores liep op haar tenen de kamer in om hem uit bed te halen. Lester lag op zijn zij en sliep nog; hij had zijn dekens eraf gewoeld, en ze zag zijn blote schouder. Hij was bruin en gespierd en deed haar denken aan de vleugels van de reusachtige visarenden die weleens over de Springs vlogen. Ze had haar pantoffels en badjas nog aan, en stond even stil, net toen ze Westie wilde optillen, die was omgeven door die zurige lucht die kindjes 's morgens hebben. In de lichtvlekken die door de kieren van de jaloezieën naar binnen vielen, zou het heel knus en vanzelfsprekend zijn als ze een vinger over Lesters rug zou laten gaan. Gewoon, om te zeggen: hoe is het? Slechts de aanwezigheid van haar moeder in de andere kamer hield haar tegen. Als haar moeder het zou zien, dan was ze nog niet jarig.

Delores nam Westie mee naar de keuken en nam hem op schoot, tegenover haar moeder met haar bizarre George Washington-kapsel, die de Gouden Gids nog doorliep. Hoe lang was het geleden dat er zo veel Walkers in de flat waren geweest? Bij de Walkers thuis?

Thuis was een raar woord, dacht Delores. Als ze aan thuis dacht, dacht ze aan handdoeken op de badkamervloer, broodkruimels van het ontbijt op het aanrecht en halfafgemaakte zinnen die van de ene kamer naar de andere werden geroepen. Er nestelde zich een doffe pijn in Delores' maag. Het was dezelfde pijn die ze had gevoeld wanneer ze zich op koude zondagochtenden in de badkamer had opgesloten om het geruzie van haar ouders maar niet te horen. Maar deze keer was het niet háár gevoel dat zich samenbalde in haar binnenste. Ze voelde het voor haar moeder. Ze stelde zich voor hoe het voor haar moest zijn om in haar eentje in deze flat te zitten, zo stil en alleen.

Haar moeder keek abrupt op van de Gouden Gids, alsof ze door de gedachten van haar dochter op de schouder werd getikt. 'Nou, lieverd, ik zou graag blijven kletsen, maar ik heb niet de hele dag de tijd. Sommige mensen moeten geld verdienen.'

'Ik weet het, mam. Maar er is iets wat ik je nog wilde vertellen.'

Haar moeder verstrakte, alsof ze zich schrap zette voor een klap.

'Achter in de kast, weet je wel, waar jij je oude vossenbontje

261

en zo bewaart?' zei Delores. 'Kijk daar eens. Er ligt iets voor je.'

'Nu?' vroeg haar moeder.

'Ja, dat lijkt me een goed idee,' zei Delores.

Haar moeder liep naar de kast en kwam terug met de tas van Crown Royal, die halfvol zat met munten. 'Waar komt dit nou vandaan?' vroeg ze, terwijl ze de tas voor zich uit hield.

'Papa heeft ze verzameld. Wist je dat niet?'

Haar moeder schudde haar hoofd, alsof ze een oude herinnering probeerde af te schudden. 'Nee, eigenlijk niet,' zei ze.

'Nou, ze zijn voor jou.'

Haar moeder leek er verlegen mee en wilde duidelijk op een ander onderwerp overgaan. 'En wat zijn jullie plannen voor vandaag?' vroeg ze.

Delores' oude vriendin, Ellen Frailey, had gezegd dat ze haar, Lester en Westie zou ophalen om samen een dagje naar Orchard Beach te gaan. Dus Delores loog maar half toen ze zei: 'O, Ellen komt ons met de auto halen.'

Haar moeder schoof haar stoel achteruit. 'Het is me een raadsel hoe die vriendschap overeind is gebleven. Waarschijnlijk heeft zij allemaal van die Riverdale-vriendinnen. Nou, ja, jij bent weer eens wat anders, dat in elk geval.'

En van het ene moment op het andere ging alle medeleven dat Delores die ochtend voor haar moeder had gevoeld in rook op, het raam uit van hun flat aan de Grand Concourse in de Bronx.

In Ellens Toyota op weg naar Orchard Beach genoten Delores en Lester van de zilte vislucht van het water. Ze waren nu vier dagen op het land. Voor hen was het net zoiets als verdrinken. Hoewel het troebele water van Orchard Beach niet te vergelijken was met de kristalheldere Springs, deed het zien ervan hen alleen al goed. Ze spreidden hun deken op het strand uit en zetten de hoeken vast met een schoen. Ellen had Delores met een

stevige omhelzing begroet toen ze elkaar na al die tijd weer zagen. 'Je bent nog mooier dan ik me kan herinneren,' had ze gezegd toen ze binnenkwam. Ze had Westie opgetild en gezegd
dat hij zo groot was geworden, en toen haar armen om Lester
geslagen en gezegd dat ze blij was hem te leren kennen. Delores
was opgelucht dat Ellen niet zo veel was veranderd, ook al had
ze nu een hoop chique nieuwe vriendinnen.

Toen ze op het strand aankwamen gingen ze op de deken zitten, maar al na twee minuten zei Delores, met een blik naar Lester: 'Kom, we nemen een duik.' Ze zei tegen Westie dat hij het
grootste gat moest graven dat ooit gegraven was en dat ze zeker
wist dat Ellen wel wilde helpen. Daarna renden Lester en zij
over het strand, doken het water in en zwommen een tijdje. Lester kwam naast Delores zwemmen. 'Zullen we een show doen?'
stelde hij voor.

'Hier?' vroeg ze.

'Ja, waarom niet,' zei hij. 'Ik wil wedden dat deze mensen
nog nooit zeemeerminnen in het echt hebben gezien.'

Ze wierp een blik op het strand, waar dames slechts tot hun
middel het water in gingen om hun kapsel te sparen. Stellen
met kinderen zaten op handdoeken boterhammen en chips te
eten. Twee oudere stellen zaten een potje te kaarten. 'Dat denk
ik ook niet,' zei ze. 'Kom op, we doen het.'

Het zeewater prikte in hun ogen, maar dat merkten ze amper. Ze wierpen zich in voorwaartse zwanensprongen, waarbij
ze hun armen, benen en hoofd naar achteren hielden terwijl ze
vooruit zwommen; ze draaiden molentjes, deden salto's met
hun onderbenen naar hun hoofd gebogen en hun bovenbenen
gebogen; ze deden de Weeki Wachee-manoeuvre, de dolfijn,
salto's achterover met een gebogen en een gestrekt been. Vanaf
het strand leken ze net een paar haaien die plotseling naar de
kust waren afgedwaald, met hun snelle bewegingen die in scherpe hoeken door de branding sneden. Geleidelijk verzamelde er

zich een menigte mensen. Delores zag Ellen en Westie. Ellen zwaaide en stak haar duimen op. Ze tilde Westie op, en die zwaaide ook. Lester deed zijn dans uit *The Merfather*. Een paar van de dames liepen tot hun schouders het water in om het beter te kunnen zien. Delores en Lester bewogen soepel en snel in alle richtingen, maakten snelle wendingen, versmolten met de golven en leken nooit boven water te komen om lucht te happen. Bijna een half uur ging voorbij voordat ze ophielden. Toen ze eindelijk opstonden en naar het strand liepen, klapten de mensen. Delores hoorde een vrouw tegen een andere vrouw zeggen: 'Wat een stuk, hè?' en ze wees naar Lester.

Later op de middag liet Delores Westie een ritje op haar rug maken, net als ze een paar maanden daarvoor in de Springs had gedaan. 'Hou je vast, mannetje,' riep ze, toen ze door de branding heen zwom naar het rustiger water. Deze keer waren er geen schildpadden, maar klonten zeewier en een afgedankt bierblikje. Toen ze hem afdroogde, vroeg ze of hij van het water hield. Hij stak zijn buik naar voren en knikte. 'Ja,' zei hij. 'Ik houd er heel veel van.'

Ze wreef zijn haar droog en zei: 'Westie, kun je een geheimpje bewaren?' Weer knikte hij.

'Mama weet niet dat we vandaag hier zijn. Dit weten wij alleen, dus we gaan het haar niet vertellen, oké?'

Hij voelde dat het allemaal bij een groot avontuur hoorde en knikte ernstig. Hij trok aan haar hand. 'Zwemmen,' zei hij. 'Ik wil zwemmen.'

'Zou je het leuk vinden een keer met me mee naar Florida te gaan? Dan kun je elke dag zwemmen. Dan kun je de schildpadden zien.'

Westie dacht maar heel even na. 'Oké, ik ga mee.'

'Weet je het zeker? Dan moet je wel een poosje bij mama weg. Maar dan ben ik elke dag bij je. Misschien kun je dan ook een olifant zien.'

Westie knikte weer. 'Ja dan kan ik naar de schildpadden en de olifanten.'

Delores knuffelde hem. 'Goed dan. Dat is ook een geheimpje, van ons tweeën. Afgesproken?'

'Afgesproken,' zei hij.

22

Niemand had zich ooit bekommerd om Gail Walkers doe-
len, en haar hart sloeg over bij de gedachte dat iemand dat nu
wel deed. Het echte antwoord was niet iets wat ze op het aan-
meldingsformulier van het opleidingscentrum wilde schrijven,
dus ze schreef: 'Ik wil iemand zijn en niet altijd het gevoel hebben dat ik onzichtbaar ben. Ik wil vaardigheden hebben die ik
nodig heb om een beroep te leren.'

Uit pure wanhoop had ze zichzelf wijsgemaakt dat je dit
soort kansen maar eens in je leven kreeg. Het tijdschrift had beloofd tweederde van de 450 dollar aan kosten te betalen; de zilveren dollars zouden genoeg zijn voor de rest. Avalon zei dat ze
zeker wist dat er plaats was voor een secretaresse voor de directeur Marketing van *Cool*, en dat Gail met haar opleiding van het
Marcie Breitman-centrum de perfecte kandidate zou zijn.

Gail probeerde het zich voor te stellen: een baan waarvoor ze
niet de hele dag hoefde te staan; een baan waarmee ze genoeg
verdiende om kleren te kopen en iets anders te dragen dan haar
goedkope uniform. Ze had haar werk bij de supermarkt opge-
zegd. Ze zou niet elke ochtend wakker worden en tegen de dag
opzien. Haar dochter zou zich niet meer voor haar hoeven schamen en zijzelf ook niet. Delores had beloofd dat Thelma Foote
zou helpen met Westie. Wat een vreselijke, strenge vrouw was

dat, dacht Gail, maar ze maakte een efficiënte en betrouwbare indruk. Voor Westie zou worden gezorgd, dat was het belangrijkste. Ze vond zichzelf een slechte moeder omdat ze haar zoontje van drie wegstuurde, maar als tegenargument voerde ze aan dat ze ook een goede moeder was omdat ze gewoon wilde wat het beste voor hem was. Dus zei ze tegen Delores, ja, Westie mocht met haar mee naar Weeki Wachee. Ze zou Thelma Foote zondag bellen, tegen het lage telefoontarief, om te horen of ze het goed vond. Wat kon je daar nu op tegen hebben? Hij zou de hele dag buiten zijn, niet opgesloten in dit muffe flatje. Er zouden andere kinderen in de buurt zijn. Bovendien: het was maar tijdelijk. Zodra ze haar diploma had, zou hij weer thuiskomen.

Delores wist dat ze niet te vroeg moest juichen. Als haar moeder ook maar een vermoeden kreeg dat ze hiervan had gedroomd, dan zou ze het heel snel terugdraaien, al was het maar om haar dwars te zitten. Daarom praatte Delores alleen met haar over de praktische dingen: de kleren die hij moest meenemen, het vliegticket dat ze zou kopen. Maar als ze alleen met Lester was, maakte ze een rondedansje om hem heen. 'Ongelooflijk. Westie Walker komt naar Weeki Wachee.' Ze giechelde. 'Zeg dat eens drie keer achter elkaar: Westie Walker komt naar Weeki Wachee.'

Lester liet een hand over zijn wang gaan en trommelde met zijn vingers licht op een nieuw puistje. 'Eh, ik wil geen spelbreker zijn,' zei hij, 'maar wat ga je met Westie doen als je hem daar eenmaal hebt? Ik bedoel, waar gaat hij slapen en wat doet hij als jij aan het werk bent?'

Ze verstarde. 'Nou, Lester Pogoda, jij weet wel hoe je een domper op de feestvreugde moet zetten, hè?'

'Sorry,' zei hij. 'Het is alleen maar...'

'Het is alleen maar dat je gelijk hebt,' maakte ze zijn zin af. Ze had eraan gedacht hoe heerlijk het zou zijn om Westie in Weeki Wachee te hebben, maar ze had nooit nagedacht over de logistiek van wat er zou gebeuren als hij echt kwam. 'Ik denk dat hij bij mij in de slaapzaal kan slapen. Ik weet zeker dat Molly het niet erg vindt.'

'En de rest?' vroeg Lester.

Delores stelde zich de andere meisjes voor: hun gewoonte om naakt door de slaapzaal te lopen; hun openhartige gesprekken over ongesteld zijn en de grappen die ze maakten over bloedvlekken op de lakens. Zelfs nu Blonde Sheila zo kuis was, werd er 's avonds nog genoeg gepraat over maagdelijkheid, seks en blauwe ballen, wat dat ook mochten zijn. En stel dat Blonde Sheila nu eens echt zwanger bleek te zijn?

Delores en Lester staarden elkaar aan, alsof ze allebei aan een uiteinde wankelden van dezelfde gedachte: natuurlijk was de slaapzaal niet de juiste plaats voor een klein jochie. Maar als hij niet in de slaapzaal kon slapen, waar dan wel? Misschien was het hele idee hem mee te nemen überhaupt een beetje maf.

'Thelma,' zei ze. 'Ik bel Thelma. Die weet wel wat we moeten doen.'

In de wetenschap dat haar moeder zich geruster zou voelen als ze wist dat Thelma op de hoogte was, had Delores tegen haar gelogen over Thelma's bereidheid hen te helpen. Terwijl ze wachtte tot de telefonist haar had doorverbonden, kon ze de paniek in haar maag voelen kolken.

Thelma liet de telefoon maar één keer overgaan voordat ze opnam. 'Ja, wat is er?'

'Hoi, met Delores.'

'O, hoi. Hoe gaat het daar in het noorden?' Ze klonk alsof ze met iets anders bezig was, en daarom kwam Delores snel ter zake. 'Ik heb mijn moeder overgehaald om mijn kleine broertje een poosje bij mij te laten logeren. Hij komt met ons mee als we terugkomen. Het punt is, ik weet niet goed waar hij moet slapen. Je weet wel, dat soort dingen.'

Stilte.

Delores stelde zich Thelma voor die aan een draadje van haar windjack plukte. Ze kon haar knorrige bui voelen voordat ze hem hoorde.

'Ben je nu helemaal gek geworden? Een kind hierheen halen? Ik heb een bedrijf hier, geen kinderdagverblijf.'

'Ja, maar ik dacht dat...'

Thelma luisterde niet. 'Heb je meneer Kletskous over je briljante inval verteld?'

'Wie is meneer Kletskous?'

Thelma klonk gegeneerd. 'O, dat is een bijnaam die ik voor je vader heb bedacht. Maar goed, wat vindt hij ervan?'

'Ik heb het hem nog niet verteld.'

'Als je hier een Walker-reünie gaat houden, vind je dan niet dat hij het ook hoort te weten?'

'Ik wilde eerst met jou praten.' Delores klonk alsof ze in huilen kon uitbarsten.

'Hoe stel je je dat voor? Wat denk je dat dat kind de hele dag moet doen?'

'Hij is gek op water,' zei Delores. 'Ik zal hem leren zwemmen. Wie weet wordt hij de jongste zeemeerman ter wereld. Dat zou niet slecht zijn voor de zaak, toch?'

'Volgens mij zijn er wetten die verbieden dat kinderen van drie werken.' Weer een stilte. 'Het is een belachelijk idee. Nee, ik kan het niet toestaan. Geen sprake van.'

Thelma smeet de telefoon neer. Delores probeerde haar tranen terug te dringen.

Lester schudde zijn hoofd. 'Ze pikte het niet, zeker.'

'Ik weet niet meer waar ik mee bezig ben,' zei Delores met trillende stem. 'Dit is het domste idee dat ik ooit heb gehad.'

'Bel nog eens,' zei hij. 'Zeg dat je haar hulp nodig hebt.'

Deze keer ging de telefoon drie keer over.

'Ja,' zei Thelma.

'Luister, mijn moeder is doodmoe,' zei Delores, nog steeds

met tranen in haar ogen. 'Ze kan een beetje hulp echt wel gebruiken. Bovendien mis ik mijn broertje. Zonder hem wil ik niet terugkomen.'

'Gaan we dreigen, jongedame? Want dat accepteer ik niet.'

Delores had het niet als dreigement bedoeld. 'Nee, echt niet, ik meen het. Luister, ik weet niet goed waar ik mee bezig ben. Ik ben bang. Ik weet dat het klinkt als een dom idee; het is alleen dat Westie zo snel groot wordt en ik er niet meer van wil missen.'

Thelma hoorde het verlangen in Delores' stem. Ze herinnerde zich dat als je heel erg naar iets verlangt en je het niet krijgt, het je hele kijk op het leven kon veranderen. Hier zat ze dan, met de macht in handen om dit meisje datgene te geven waar ze waarschijnlijk meer naar verlangde dan wat ook. Ze kon haar eigen verleden niet veranderen, maar Delores was jong: haar verleden was nog in wording.

'Laten we het bespreken,' zei Thelma, die er goed voor op haar bureaustoel ging zitten en een pen en blocnote uit haar la pakte. 'Om te beginnen kunnen we een ledikantje bij jou in de slaapzaal zetten. Als je werkt, kan hij bij de andere meisjes zijn. We zullen meneer Kletskous moeten vragen om in te springen. Wat denk je dat hij ervan vindt?'

'Ik weet het niet,' zei Delores, 'maar ik weet wel dat Lester zei dat hij ook zou helpen.'

Thelma vervolgde: 'Eten: je betaalt voor zijn eten en kleren. En je moet me één ding beloven: als hij heimwee krijgt en naar huis wil, dan moet je hem laten gaan.'

Delores zweeg even. 'Dat beloof ik.'

Thelma schreef alles op. Een kwartier later legde ze haar pen neer en kreunde: 'Dit is waarschijnlijk de slechtste beslissing die ik ooit heb genomen, maar je kunt dat kind meenemen, op één voorwaarde. Ik ga het de anderen vertellen. Als zij bezwaar maken, dan gaat het feest niet door. Zo niet, dan proberen we het een poosje en zien we hoe het gaat. Bel je vader en vertel hem over je domme plan.'

Delores kreeg een kleur van opluchting. 'O god, dank je wel. Ik zal vanavond meneer Kletskous bellen.'

Lester stak zijn duim naar haar op. Ze nam zich voor om tien dollar voor haar moeder achter te laten voor interlokale telefoontjes. Lester zat op de grond bij Westie, die naar tekenfilmpjes op tv aan het kijken was. Delores liep Westies kamer in, waar haar moeder al was begonnen met het inpakken van zijn tas. 'Sorry, maar hij heeft niet zo veel zomerkleren,' zei haar moeder.

'Geeft niet, mam. We hebben daar keus genoeg,' zei Delores.

Haar moeder leek haar niet te horen. Ze hield een rood met blauw gestreept T-shirt omhoog. 'Hij is zo klein,' zei ze met een blik op het kledingstuk op zakdoekformaat. Toen keek ze Delores aan. 'Als je iets koopt, neem dan een grote maat. Hij groeit waar je bij staat.'

'Weet ik. Zal ik doen,' zei ze, terwijl ze de laatste korte broek opvouwde. Haar moeder sloot de koffer. 'Wacht, ik heb nog iets,' zei Delores, en ze stapte over de berg poppen. Ze groef Otto op en trok zijn rok recht. Ze wikkelde hem in Westies pyjamabroek en stak hem in een van de zijvakken van de koffer, bij Westies favoriete tyrannosaurus, en knipte het slotje dicht.

Delores wist dat haar vader om vijf uur klaar was met zijn werk. Daarom wachtte ze een uur voordat ze hem in het kantoor van Dave Hanratty belde. Hanratty nam keurig op: 'Hanratty's Circus, spectaculair en verbluffend. Met Hanratty zelf.' Thelma kon wat telefoonetiquette betrof nog wel iets van hem leren.

'Hallo, meneer Hanratty, met Delores Taurus. Ik hoopte dat ik mijn vader even kon spreken.'

Hanratty had niet blijer kunnen klinken als P.T. Barnum uit het graf was opgestaan.

271

'Kijk, kijk. Wat een verrassing. Wat fijn iets van u te horen, juffrouw Taurus. Momentje, alstublieft, ik ga hem halen.'

Terwijl ze wachtte vroeg ze zich af hoe ze de komst van Westie aan haar vader moest uitleggen. Misschien moest ze haar voorstel beginnen met de mededeling dat het leven vol verrassingen zat, maar hij leefde daar tussen olifanten en apen, dus daar wist hij waarschijnlijk alles van. Ze moest tijdens het gesprek maar zien hoe ze het aanpakte. Een paar seconden later nam hij op.

'Hallo,' zei hij onaangedaan.

'O, hallo, eh. Met mij. Nou ja, dat weet je natuurlijk wel. Ik heb nieuws. Mijn moeder, eh, die eigenlijk je vrouw niet meer is, en ik hebben besloten dat het een goed idee zou zijn om Westie een poosje naar Weeki Wachee te halen. Dat is voor iedereen weer eens wat anders.' Ze zweeg en wachtte tot hij iets ging zeggen, maar dat deed hij niet.

'Ik wilde het je alleen vertellen zodat het geen verrassing voor je zou zijn.'

'Goed.'

'Meer niet? Heb je er nog iets over te zeggen?'

'Niet echt.'

'Goed,' zei ze. 'Tot over een paar dagen, dan.'

'Juist.'

Ze staarde naar de telefoon voordat ze hem neerlegde. Meneer Kletskous, dacht ze. Dat is nu iemand die nooit kinderen had moeten krijgen.

Ze hadden afgesproken dat Gail niet met hen naar het vliegveld zou gaan. 'Dat vind ik te moeilijk,' had ze met tranen in haar ogen gezegd. Dus op de ochtend dat ze zouden vertrekken, stonden ze om zes uur op om de metro naar het Grand Central Station in Manhattan te nemen, waar ze op een bus naar het vliegveld zouden stappen. Net toen Delores een pak cornflakes uit de kast pakte, kwam haar moeder haar slaapkamer uit. Ze droeg haar rood-wit geblokte lievelingsblouse en een witte broek. Haar haar was netjes gekamd en ze had lippenstift en lichtblauwe oogschaduw opgedaan. Ze liep langzaam naar de keukentafel en keek niet op.

'Je ziet er leuk uit, mam,' zei Delores.

'Ik wil niet dat hij zich mij als een of andere slons herinnert,' fluisterde ze naar Delores. 'Luister, ik zal wat pannenkoeken bakken. Geef me de melk eens aan, lieverd.' Haar stem klonk vlak, ontdaan van zijn boze timbre. In het bleke ochtendlicht zag ze er breekbaar en futloos uit.

Met z'n vieren aten ze in stilte hun ontbijt. Toen het tijd was om te vertrekken, legde Gail haar handen op Delores' schouders. 'Ongelooflijk dat we dit ook echt doen,' zei ze. 'Toen ik gisteren met Thelma Foote praatte, zei ze dat we het een poosje zouden proberen. Een poosje maar. En denk eraan, als hij heimwee krijgt, dan komt hij naar huis.' Toen tilde ze Westie op en drukte haar gezicht in het zachtste deel van zijn nek. Ze snoof diep alsof ze probeerde zijn geur in zich op te nemen. Delores geneerde zich voor de piepende geluiden die uit haar moeders keel kwamen. Na een hele poos zette ze Westie neer. 'Je zult het heel leuk vinden in Florida,' zei ze tegen hem. Ze klopte Lester op zijn rug en glimlachte dunnetjes.

'Mama,' riep Westie. 'Mama komt ook mee.'

'Mama gaat nu niet mee,' zei Delores, en ze liet haar zin in de lucht hangen.

Haar moeder draaide zich om en liep naar Westie. Ze ging op haar hurken bij hem zitten en zei: 'Mama blijft nu even hier. Maar je ziet mama heel snel weer.'

'Nee, mama, jij moet mee. Dan slapen we in een hotel.' Hij begon te huilen.

Gail wist haar stem vast te laten klinken. Ze zei: 'Weet je wat, als je in Florida bent, koopt Delores een grote doos cakejes voor je. Dan mag je elke dag een cakeje nemen en als je ze allemaal op hebt, komt mama naar je toe.'

'We gaan naar de schildpadden. Weet je nog, de schildpadden,' zei Delores. 'Weet je nog dat we over de olifanten hebben gepraat en dat je elke dag mocht zwemmen?'

'Nee, geen schildpadden. Mama ook mee.'

Gail stond op. Ze vond het belangrijk dat Westie haar niet zag huilen. 'Ga nu maar,' zei ze, en ze wendde zich af om naar haar slaapkamer te lopen. Ze ging op haar bed zitten en probeerde Westies gejammer niet te horen toen Delores en Lester met hem door de gang liepen. *Wat voor monster laat haar kind moederziel alleen gaan*, dacht ze bij zichzelf. *Wat ben ik voor iemand?*

23

De eerste avond dat Westie in de slaapzaal sliep, huilde hij zich in slaap. Tussen zijn snikken door zei hij: 'Mama, ik wil mama.' Hoe meer meisjes hem probeerden te troosten of voor hem wilden zingen, hoe harder hij huilde. Hij werd pas rustiger toen Delores hem had beloofd dat ze de volgende dag naar de olifanten zouden gaan, maar op dat moment was hij ook uitgeput.

De volgende ochtend liepen Delores en Westie naar de Springs, waar ze haar vader tot aan zijn middel in het water naast Nehru zagen staan. Hij murmelde tegen Nehru, die haar kop leek te buigen om hem te kunnen horen. Delores keek een poosje toe, en riep toen: 'Hallo, eh, hallo.' Hij draaide zich naar haar om en ze wees naar Westie. 'Kijk eens wie er is.'

Westie staarde naar de man in het water die een volslagen vreemde voor hem was, ook al leek hij opvallend veel op Westie – kort en gedrongen. Roy staarde terug, terwijl hij Nehru's slurf bleef strelen. De meeste kinderen met broertjes en zusjes vragen zich weleens af wie hun vader het eerst zou redden als ze allemaal in het water zouden vallen. De meesten zouden niet zeggen: de olifant. Ze dacht terug aan hun gesprek van een week geleden, waarin hij had gezegd: 'Ik werk graag met olifanten, en voor de rest laten mensen me met rust.' Hij zag er uit alsof hij zich thuis voelde in het water met Nehru. Ze had er nooit zo over nagedacht, maar als hij zich bij Nehru net zo thuis voelde als zij zich in het water van de Springs voelde, dan begreep ze het wel. Die gemoedsrust, dat was thuis.

Haar vader fluisterde iets tegen de olifant en kwam toen uit het water. Hij ging op zijn hurken zitten en staarde Westie aan. 'Kijk eens aan,' zei hij. Had hij de spleet tussen Westies twee voortanden gezien. Net als bij hem. 'Kijk eens aan,' zei hij nog eens, en er verscheen een glimlach op zijn gezicht. Westie kneep zijn ogen halfdicht en deed een stap naar Delores toe.

'Westie, weet je wie dit is?' vroeg ze. 'Dit is je vader. Je papa,' zei ze. Ze wist heel goed dat iemand papa noemen nog niet wil-de zeggen dat je het ook zo voelde. 'Papa,' zei ze weer. Zelfs het uitspreken van het woord gaf haar een raar gevoel, maar wat Westie betrof had ze net zo goed kunnen zeggen: 'Dit is de kerstman.'

Roy bekeek de jongen. 'Zo, jongeman, hoe vind je het hier tot nog toe?' Zijn stem was te hoog en te zangerig, en verraadde dat hij zich niet op zijn gemak voelde bij kinderen.

'We zijn gisteravond aangekomen,' zei Delores. 'Hij heeft bij mij in de slaapzaal geslapen. De meiden vonden het geweldig, hè Westie? We gaan straks zwemmen. Westie zwemt graag.'

'Zo, jongeman. Hou jij van zwemmen?' vroeg haar vader.

Hij wist zich geen raad; hij had geen idee hoe hij met mensen moest praten, laat staan met zijn eigen zoon.

Delores probeerde het gesprek op gang te helpen. 'Westie heeft nog nooit een olifant gezien. Dit is zijn eerste,' zei ze.

Roy wees naar Nehru. 'Wat een grote, hè?'

Westie knikte en vergaapte zich aan het dier.

'Wil je eens naar haar toe?' vroeg Delores. Westie keek op met een blik waaruit sprak: mag dat echt?

'Toe maar,' zei ze. 'Nehru is een schatje, je vindt haar vast lief. Je papa brengt je naar haar toe.'

'Moet ik dat wel doen?' vroeg Roy zacht.

'Het gaat goed,' zei ze. 'Neem hem maar mee.'

Roy wilde Westie optillen, maar die hield zich vast aan Delores' benen. 'Het is goed,' zei ze tegen hem. 'Hij gaat je optillen zodat je de olifant kunt aaien.' Westie liet voorzichtig Delores' benen los.

Roy nam het jochie op zijn arm en liep het water weer in. Westie zag eruit als een welp die tegen zijn vaders brede, gebruinde borst lag. Hij is zo bleek en nieuw, dacht Delores, en ze vroeg zich af wanneer mensen er afgeleefd begonnen uit te zien. Met zijn vrije hand klopte Roy op Nehru's slurf en zei tegen Westie dat hij dat ook mocht doen. Voorzichtig stak Westie een vinger naar het dier uit. Hij raakte het dier nog eens aan, en nog eens. Roy pakte zijn hand en hield die omhoog zodat hij Nehru's flank kon aaien. Nehru boog haar kop en Roy fluisterde iets wat Delores niet kon horen. De olifant zoog een beetje water op en spoot het met haar slurf weer uit. Westie giechelde toen de druppels op hem neer regenden. Binnen de kromming van de waterstraal hing een volmaakte, kortstondige regenboog. Nu spetterden haar vader en Westie water terug naar Nehru. Toen ze dat deden kreeg Delores het bizarre idee dat Westie zich misschien op zijn gemak zou gaan voelen bij Nehru, en Roy bij Westie, en dat ze met z'n vieren misschien ooit weer iets zouden vormen wat enigszins op een gezin leek.

Voor ze die middag naar de studio ging, vroeg Delores aan haar vader of Westie misschien tot vroeg in de avond bij hem mocht blijven. Eerst aarzelde hij, en zei hij dat hij het aan Wulf moest vragen. Toen bedacht hij hoe het zou zijn om met Westie na het werk naar het Reuzencafé te gaan. Ze zouden hamburgers en limoenroomtaart eten. Hij zou hem aan Rex voorstellen, en als meneer Hanratty langskwam, zou hij opstaan en zeggen: 'Meneer Hanratty, ik wil u graag aan mijn zoon voorstellen. Dit is West Walker, maar we noemen hem nu Westie.' Hij zou hem meenemen naar zijn caravan om hem te laten zien waar hij woonde, en als ze nog tijd over hadden, zouden ze Lucy gaan opzoeken.

'Ja, dat is goed,' zei hij tegen Delores. 'Hij mag bij mij blijven.'

De airconditioning in de bus blies warme lucht. Het was zo heet dat Thelma en Delores af en toe hun bewasemde zonnebrillen moesten schoonvegen. Thelma beweerde dat ze wel betere dingen wist om haar geld aan uit te geven dan airconditioning. Maar toen Delores een raampje wilde opendraaien, werd ze boos. 'Ik betaal niet om heel Florida koel te houden,' zei ze, en ze rukte aan een van haar chauffeurshandschoenen. Daarom bleef Delores muisstil zitten en voelde ze het zweet onder haar armen en tussen haar borsten omlaag rollen.

De eerste helft van de rit reden ze in stilte. Daarna begon Thelma te praten alsof ze de hele tijd in gesprek waren geweest. 'Ik moet zeggen, ik had eerst respect voor meneer Sommers, maar na verloop van tijd ben ik hem een boerenpummel gaan vinden.' Ze hield haar blik op de weg gericht. 'Die aardige man die het Reuzencafé runt heeft de afgelopen week zijn nieuwe café bij de Springs ingericht. Hij heet Rex, en ik kan je vertellen dat hij een echte heer is, en die kom je niet vaak tegen.'

Delores zei: 'Heeft Sommers mijn baan aan Armando gegeven?'

'Nee,' zei Thelma. 'Hij heeft hem laten invallen in de tijd dat jij er niet was.'

'Hoe weet je dat hij hem die baan niet voorgoed heeft gegeven?'

'O, dat zou hij nooit doen. Sommers zit nu op rozen. En dat heeft hij aan jou te danken. Hij zal niets doen om dat te veranderen.'

Sinds haar uitstapje naar New York had Delores over haar werk voor de televisie nagedacht. Haar moeder had haar 'goedkoop' genoemd, en dat woord bleef maar door Delores' hoofd zeuren. En wilde ze, nu Westie er was, dat hij zag hoe zij halfnaakt in bad op tv te zien was?

'Ik ben dat badkuipgedoe zat. Bovendien is het niet waardig.'
Ze hield haar hoofd scheef toen ze 'waardig' zei.

Thelma wierp Delores een blik toe. 'Met waardigheid is het
zo dat het hem meer zit in hoe je je voelt dan hoe je eruitziet. Als
jij het vernederend vindt om in een badkuip te zitten, dan ben
ik de eerste die zou zeggen dat je het niet moet doen. Mensen als
wij dragen hun waardigheid in zich mee en laten de rest van de
wereld over ons oordelen hoe ze willen. Het is de vernedering
die ondraaglijk is.' Ze beukte met haar vuist op de claxon en
riep 'Stomme rammelbak' naar de blauwe Dodge die haar net
had afgesneden. Ze ging verder: 'Ken je Rex, die man over wie
ik het net had? Die is bijna tweeënhalve meer lang. Iedereen
staart hem aan en zegt domme dingen tegen hem als: "Hallo
lange, is het koud daarboven?" Hij blijft altijd heel respectvol,
hoe erg ze hem ook beledigen. Uiteindelijk bedenken ze zich
wel en gaan ze hem waarderen om wie hij is, en hij laat nooit
merken dat ze eigenlijk zichzelf belachelijk hebben gemaakt.
Dat noem ik nu waardigheid.'

Toen ze de parkeerplaats van de studio op draaiden, reikte
Thelma voor Delores langs om haar handschoenen in het handschoenenvakje te leggen. 'Wat je ook besluit te doen, ik sta achter je,' zei ze, omdat ze er niet meer drukte om wilde maken dan
nodig was.

Ze namen de lift naar de zevende verdieping, waar ze rechtstreeks doorliepen naar Sommers' kantoor. Zijn receptioniste
begroette hen met een uitbundig hallo en drukte op de inter-
com van haar baas. 'Het vissenmeisje is er weer,' fluisterde ze, en
ze giechelde om iets wat hij terugzei. 'Zeker weten.' Ze hing op.
'Ga maar zitten, liefje. Hij komt eraan, Thelma.'

Toen Sommers hen eindelijk binnenriep, zat hij op zijn
bank, met zijn arm over de rugleuning. Hij staarde door het
raam naar buiten en kauwde op een vijgenkoekje.

'Hoe was het in de Big Apple?' vroeg hij Delores, nog steeds naar buiten kijkend. 'Vergeleken daarmee zitten wij hier maar in een gat op het platteland, hè?'

'Het bevalt me hier wel,' zei ze.

'Nou, raak er maar niet te erg aan gehecht. Jij en ik blijven de rest van onze carrière niet in dit moeras steken, dat kan ik je wel vertellen.'

Delores ging tegenover hem zitten. Thelma nam plaats op het andere uiteinde van de bank. 'En Armando dan?' vroeg Delores. 'Blijft hij de rest van zijn carrière in dit moeras steken?'

Sommers gooide zijn hoofd in zijn nek en lachte zijn bulderlach. 'Ik lach me dood om die meid, echt,' zei hij tegen Thelma.

Ze ving een vleug oude uienlucht op en zei toen: 'Delores maakt geen grapje.'

'O, ik weet best waar ze heen wil,' zei hij, en hij draaide zich naar Delores om en stak een vinger op. 'Hij is voor je ingevallen toen je weg was. Voordat je naar New York ging heb ik je gezegd wie voor je zou invallen. Vlak voordat je vertrok, kwam hij naar me toe en zei dat onze kijkers de tv aanzetten om Delores Taurus te zien, niet zomaar een zeemeermin. Hij zei dat niemand je kon vervangen en dat we het daarom niet eens moesten proberen. Hij stelde voor dat we iets heel eenvoudigs zouden doen en zei dat hij dat wel wilde proberen. Ik dacht, wat heb ik te verliezen? Hij ziet er goed uit; hij heeft zo'n mooie etnische uitstraling en een volle bos haar. Hij heeft een paar keer proefgedraaid. Z'n timing was *perfecto*. Zegt dat hij het van de beste heeft geleerd.'

'Hmm,' zei Delores fronsend.

Er kroop een geniepige grijns over Sommers' gezicht. 'Ben je bang dat je mooie vriendje er met je baan vandoor gaat?'

'Hij is mijn vriendje niet.'

'Dat is maar goed ook. Je weet toch dat jouw vriendje van de verkeerde kant is, hè?'

'Hoe bedoelt u?'

'Neem me niet kwalijk, meneer S, maar dit gesprek is echt onbetamelijk.' Thelma ging overeind zitten en zette haar handen op haar knieën.

'Ach, kom nu, Thelma. Iedereen weet dat Armando van jongens houdt.'

Plotseling werd Delores duizelig en moest ze de zijkanten van haar stoel vastgrijpen om overeind te blijven. 'Ik begrijp het niet.'

'Het geeft niet, kind, niets waar je je zorgen over hoeft te maken.' Nu keek Thelma woedend naar Sommers, die blijkbaar niets in de gaten had.

'Wil je dat ik het voor je uitspel?'

'Nee, niet echt,' zei Delores.

Ze herinnerde zich de avond na de orkaan, toen ze terugreden naar de studio. Roberta Flack had op de radio gezongen en hij had gezegd dat het 'niet bepaald een tekst voor jeugdige luisteraars' was. Ze had haar hand op zijn knie gelegd en hij had daar gewoon gezeten en geen enkele reactie vertoond. Ze wist nog dat ze had gedacht dat ze net zo goed haar hand op een stapel boeken had kunnen leggen.

'Ik wil het weer niet meer vanuit de badkuip doen,' zei ze.

Thelma leunde naar voren, terwijl Sommers een stukje vijgenkoek tussen zijn kiezen uit probeerde te peuteren. Zonder de moeite te nemen zijn vinger uit zijn mond te halen zei hij iets onverstaanbaars.

Delores en Thelma keken elkaar aan, en Delores dacht aan wat Thelma even tevoren had gezegd over waardigheid en vernedering. Het nieuws over Armando, Sommers die haar in haar gezicht uitlachte... Dit was de vernedering waar Thelma het over had. Ondraaglijk.

'Ik begrijp het niet,' zei Sommers.

'Geen badkuip meer. Punt. Meer was het niet,' zei Thelma.

Sommers haalde zijn vinger uit zijn mond. Zijn gezicht werd

zo rood als een baksteen. 'Wou je tegen mij zeggen wat je wel en wat je niet wilt doen?' riep hij tegen Delores.

'Ja, dat klopt denk ik,' zei ze, en ze vond het zelf ongelooflijk dat ze zo vrijmoedig tegen hem had gesproken.

Thelma moedigde Delores met een knik aan om door te gaan.

'Weet jij wel wat je zegt, tegen wie je het hebt?' riep hij, nog steeds op volle sterkte.

'Jawel.' Ze veegde met de rug van haar hand haar pony uit haar gezicht.

Alles aan Sommers – zijn springerige haar, staccato uitspraak en schokkerige bewegingen – gaf aan dat hij op het punt stond te ontploffen. Delores stelde zich voor hoe het zou zijn als hij daadwerkelijk ontplofte: stukken van zijn scherpe tandjes, flarden van zijn dure overhemden, stukjes vijgenkoek die in de bruine vloerbedekking zouden wegzinken en tegen de plafondhoge ramen zouden spatten.

Hij wendde zich tot Thelma. 'Hoe verklaar jij de plotselinge verandering in haar houding?' vroeg hij, in een poging zich te beheersen.

'Vraag het haar,' zei Thelma.

'Hoe verklaar jij...'

'Ik heb u wel gehoord,' zei Delores, die meer zelfvertrouwen kreeg. 'Het is meer dat ik een klus moet klaren, en dat ik het behoorlijk goed doe. Maar hoe kunnen de mensen me nu serieus nemen als ik dat vanuit een badkuip doe?'

'Je bent een ster,' zei hij. 'Ik heb verdomme een ster van je gemaakt. Weet je hoeveel meisjes er ik weet niet wat voor over hebben om jouw werk te mogen doen?'

'Je kunt het ook omdraaien, zou ik zo zeggen. Ik vind dat Delores van jou een ster heeft gemaakt,' zei Thelma.

Sommers beet op zijn ring. Er stonden zweetdruppels op zijn bovenlip. Misschien was hij te ver gegaan.

Delores had tot dat moment nooit geweten hoe het voelde om zo'n afkeer van iemand te hebben. Haar minachting voor hem was zo acuut en absoluut dat het aan het aangename grensde. Iets diep in haar binnenste werd koud, en toen haar woorden kwamen, klonken ze helder en bruusk.

'Ik doe een strakke groene jurk aan die de suggestie van een zeemeermin wekt. Ik blijf de stomme berichtjes doen over het slechte weer voor de zilveren bruiloft van meneer en mevrouw Jones. Ik zal zelfs mijn haar natmaken en het naar achteren kammen, als u wilt. Maar meer ook niet. Geen badkuip.'

'Geen slecht compromis,' zei Thelma, die haar armen over elkaar sloeg.

'Dus dat is nodig om jou erbij te houden?' vroeg Sommers opgelucht.

'Inderdaad,' zei ze.

'Nat haar, hè? Dat is leuk bedacht. Ik wou dat ik daar zelf aan had gedacht.' Zijn compliment was bedoeld om de kloof te dichten die zojuist tussen hen was ontstaan. Hoewel Delores glimlachte, wisten ze allebei dat er iets was veranderd.

DEEL 3

24

De Aquazoo zou uniek zijn in zijn soort. Met minder zou Dave Hanratty geen genoegen nemen. Het moest alles overtreffen en de bestaande attracties in een ander daglicht stellen. Het bekende donkerblauw en wit van de Springs werd vervangen door de blauwgroene kleur van de zee en palmgroen. Het Reuzencafé werd omgebouwd in de vorm van een draaimolen met een blauwgroen metalen dak. In de voorafgaande drie maanden waren er opvallende reclameborden langs de plaatselijke wegen gezet met veelbelovende teksten als: HET REUZENCAFÉ: REUSACHTIG GOED ETEN, en AQUAZOO: SPECTACULAIR EN WONDERBAARLIJK. OVERTREFT JE STOUTSTE DROMEN. Zelfs de cadeauwinkel prees met grote letters ZELDZAME SCHATTEN VAN LAND EN ZEE aan. De inventaris had voorheen niet veel voorgesteld, maar werd nu tot leven gebracht met blauwe speelgoedolifantjes en gele chimpanseeknuffels die groen met blauw gestreepte zwembroekjes droegen. Er waren pakjes toverbloemen die opbloeiden als ze in water werden gezet, en houten vlagpistooltjes waarop de woorden AQUAZOO, WEEKI WACHEE SPRINGS waren gedrukt. Die tekst werd gedrukt op alles wat Hanratty binnenhaalde: schelpen, paraplu's, zonneschermen, kleurboeken, doosjes toffee en zakjes pecannoten. Er waren bakken vol met drop, snoepjes, kauwgom en allerlei soorten chocolaatjes. De echte fans konden vaantjes en bumperstickers kopen en grote glanzende boeken met kleurenfoto's van alle dieren. Er was natuurlijk ook een assortiment aan zeemeerminnenattributen: kleine, handgemaakte poppen met rood garen voor de haren en een glinsterende staart, en voor de echte liefhebbers waren er echte zeemeerminnenkostuums, op maat te bestellen bij de enige en beste zeemeerminkleermakers Barbara en Bobby Wynn. Het geniale van Hanratty was dat hij iedereen al maanden vóór de officiële opening in staat van opwinding wist te brengen, zonder dat de mensen wisten waarom ze zo opgewonden waren. Toen hij hoorde dat de moeder van Delores bij *Cool* werkte, stuurde hij Delores enveloppen vol advertentiemateriaal van de Aquazoo 'voor het geval je moeder erin geïnteresseerd is'. Hij plaatste grote reclameborden langs Route 50 met de tekst: LIVE IN FLORIDA, NOOIT EERDER HEBT U ZOIETS GEZIEN. WILT U PLASTIC EENDEN EN MUIZEN? RIJ DAN VERDER NAAR HET OOSTEN. VOOR HET ECHTE WERK, GA DAN TERUG EN RIJ NAAR HET WESTEN; FLORIDA NEP OF FLORIDA ECHT? AAN U DE KEUS. Op al die reclameborden stond het Weeki Wachee-logo: het silhouet van een zeemeermin tegen een venusschelp, met de tekst Weeki Wachee Springs en het adres. Al deze teksten wekten de nieuwsgierigheid van de mensen. Bij Disney werd hevig geprotesteerd, maar wat konden ze ertegen doen? Dit waren de Amerikaanse snelwegen en zelfs zij bezaten die niet.

Hanratty wist dat het dragen van een uniform trots en solidariteit onder zijn personeel zou kweken. Nog voor de Aquazoo werd geopend, had hij iedereen een groene blouse met blauwe olifanten op de borstzakken, een zeegroene bermuda en witte tennisschoenen met witte sokken aangemeten. Ze vonden het allemaal best, behalve Thelma, die met enige schroom tegen Hanratty zei dat ze geen clown was en daarom geen reden zag om een kostuum te dragen. 'Juist van jou, Thelma, had ik verwacht dat jij mijn opzet hier zou waarderen,' antwoordde Hanratty. 'We zijn zielsverwanten, wat men noemt oude zielen, denk je niet? Ik heb onze verbondenheid altijd zeer gewaardeerd. Maar als jij geen uniform wilt dragen, dan ben ik de laatste die jou in een moeilijk parket zal brengen. Ik hecht veel meer waarde aan jouw vriendschap dan aan je kleding.' Uiteindelijk stemde Thelma erin toe om de blouse en de broek te dragen – al had die van haar als enige lange pijpen – en natuurlijk behield ze de mogelijkheid een windjack te dragen, ook al zat er op de linkerborstzak een olifant. Toen Rex en Thelma op een middag de inkooplijsten voor nieuw bestek voor het café doornamen, kwamen ze in gesprek over Hanratty. Thelma zei dat ze hem een geniale man vond, hoewel ze er niet achter kon komen wie hij nou eigenlijk was. Rex zei: 'Hij is een man die in plaats van zijn hart zijn hoofd op de tong draagt. Hij is zich ervan bewust dat hij zijn eigen mythe aan het creëren is en dus gebruikt hij zijn hersens en niet zijn hart. Daar profiteren wij van.'

Rex wist haar gedachten altijd wel op orde te krijgen. Ze had er nooit aan gedacht dat iemand bewust zijn eigen mythe wilde creëren. Maar natuurlijk! Dat was precies wat Hanratty aan het doen was. Een man als hij bouwt geen koninkrijk zonder zijn ego erin te stoppen. Goed, dacht ze. Laat hem het maar doen. Zolang mijn meisjes en de Springs maar in orde zijn, laat hem zijn gang maar gaan en hem wat voor megabusiness dan ook opzetten.

Wat iedereen zich altijd zou blijven herinneren van de zomer voor de opening van de Aquazoo was de geur die in de lucht hing. Die was zoet als honing. Het was niet anders te verklaren dan dat het het zoete aroma was van verwachtingsvol optimisme. Wie weet waren de bomen en de lucht er ook van doortrokken? Zelfs Roy, die normaal gesproken niet veel te melden had en zich alleen bezighield met zijn werk, had nu behoefte om met mensen te praten. Thelma en Delores kwamen tot de conclusie dat het voor Westie beter was om hem, na een korte verblijfsperiode in de meisjesslaapzaal, in de caravan van zijn vader te laten slapen. Hoewel hij overdag vooral bij Delores was, zorgde zijn constante aanwezigheid op het terrein ervoor dat iedereen wat aardiger en speelser was. De clowns lieten Westie rondrijden in hun auto's en leerden hem brutale, toeterende geluiden te maken als hij zijn been optilde. De acrobaten leerden hem kruiwagentje lopen en lieten zien hoe hij zich in de vorm van een zandkasteel kon opvouwen. Omdat Lucy en Westie ongeveer even groot waren, had de chimpansee er geen enkele moeite mee de jongen bij de hand te nemen of hem over de grond te laten rollen. En dan te bedenken dat Roy ooit bang was geweest dat Westie een moederskindje zou worden.

Dave Hanratty had nog nooit een kind als Westie ontmoet. Hij vond het leuk dat hij een kort en gedrongen uiterlijk had, net als zijn vader. Het leek ook een normaal kind, vergeleken met de kinderen van circusartiesten. Hij vroeg regelmatig om Westies reactie om te zien of de optredens succesvol zouden zijn. Op een middag zaten ze samen te kijken naar de repetitie van een nieuwe clownsact. De clowns spoten de olifanten nat met water uit hun waterflessen totdat de olifanten het zo zat waren dat ze de clowns met hun slurf onderdompelden. Hanratty observeerde Westies reactie. 'Vind je het leuk als de olifanten de clowns zo nat maken?' vroeg hij aan Westie. 'Nee,' zei Westie, die bang leek te zijn voor de kracht van de olifanten. 'Het is stom.' Toen de act even later veranderd was en de olifanten de clowns gewoon nat spoten, viel Westie om van het lachen. Hanratty wist toen dat deze act goed was.

Westie kon het, net als zijn zus, niet opbrengen 'papa' te zeggen. Hij kwam niet verder dan 'Poy'. 'Poy, kijk eens even,' riep hij dan voordat hij van een hooiberg afsprong. 'Poy, ik wil een hamburger.' 'Poy, laten we naar Nehru gaan kijken.' 'Poy' was al zo veel meer dan Roy had durven dromen, dat zijn hart opsprong als hij dat speciale woord hoorde.

's Avonds als hij naar bed ging, stopten Delores en Roy hem samen in. Westie huilde dan weleens en zei dat hij zijn mama miste. Delores verzekerde hem dat ze snel zou langskomen, maar vaak viel hij uitgeput van verdriet in slaap. Op een avond vatte Roy het idee op om Westie voor het slapengaan voor te lezen, zodat hij afleiding zou hebben en minder tijd had om verdrietig te zijn.

Hij had geen idee wat kinderen leuk vonden en kende ook niemand die boeken las. Toen hij dat een keer tegen Rex zei, antwoordde die: 'Er is één boek dat ik keer op keer heb gelezen toen ik nog klein was, en telkens is het verhaal weer anders dan de vorige keer. Het heet *Het Jungleboek*. Het is een echt kinderverhaal, maar ik krijg er nooit genoeg van.' Rex vertelde Roy dat het over een jongen ging die Mowgli heette en in een wolvengrot terechtkwam toen een tijger achter hem aan zat. De jongen werd grootgebracht door de wolven.

'Klinkt wel een beetje eng,' zei Roy.

'Nee hoor,' zei Rex. 'Hij wordt vrienden met de dieren in de jungle en leert ze op een andere manier kennen dan een gewoon kind zou doen, maar zoals dieren elkaar kennen. Weet je wat, je mag mijn boek wel lenen en hem een verhaal voorlezen over Mowgli, de kleine jongen. Dan zul je wel zien wat hij ervan vindt.' De volgende dag gaf Rex een bruine papieren zak aan Roy. Er zat een oranje boek in met een versleten kaft met daarop een kleine jongen in een lendendoek, omringd door een beer, een panter en twee wolven. Het boek was zwaar, maar de letters waren groot, met veel wit tussen de regels. Roy hield het in zijn hand alsof hij een blik witte bonen in tomatensaus vasthield. Die avond begonnen Delores en hij Westie voor te lezen over vader en moeder Wolf, Tabaqui de jakhals en Shere Khan, de tijger, en over de keer dat vader Wolf op een nacht buiten ging kijken om te achterhalen wat het geritsel was in de struiken:

Voordat hij zag waar hij op af sprong, zette hij af maar probeerde zich toen in te houden. Daardoor schoot hij een paar meter recht de lucht in en kwam neer op de plek waar hij eerst stond.

'Mens!' zei hij, naar adem happend. 'Een mensenwelp. Kijk!'

Vlak voor hem stond een naakt, bruin kindje, dat amper kon lopen en zich vasthield aan een tak. Zo'n zacht en lief klein ding was nooit eerder midden in de nacht bij een wolvengrot terechtgekomen.

Het Jungleboek werd een vast ritueel. Roy en Delores deden de stemmen van de verschillende dieren na. Delores siste als Kaa de python iets zei, of sprak met een hoge kinderstem als Mowgli praatte. Roy gromde als Baloe de beer iets zei en maakte diepe holle geluiden als een tuba voor Hathi de olifant. Het boek werd de taal tussen Roy en zijn kinderen. Roy en Delores noemden Westie Kleine Broer, de naam die Mowgli had gekregen van de dieren, en Westie begon Nehru Hathi te noemen.

Iedere familie heeft haar eigen code en haar eigen grappige geheimpjes. Dat stelde bij hen niet veel voor, maar Delores vond het stuk waarin Baloe Mowgli in alle verschillende dierentalen de woorden 'Wij hebben hetzelfde bloed, jij en ik' leert erg mooi. Ondanks alle gebeurtenissen in de uiteengevallen familie Walker was het helemaal waar.

Gail Walker zat op haar werkplek bij het kantoor van de marketingdirecteur van *Cool*. Haar diploma van het Marcie Breitman Opleidingscentrum hing splinternieuw met punaises op het prikbord boven haar werkblad. Het certificaat hing naast een papier van Marcie Breitman zelf, waarop stond: JIJ, GAIL, BENT EEN MENSENMENS. DENK ERAAN JE ZONNIGE KANT TE LATEN ZIEN EN HOU JE HOOFD BIJ JE WERK, DAN KRIJG JE ZE ALLEMAAL PLAT. Het gaf haar een zelfverzekerd gevoel en een doel om na te streven. Vandaag had ze de opdracht om iemand te vinden die honderd kruiswoordpuzzels kon samenstellen, waarvan de oplossing moest worden: 'De oplossing is Cool' verwijzend naar een evenement dat in september zou plaatsvinden. Ze had de hele ochtend al rondgebeld naar feestartikelenwinkels en verschillende puzzelondernemingen. Tot nu toe zonder resultaat, maar Gail liet zich niet uit het veld slaan. Dit was haar werk. Ze verdiende tienduizend dollar per jaar en ze had haar eigen bureaustoel met een grijze, zachte rugleuning en stalen armleuningen. Ze wiebelde met haar tenen zodat ze het zachte leer van haar witte sandalen met bandjes kon voelen. Avalon werkte net één verdieping boven haar, en tegen het eind van de maand zou Westie weer bij haar komen wonen. Niet slecht, dacht ze, terwijl ze de plooien in haar dacron rok gladstreek. Helemaal niet slecht.

Deze dagen permitteerde ze zichzelf de luxe om iedere dag interlokaal te bellen. Iedere avond om half zeven, zodra ze thuiskwam van haar werk, belde ze naar Dave Hanratty. Westie wachtte op haar telefoontje. Vanavond begroette Hanratty haar niet zoals gewoonlijk met: 'Hanratty's Circus en Aquazoo, spectaculair en verbazingwekkend', maar met: 'Hallo, mevrouw Walker, hoe gaat het met u?'

Hij vroeg haar hoe het met haar nieuwe baan ging, wat er in de volgende editie van *Cool* zou staan en op welk soort publiek het blad zich richtte. Omdat dit haar eerste echte zakengesprek was, probeerde Gail zo zelfverzekerd en gezaghebbend mogelijk over te komen. '*Cool* is een modeblad van hoog niveau met een oplage van bijna vijfhonderdduizend,' zei ze. 'Vrouwen zijn onze doelgroep, van vijfentwintig tot vijfenveertig jaar, met een totaal inkomen van dertigduizend dollar of meer.'

'Ik zal u zeggen waarom ik het vraag,' zei Hanratty. 'Op 16 november introduceren wij de spectaculairste liveshow aller tijden in de Verenigde Staten. Als attractie hebben we zeemerminnen, chimpansees en olifanten en nog veel meer, en ik kan u dit vertellen: niemand heeft ooit zoiets gezien. Daar komt nog bij dat er een indrukwekkende variëteit aan mensen zal zijn, van alle rangen en standen. Zonder verder uit de school te klappen, zeg ik u dat het tijdschrift *Cool* er goed aan zou doen een fotograaf en een verslaggever langs te sturen voor de openingsceremonie. Mocht dit het geval zijn, dan zal het me een plezier doen u als persoonlijke gast uit te nodigen, hotelkosten en vliegticket daarbij inbegrepen. Denk er maar over na. Misschien kunt u het me morgen laten weten als u weer belt. Eén moment, er is hier een jongeman die u wil spreken.'

Westie vertelde zijn moeder hoe zijn dag was geweest. 'We hebben met de olifanten gezwommen,' zei hij. 'Delores en Lester en ik gaan zaterdag naar de film en we hebben het hoofdstuk met Mowgli en Bagheera gelezen.' Net als de afgelopen twee weken waren Mowgli, Hathi en de panter Bagheera het onderwerp van gesprek. Gail merkte dat zijn woordenschat met de dag groeide. Hij sprak inmiddels in hele alinea's. Het deed haar verdriet dat ze er niet bij kon zijn terwijl hij al deze nieuwe woorden leerde. Ze wist dat ze blij zou moeten zijn, maar het was pijnlijk om hen met z'n drieën voor zich te zien, zonder haar. Ze vroeg nooit aan Westie hoe het met zijn vader ging, maar elke keer als hij 'wij' zei, wist ze precies wie hij bedoelde.

De volgende dag ging Gail meteen naar boven om met Avalon te praten. Ze vertelde haar alles over de Aquazoo. 'Dave Hanratty staat erom bekend alles uit de kast te halen om publiek te trekken,' zei ze, en ze deed haar best om te doen alsof het om een gewone bekende ging. 'Denk je dat het tijdschrift zal overwegen er een artikel over te schrijven?'

'Hmm, zeemeerminnen, chimpansees, olifanten,' zei Avalon. 'Ze hebben het er ooit over gehad een winterfantasieverhaal met zeemeerminnen te doen, nu we de connecties hebben.' Avalon knipoogde naar Gail. 'Misschien is dit het goede moment. Goed. Ik zal het morgen in de vergadering inbrengen.'

'Dat zou fijn zijn,' zei Gail en probeerde niet te hoopvol te zijn. 'Trouwens, heb je ooit van het boek *De Jungle* of iets dergelijks gehoord?'

'Eh, *Het Jungleboek*?'

'Ja, dat bedoel ik.'

'Het is heel bekend. Over chimpansees en olifanten gesproken, die man heeft er daadwerkelijk over geschreven,' zei Avalon.

'Misschien koop ik het als ik naar huis ga,' zei Gail, die zich niet kon herinneren wanneer ze voor het laatst in een boekwinkel was geweest.

25

In Hanratty's hoofd speelde zich een film af waar niemand van wist, alleen hijzelf. Wanneer mensen tegen hem praatten, leek hij langs hen heen te kijken, in beslag genomen door woorden die alleen hij kon horen. Zo af en toe barstte hij ineens in lachen uit of bewoog hij zijn lippen als hij herhaalde wat hij zojuist had gehoord. Zijn gedrag werd tot in detail besproken en de speculaties waren niet van de lucht; de eeuwige blocnote onder zijn arm, zoals verkopers met een bijbel doen, een stuk of tien kleurpotloden in de binnenzak van zijn jasje gepropt, de manier waarop hij met zijn vingers knipte en snel notities neerkrabbelde, of diagrammen tekende met pijlen en cirkels met getekende versies van verschillende dieren erin. Niemand kon dichtbij genoeg komen om zijn codes te kunnen ontcijferen, maar Enge Sheila viel het op dat elke kleur die hij in zijn schema gebruikte voor iets of iemand stond.

De Aquazoo was wat er door Hanratty's hoofd speelde, het hele beeld dat alleen hij voor zich zag, hoe de show eruit moest gaan zien. Hij vertelde iedereen wat zijn of haar aandeel was, zoals hij het voor zich zag, en hij verlangde van hen dat ze met deze blauwdruk aan de slag gingen. Twee diepgebruinde dolfijntrainers, Sally-Ann en Tucker, werden uit het Seaquarium in Miami geplukt en Hanratty zei tegen Lester en Delores dat zij zouden gaan werken met de trainers en een paar dolfijnen. 'Sally-Ann en Tucker zullen jullie werk naar een hoger plan tillen,' zei hij tegen hen. 'Ik wil dat je jezelf niet meer als zeemeermens ziet, maar als dolfijn. Onthoud goed: er zijn geen grenzen.'

Elke dag namen Delores, Lester, Sally-Ann en Tucker vroeg in de ochtend een motorboot om in het midden van de rivier de Weeki Wachee te trainen. Sally-Ann en Tucker leerden hun onbekende fluittonen en handgebaren, waardoor zij beter contact konden maken met de dolfijnen. Het idee was de dolfijnen zo vertrouwd met hen te laten worden dat Delores en Lester ze zouden kunnen aanraken en zelfs op ze zouden kunnen meevaren. Sally-Ann en Tucker leerden hun de bewegingen van de dolfijnen na te doen, een sprong in de lucht te maken, om te draaien en te cirkelen, alsof ook zij rugvinnen hadden.

Hanratty bracht de meeste tijd door met Wolf en de olifanten. Hij keek naar ze en maakte notities. Soms bracht Roy de olifanten naar het water. Hanratty zag dan hoe ze volgzaam achter Nehru aan gingen. Hij liet een van de clowns op de kop van een olifant zitten, zodat ze er alvast aan konden wennen. Hanratty vond het fijn als Westie tijdens de repetities aanwezig was. Eerst was de jongen zijn barometer. Zijn gegiechel en gewip zorgden ervoor dat Hanratty nog meer op zijn blocnote neerpende. Na een poosje zag hij hoe goed het klikte tussen Westie en Nehru. Ze zag hem als een ander jong kalf en beschermde hem tegen de andere olifanten en zelfs tegen de clowns. 'Nehru en jij zijn vrienden, hè?' zei hij op een ochtend tegen Westie. De jongen keek omhoog naar Nehru, die op hem neer keek, ondertussen kauwend op een lange graspriet. 'Nehru is mijn vriend,' zei hij. 'Ik vind haar leuk.' Hanratty klopte op Westies schouder. 'Dat is mooi.'

Thelma leidde natuurlijk de zeemeerminnen en trainde hen. Het enige wat ze van Hanratty had gehoord, was dat ze de choreografie zo moest opzetten dat het 'een wereld werd waarin de dieren mensen waren en de mensen dingen, die de lucht bevolkten en de wateren vulden.' Terwijl hij deze woorden uitsprak, pakte hij snel zijn pen om ze op te schrijven en vervolgde toen: 'Ik kan je dit vertellen, jouw meisjes zullen al hun talenten optimaal kunnen benutten. Hoe precies, daar ben ik nog over aan het nadenken.'

Thelma had wel in de gaten dat ze geen Dave Hanratty was, maar ze begon te begrijpen hoe hij werkte, hoe hij alle beperkingen en blokkades overboord gooide en zich niet van de wijs liet brengen door het onmogelijke. Ze begon ook notities te maken. Thelma was door Hanratty's programma Delores en Lester al kwijtgeraakt, en het zou haar niet gebeuren dat hij ook plannen had voor de andere meisjes. Ze keek goed naar hoe de meisjes zwommen en dacht na over hoe 'zij hun talenten optimaal konden benutten'.

Twee weken voor de opening liet Hanratty een plannenmaker van Georgia Tech komen. Hij heette Oliver Turch en was een grote, wat kromme man, alsof hij te veel over zijn boeken gebogen had gezeten. Turch was er om te helpen de show in elkaar te zetten en de onderdelen vloeiend in elkaar te laten overlopen, zodat er geen aanvaringen of verrassingen zouden zijn die Hanratty niet gepland had. Het opvallendst aan Oliver Turch was dat hij de enige persoon was die ooit nee durfde te zeggen tegen Dave Hanratty. Nog jaren later zou Turch het ene na het andere verhaal oplepelen over de man die de Aquazoo bedacht had. 'Moet je horen,' zou hij tegen zijn maten zeggen. 'Hij wilde weten of het fysiek mogelijk was om dolfijnen in formatie over een olifantenkop te laten springen. Ik moest hem ervan overtuigen dat als hij pinguïns van de Bronx Zoo zou laten komen, ze van de hitte binnen twee uur dood zouden zijn. Ik moest nee verkopen toen hij wilde dat er een vlot gebouwd werd waar een olifant op kon staan terwijl een andere olifant het over de rivier trok.' Dan schudde Oliver Turch zijn hoofd en zei: 'Natuurlijk is die kerel inmiddels een beroemde miljonair en geef ik les op de middelbare school in Valdosta, dus wat weet ik er nou van?'

Niemand wist wat hij van de Aquazoo moest denken. Mensen die het met hun eigen ogen zagen, hielden niet meer op over de dolfijnen die door de lucht vlogen met Delores en Lester op hun rug, of over de acrobaten, die als vuurvliegjes flitsten over de hoge draden die over de gehele breedte van de Springs heen gespannen waren. De mensen die erover lazen, werden gegrepen door de foto's van een jongetje dat op de kop van een olifant reed die de Springs in liep. De *Orlando Sentinel* was verrukt van het kleine poppetje dat de jongen in zijn handen hield. 'De kristallen tranen weerkaatsten de glinstering van de zon en reflecteerden die in het water,' dweepte een van de verslaggevers.

De plaatselijke nieuwszenders bleven het openingsnummer herhalen: een prachtig wit Arabisch paard, waarop een vrouw zat met champagnekleurig haar in een felrode japon, die naar het publiek galoppeerde. De vrouw bleek Peggy Lee te zijn. Zij zong *It's a Good Day* met een stem als honing. Er kwam geen einde aan de beelden van het publiek dat meedeinde op het ritme van haar lied. Het duurde niet lang voor iemand in de gaten had dat Peggy Lee nog geschitterd had in de animatiehit van Disneys *Lady and the Tramp*. En nu was ze hier, bij de attractie van de concurrent in Centraal-Florida. De nieuwszenders smulden ervan.

Armando Lozano, die versloeg voor WGUP, beschreef de lilliputters die bij de schildpadden op de rug zaten, en de clowns die een watergevecht met de olifanten hielden. 'Dit is een show die in Florida geschiedenis gaat schrijven,' zei hij opgewonden. En hij had gelijk. Men begon Dave Hanratty een genie te noemen – hoe kon je een man die zeemerminnen op olifanten liet staan en stokken liet rondzwaaien die aan de uiteinden brandden anders noemen? De pers begon hem Mister Florida te noemen en die bijnaam bleef hij houden. Wekenlang daarna reed het publiek op Route 50 naar het westen richting Weeki Wachee, en niet oostwaarts richting Orlando. Geruchten deden de ronde dat op de dag dat de *Tampa Tribune* de voorpagina vulde over de Aquazoo, met de kop: LIVE MAGIE BIJ WEEKI WACHEE, Walt Disney in hoogsteigen persoon een vergaderzaal was binnen gelopen die vol zat met afgevaardigden van pretparken, de krant op de vergadertafel neergooide en had gezegd: 'Waarom hebben *wij* hier geen livevoorstelling?'

Het was bijna donker toen Gail naar het olifantenverblijf liep, waar Roy bezig was Nehru af te spoelen. Delores en Westie zaten verderop op een bankje. Westie zag zijn moeder als eerste. Toen hij opsprong en naar haar toe rende, viel Otto van zijn schoot in het zand. 'Mama,' riep Westie uit. 'Mama is er.' Delores zag dat haar vader zijn blik op de grond richtte terwijl haar moeder dichterbij kwam.

Ze liep wat ongemakkelijk op haar moeder af, en vroeg zich af of ze Westie kwam halen. 'Hoi mam,' zei ze. De twee vrouwen pakten elkaar vast bij de ellebogen en hun hoofden kwamen dicht bij elkaar, alsof ze zouden kussen. De haren van Delores waren nog nat van de show, en Gail had zojuist haar make-up doeltreffend bijgewerkt. Ze kusten elkaar niet, bang dat hun make-up zou afgeven op de wang van de ander.

Gail sprak als eerste. 'Dat was de meest fantastische show die ik ooit heb gezien,' zei ze. 'Ik heb Avalon al gebeld en haar over jou en de dolfijnen verteld. En Westie, o Westie, jij was zo'n grote jongen en zo dapper op die olifant.'

'Ik was niet bang,' zei Westie, met nog steeds een blos op zijn wangen. 'Ik zat heel erg hoog, maar ik was helemaal niet bang.' Terwijl Westie verder praatte over Nehru en de andere olifanten bekeek Delores haar moeder eens goed. Ze droeg een kort, mouwloos rood jurkje dat haar grote borsten benadrukte. Het stond goed bij haar zwarte haar, dat ze in een wrong had gedraaid. Ze droeg sandalen van doorschijnend plastic. Lekker dik aangezet, net als Annette Funicello, dacht ze.

Op dat moment zag ze dat haar vader een vluchtige blik op haar moeder wierp. Gail moest het ook gezien hebben, want ze verstarde en haar houding werd gespannen. 'Hallo Roy,' zei ze. 'Hallo,' zei Roy, die haar blik nog steeds niet beantwoordde. 'Je ziet er goed uit.'

'Jij ook,' zei ze.

Daar stonden ze met z'n vieren, in stilte met elkaar verbonden: meneer Kletskous en de drie Walkers.

Beter dan dit zal het nooit worden, dacht Delores. Maar ze weigerde om daardoor deze dag te laten bederven.

Ze raapte Otto op en veegde hem schoon. Ze had haar laatste dollars uitgegeven om zijn rok te laten repareren en zijn gezicht op te laten knappen. Hij zag er als nieuw uit.

'Hé, Kleine Broer,' zei ze, terwijl ze de pop aan Westie gaf. 'Ik heb een idee. Kom.'

Ze liepen naar de Springs en gingen aan de waterkant zitten, vlak bij een rubberen clownsneus die iemand eerder die dag was verloren. Westie deed zijn T-shirt uit en ze deden allebei hun schoenen uit. Delores liep het water in. Het water was koeler dan anders omdat de zon weg was. Ze maakte haar polsen en gezicht nat.

'Hou je goed vast,' zei ze, terwijl ze door haar knieën ging. Westie hield Otto op zijn ene arm en sloeg de andere om Delores' middel. Hij klom op haar rug en zo bleven ze een poosje drijven. Delores dacht terug aan de laatste keer dat ze zo samen hadden gezwommen en hoe licht – bijna gewichtloos – Westie toen was geweest. Nu woog hij aanzienlijk meer; aan de manier waarop zijn voeten haar ribben omsloten kon ze voelen dat hij sterker was geworden. Ze waren echt van hetzelfde bloed, zij en hij.

'Kom op, Westie,' riep ze, vlak voordat ze onder water dook. 'Kom, laten we wegzwemmen.'

Misschien zwom er een schildpad met hen mee, misschien ook niet. Tegen die tijd was het te donker om waar dan ook zeker van te zijn.

Leesclubgids

Inhoud van het verhaal

Wanneer Delores Walker dertien is gaat zij samen met haar ouders voor het eerst op vakantie. Ze rijden vanaf hun kleine huis in New York naar Florida, om daar de wereldberoemde zeemeerminnenshow te bekijken in het kleine stadje Weeki Wachee Springs. Delores is zo van het spektakel onder de indruk dat ze zichzelf een belofte doet: ooit zal zij ook een meermin zijn.

Twee jaar later besluit Delores haar droom te verwezenlijken: met het spaargeld van haar vader reist zij met de bus naar Florida. Na een auditie in een watertank wordt ze aangenomen in Weeki Wachee Springs. Dat niet alleen: ze wordt als meermin ingezet om het weer te presenteren op de regionale tv-zender. Delores groeit uit tot een nationale bekendheid. Wanneer haar moeder en broertje ook naar Florida komen en haar verloren gewaande vader in een nabijgelegen circus blijkt te werken, lijkt alles mogelijk.

In de pers

'Aangrijpend en bij vlagen hilarisch verhaal over familiebanden, afscheid en identiteit dat zich afspeelt in de jaren zeventig, een periode in de geschiedenis waarin alles mogelijk was. Betsy Carter heeft haar onfeilbare gevoel voor menselijke tekortkomingen verwerkt in een herkenbaar en meeslepend boek.' *The Miami Herald*

'Een heerlijke vlucht uit de dagelijkse wereld. Een aandoenlijke en prijzenswaardige roman over mensen die op een integere manier hogerop proberen te komen.' *New York Magazine*

'Dit boek zal ongetwijfeld populair worden bij een brede lezersgroep. Carters verhaal is lieflijk, maar zeker niet zoetsappig, en wordt gedragen door geloofwaardige personages. Aantrekkelijk en onderhoudend.' *Library Journal*

'Een opbeurend verhaal over een stadsmeisje dat uit een verscheurd gezin ontsnapt en zichzelf opnieuw definieert. Zelfs als je mijlenver van het strand vandaan bent, geeft dit verhaal je een zonnige blik op het leven en een heerlijk vakantiegevoel.' *Self Magazine*

'Carters geniale schrijfstijl zorgt voor een verrukkelijk ontsnappingsmiddel.' *DailyCandy*

Over de auteur

Betsy Carter werkte al jaren als (hoofd)redacteur voor verschillende tijdschriften, onder andere *Esquire*, *Newsweek* en *Harper's Bazaar*, voordat zij het prijswinnende magazine *New York Woman* opzette. In 1999 lanceerde ze *My Generation*, een tijdschrift voor babyboomers. Tegenwoordig werkt ze op freelancebasis voor onder meer *Good Housekeeping* en *O*, het tijdschrift van Oprah Winfrey.

Interview met Betsy Carter
Door Amy Scribner voor www.bookpage.com

Betsy Carter weet wat het is om tegenslagen te verwerken en zichzelf opnieuw te moeten uitvinden. In haar eigen roerige leven, zoals beschreven in haar intens eerlijke memoires *Nothing to Fall Back On*, kreeg ze te maken met kanker, een ingestort huwelijk en brand in haar huis.

Delores is door het dolle heen als ze op haar zeventiende aan de slag mag als zeemermin in een toeristenattractie in Florida en als weermeisje bij een regionale tv-zender. Wat was uw droombaan toen u opgroeide?
Op het moment dat ik waterskiërs een show zag opvoeren in Cypress Gardens, met handschoenen tot aan hun ellebogen, beloofde ik mezelf plechtig dat ik een van hen zou worden.

De meermin speelt zich af in het begin van de jaren zeventig, het tijdperk van Watergate. Wat deed u in 1973?
Helaas was ik geen waterskiër. Ik was mediaonderzoeker/verslaggever bij *Newsweek*.

De beide romans die u hebt geschreven spelen zich af in Florida, terwijl u in New York woont. Waarom voelt u zich zo aangetrokken tot het zonnige zuiden?
We zijn van Miami naar New York verhuisd toen ik tien was. Ik mis nog altijd de kleuren, de hitte en de bijzondere dingen die je nooit in New York zult zien, zoals echte beren die naast benzinestations in een hok zitten, en oude Seminole Indianen die met alligators worstelen.

Wie zou u liever zijn: Ariël, de Kleine Zeemeermin, of Esther Williams, actrice en kunstzwemster?

Ik benijd Ariëls onderwaterleven en haar rode haar, maar Esther Williams mocht altijd van die geweldige zwemmutsen dragen met touwtjes onder haar kin en rubberen bloemen erop. Dan kies ik toch dat laatste.

Hebt u een zwembad? Zo niet: waar zwemt u het liefst?

Vanuit zwembad Chelsea Piers in New York, dat aan de rivier de Hudson ligt, heb je uitzicht op het Vrijheidsbeeld en Ellis Island. Het is het mooiste zwembad ter wereld.

In een brief aan haar kleine broertje die thuis in The Bronx is achtergebleven, schrijft Delores: 'Er gebeuren hier dingen die je je nooit zou kunnen voorstellen.' Kunt u vertellen welke dingen er in uw leven zijn gebeurd die u hebben geschokt?

Mijn leven is meerdere malen totaal ingestort. Verrassend genoeg hebben deze rampen geleid tot een gelukkig tweede huwelijk, een nieuwe carrière en het feit dat ik nog steeds leef.

Delores' moeder is schoonmaakster bij een modetijdschrift in New York, waar ze een modeassistente ontmoet die behoorlijk wordt uitgebuit. U ben zelf redacteur bij zo'n tijdschrift geweest. Zijn die tijdschriftredacties echt zulke slangennesten?

Hmm, bij sommige redacties is het erger, bij andere is het puur genieten. Ik heb vooral ervaring met de tweede categorie.

U kreeg geweldige recensies voor uw debuutroman The Orange Blossom Special. *Hoe is het om daarna een tweede boek te schrijven? Doodeng?*

Ik zonder mezelf grotendeels af. Ik schrijf thuis in mijn woonkamer met als enige gezelschap mijn hond Lucy. Ik vind het opmerkelijk dat wat er in die uren gebeurt, uiteindelijk evolueert tot een boek dat echt gelezen wordt door mensen.

U heeft een ongelooflijk openhartige memoires geschreven, Nothing to Fall Back On, *waarin u verslag doet van wat u uw donkere jaren noemt: scheiding, ziekte, loopbaanproblemen. Hoe voelde het om uw hele leven te openbaren aan het grote publiek?* Gestoord. Angstaanjagend. Bevrijdend. En ik hoop van harte dat ik nooit meer genoeg materiaal zal verzamelen om nog zo'n boek te schrijven.

Discussievragen

Verschillende personages uit dit boek besluiten zichzelf opnieuw uit te vinden, waaronder natuurlijk Delores. Zij gebruikt daarbij een artikel uit *Teen Girl* als inspiratiebron: daarin staat dat je iedereen kunt zijn die je wilt (p. 96). In hoeverre is dit thema een afspiegeling van de Amerikaanse maatschappij van de jaren zeventig, waarin dit verhaal zich afspeelt? Zou het thema ook toe te passen zijn op het Nederland van het begin van de eenentwintigste eeuw?

Delores Walker droomt ervan zeemeermin te worden. Dat lukt, en ze verandert niet alleen haar verleden, maar ook haar identiteit: ze wordt Delores Taurus, een populaire meermin bij Weeki Wachee Springs. Is ze gelukkig nu ze haar droom heeft verwezenlijkt? Wat vindt ze ervan dat ze niet alleen een goede meermin wordt, maar ook een populair weermeisje?

Bij de eerste ontmoeting tussen Gail Walker en Thelma Foote koesteren beide vrouwen argwaan voor elkaar: volgens Thelma is Gail een 'angstige vrouw die zich lijkt te storen aan het succes van haar eigen dochter' (p. 139). Ze begrijpt best dat ze zelf, als onafhankelijke zakenvrouw, misschien bedreigend overkomt, maar snapt niet waarom Gail zo kortaf doet. Op haar beurt prent Gail zich in dat ze te hard werkt om zich 'minderwaardigheidsgevoelens te laten aanpraten door iemand als Thelma Foote' (p. 141). In feite hebben ze meer met elkaar gemeen dan ze zouden willen toegeven. Op welke manieren zijn ze hetzelfde? En op welke manieren verschillen ze?

Bij het etentje met de adverteerders van het modeblad weet Gail iedereen te charmeren, ondanks het feit dat ze in het gesprek een aantal keren de plank flink misslaat (p. 168). Haar onzekerheid werkt in dit geval ontwapenend, terwijl die in de ontmoeting met Thelma Foote een verstarrend effect had. Had u tijdens het lezen verwacht dat Gail zo'n succes zou boeken, en haar baan als schoonmaakster misschien zou kunnen inruilen voor een secretaressebaan? Vindt u deze ontwikkeling geloofwaardig?

Het modetijdschrift waarvoor Avalon werkt, heeft duidelijke trekjes van een moderedactie zoals die ook wordt afgeschilderd in de film *The Devil Wears Prada*. Denkt u dat de Nederlandse redacties van modebladen ook zo vervuld zijn van haat en nijd vanwege harde concurrentie?

Thelma is verbitterd sinds ze werd afgewezen voor de hoofdrol in *Mr. Peabody and the Mermaid*. Hoe verandert de komst van Delores haar leven? In hoeverre projecteert ze haar eigen verlangens op de jonge Delores? Beïnvloedt dit haar bemiddeling tussen Delores en tv-baas Alan Sommers?

Thelma Foote heeft haar leven zo ingericht dat ze angst heeft buitengesloten (p. 196). Maar op de avond dat Delores het jongetje uit de golven redt, was ze voor het eerst in tijden weer bang geweest. Vindt ze dat prettig? Herkent u bij uzelf of anderen om u heen de wens om angst uit het leven te verbannen?

De live-uitzending van Delores' reddingsactie op het strand van Belleair is revolutionair, omdat het een van de eerste live verslaggevingen is van een spectaculaire gebeurtenis. In hoeverre heeft live televisie de wereld veranderd?

Delores stort regelmatig haar hart uit bij haar handpop, Otto. Waarom heeft ze hem na een tijdje niet meer nodig? Wat verwacht ze van Westie als ze Otto aan hem geeft? Is die verwachting reëel?

Personages als Molly, de twee Sheila's, Rex de Reus en Hanratty zijn zogenaamde *flat characters*: personages die in de loop van het verhaal niet veranderen. Bespreek de rol en de geloofwaardigheid van de verschillende flat characters in het verhaal.

Alan Sommers van tv-zender WGUP merkt op dat Thelma Foote en hij uit hetzelfde hout gesneden zijn. Thelma is het daar niet mee eens (p. 103). Zij vindt eerder dat zij uit hetzelfde hout gesneden is als circusbaas Dave Hanratty (p. 231). Wat verafschuwt Thelma in Sommers? En wat bewondert ze in Hanratty? Bespreek op wie Thelma het meest lijkt.

Delores' vader Roy praat liever met dieren dan met mensen en weet niet wat hij tegen Delores moet zeggen als ze elkaar hebben teruggevonden. Als Delores hem uiteindelijk uitnodigt voor een gesprek, legt hij uit waarom hij Delores, Westie en Gail op die avond van het 'lever-incident' heeft verlaten. Krijgt Delores door deze openbaringen meer begrip voor haar vader? Kreeg u zelf meer begrip voor hem?

Gail en Delores Walker gaan bijna in gevecht met elkaar om te bepalen wie er voor Westie mag zorgen. Gail wil hem niet afstaan, omdat ze dan het gevoel zou krijgen dat ze een slechte moeder is, en omdat ze dan door werkelijk elk familielid verlaten zal zijn. Uiteindelijk zwicht ze voor de smeekbedes van Delores. Waarom wil Delores Westie zo graag meenemen naar Weeki Wachee Springs? Is Weeki Wachee een goede omgeving voor Westie? Wat zou er zijn gebeurd als Westie een paar jaar ouder was geweest en hij zelf een mening had gehad over de kwestie?

In deel 3 van het verhaal beginnen Roy, Delores en Westie voorzichtig weer gezinsrituelen op te bouwen met elkaar, onder andere door het samen lezen van *Het Jungleboek*. In de Aquazoo komen meerminnen en dieren bijeen om een wervelende show te vormen. Westie zit boven op de kop van Nehru de olifant en zelfs de pop Otto krijgt een rol in de show. Wat vindt u van dit einde?

Op pagina 80 wordt een korte geschiedenis gegeven van het ontstaan van Weeki Wachee Springs. Deze geschiedenis is gebaseerd op de werkelijkheid, Weeki Wachee Springs bestaat nog steeds. Op www.weekiwachee.com zijn foto's te vinden van meerminnen die shows opvoeren. Komen deze foto's overeen met het beeld dat u had van de meerminnenshows?

Dit boek wordt in de pers aangeprezen als een 'verrukkelijk ontsnappingsmiddel'. Had u ook het idee dat u even helemaal van de wereld was tijdens het lezen van dit verhaal? Werd u vrolijk tijdens het lezen van bepaalde passages, of juist ongemakkelijk? Heeft dit verhaal u nieuwe inzichten gebracht over uw eigen leven? Zou u hierna andere boeken van Betsy Carter willen lezen?

Meer leestips van uitgeverij Arena

Ishq & Mushq
Priya Basil
Roman, ISBN 978 90 6974 850 4
Ishq en *Mushq* – liefde en geur – de twee dingen die je voor niemand kunt verbergen.
Wanneer Karam na diverse 'zakenreizen' naar Engeland voorstelt om samen met de kinderen naar Londen te verhuizen, stemt zijn vrouw Sarna in. Ze is er met tegenzin van overtuigd dat Karam vooral wil verhuizen om zijn minnaressen makkelijker te kunnen opzoeken.

Dartelende zeeotters in de wilde, wilde branding
John Bennett
Roman, ISBN 978 90 6974 806 1
Tijdens een zoektocht naar nieuwe sneakers ontdekt Felix in een dumpwinkeltje in de stad een fascinerend en nogal smakeloos beeldje. De zoektocht naar de herkomst van het bizarre object voert hem letterlijk over de hele wereld.

De zondagsvrouw
Anna Bouman
Memoires, ISBN 978 90 6974 811 5
Anna Bouman is bijna dertig als ze te horen krijgt dat ze een hersentumor heeft. In ontwapenende anekdotes schetst ze hoe vanzelfsprekendheden wegvallen.

Dief van de tijd
John Boyne
Roman, ISBN 978 90 6974 836 8
Matthieu Zéla's leven is in alle opzichten uitzonderlijk: tegen het eind van de achttiende eeuw komt de veroudering van zijn

lichaam tot stilstand. Zéla is dan vijftig en heeft nog twee volle eeuwen van groots en meeslepend leven voor de boeg.

De jongen in de gestreepte pyjama
John Boyne
Roman, ISBN 978 90 6974 870 2
Berlijn, 1943. Als de negenjarige Bruno op een dag uit school komt, zijn al zijn spullen in kratten gepakt. Hun nieuwe huis staat naast een hek dat zich uitstrekt zover het oog reikt, een hek dat Bruno afschermt van de vreemde mensen die hij daarachter ziet bewegen.

Zij die zegeviert
Yolaine Destremau
Roman, ISBN 978 90 6974 877 1
De westerse Hélène voelt zich opgesloten in haar huwelijk. Faïza is Arabisch en hunkert naar vrijheid – ze komt in Frankrijk aan met een hoofd vol dromen. Uit een ontmoeting tussen de twee vrouwen bloeit een diepe vriendschap waarin ze elkaars tradities ontdekken.

Rode rozen en tortilla's
Laura Esquivel
Roman, ISBN 978 90 6974 933 4
De kleurrijke culinaire editie met uitgebreide recepten!
Mexico, 1910. Op een haciënda woont Mama Elena met haar drie dochters Tita, Rosaura en Gertrudis. De levens en liefdes van de drie zusters worden door Laura Esquivel op weergaloze wijze beschreven in deze klassieke liefdesroman.

Malinche
Laura Esquivel
Roman, ISBN 978 90 6974 462 9
Met de komst van de Spaanse conquistador Hernán Cortés
komt er een einde aan de Indiaanse beschavingen van de Maya's
en de Azteken. Zijn verovering van Mexico wordt echter gehin-
derd door één ding: hij spreekt noch de taal van de Maya's noch
die van de Azteken. Maar Cortés heeft een geheim wapen, de
dochter van een Azteekse edelman.

26a
Diana Evans
Roman, ISBN 978 90 6974 764 4
De achtjarige Georgia en Bessi wonen samen met hun twee zus-
sen en ouders in Londen. Hun slaapkamer – omgedoopt tot
26a – is de plek waar niemand anders mag komen. Als het gezin
voor drie jaar terugkeert naar Nigeria leren Georgia en Bessi de
werkelijkheid kennen buiten hun vertrouwde zolderkamer.

De blinde masseur
Catalin Dorian Florescu
Roman, ISBN 978 90 6974 822 1
In een afgelegen kuuroord waar de nieuwe tijd nog niet is aangebroken, leeft een blinde masseur tussen dertigduizend boeken. Teodor raakt gefascineerd door de masseur en ze raken be-
vriend. Maar al snel blijkt het paradijs niet te bestaan.

Uit liefde voor het leven
Benoîte Groult
Roman, ISBN 978 90 6974 823 8
In deze overrompelende roman, haar eerste in bijna twintig jaar,
vertelt Benoîte Groult het verhaal van twee krachtige vrouwen op
leeftijd, die het lef hebben om hun lot in eigen hand te nemen.

Land van herkomst
Barbara & Stephanie Keating
Roman, ISBN 978 90 6974 878 8
Na jaren van omzwervingen keren drie jonge vrouwen terug naar Kenia, het land waar ze hun jeugd doorbrachten. Langzaam maar zeker ontrafelen de vrouwen de waarheid over hun jeugd, gesteund door de vriendschap voor elkaar en hun gedeelde liefde voor het land.

De vriendschap
Barbara & Stephanie Keating
Roman, ISBN 978 90 6974 793 4
Afrika, 1957. Op een kostschool op het platteland van Kenia sluiten drie meisjes een bijzondere vriendschap. Ondanks hun verschillen in afkomst en karakter zweren Camilla, Sarah en Hannah dat niets hun band ooit zal kunnen verbreken. Maar dan barst de onafhankelijkheidsoorlog los.

De weg naar Callisto
Torsten Krol
Roman, ISBN 978 90 6974 865 8
Odell Deefus mag dan wel niet de slimste zijn, je kunt hem niet zomaar voor de gek houden. Odell valt van de ene bizarre situatie in de andere en probeert zich in al zijn simpelheid staande te houden. 'We want more!' *Boek*

Lolita lezen in Teheran
Azar Nafisi
Memoires, ISBN 978 90 6974 833 7
De Iraanse Azar Nafisi doceerde Engelse literatuur aan de universiteit van Teheran, maar mocht in haar colleges de westerse klassiekers niet meer behandelen. Samen met haar meest getalenteerde studentes richtte ze een geheime boekenclub op.

De vrouw van de tijdreiziger
Audrey Niffeneger
Roman, ISBN 978 90 6974 794 1
Clare, een studente kunstgeschiedenis, en Henry, een avontuur-
lijke bibliothecaris leerden elkaar kennen toen Clare zes was en
Henry zesendertig. Ze trouwden toen Clare drieëntwintig was
en Henry eenendertig. Onmogelijk, maar waar; want zonder
dat hij er iets aan kan doen verplaatst Henry zich door de tijd.
Samen met zijn grote liefde Clare probeert Henry uit alle macht
een leven te leiden zoals ieder ander.

De voorspeller
Joanne Proulx
Roman, ISBN 978 90 6974 918 1
Wanneer de zeventienjarige Luke Hunter met angstaanjagende
precisie de dood van zijn vriend Stan voorspelt, raakt zijn leven
in een stroomversnelling.

Aan het einde van het alfabet
C.S. Richardson
Roman, ISBN 978 90 6974 894 8
Als Ambrose Zephyr rond zijn vijftigste verjaardag te horen
krijgt dat hij nog maar een maand te leven heeft, heeft hij nog
maar één wens: samen met zijn vrouw Zipper wil hij nog zoveel
mogelijk van de wereld zien, en het alfabet wordt hun leidraad.

Vissen op zalm in Jemen
Paul Torday
Roman, ISBN 978 90 6974 819 1
Fred Jones is een wetenschapper in overheidsdienst en heeft een
passie voor vissen. Hij wordt gevraagd om een ongewoon en
onmogelijk project te leiden: de introductie van zalm in Jemen,
op verzoek van een rijke sjeik.

Waar niemand is
Vendela Vida
Roman, ISBN 978 90 6974 821 4
Clarissa gaat op zoek naar haar biologische vader. Via een omweg vindt ze hem in Lapland en ze mag hem meteen. Ze vraagt zich af hoe het mogelijk is dat haar moeder al haar hele leven wegloopt van degenen die van haar houden. Tot de échte, harde waarheid aan haar wordt onthuld.

De uitzonderlijke belevenissen van Lola Galley
Kit Whitfield
Roman, ISBN 978 90 6974 802 3
Lola Galley heeft een verantwoordelijke baan als advocaat bij een bijzondere afdeling van het hoofdkantoor van politie. Maar de misdaden van de cliënten die ze krijgt toegewezen zijn zo gruwelijk, dat ze steeds vaker in gewetensnood komt. Dan ontmoet ze Paul...

Loterij
Patricia Wood
Roman, ISBN 978 90 6974 893 1
Als zijn grootmoeder overlijdt, is Perry een 32-jarige, berooide einzelgänger. Maar dan wint hij twaalf miljoen dollar in de loterij, en heeft hij plotseling meer vrienden en familie dan goed voor hem is.